JUSQU'À L'IMPENSABLE

Michael **CONNELLY**

JUSQU'À L'IMPENSABLE

Roman traduit de l'anglais par Robert Pépin

CALMANN LEVY

Titre original (États-Unis) :
THE CROSSING

Couverture
Rémi Pépin, 2017
Photographie : © David & Myrtille / Arcangel Images

ISBN 978-2-7021-5651-3
ISSN 2115-2640

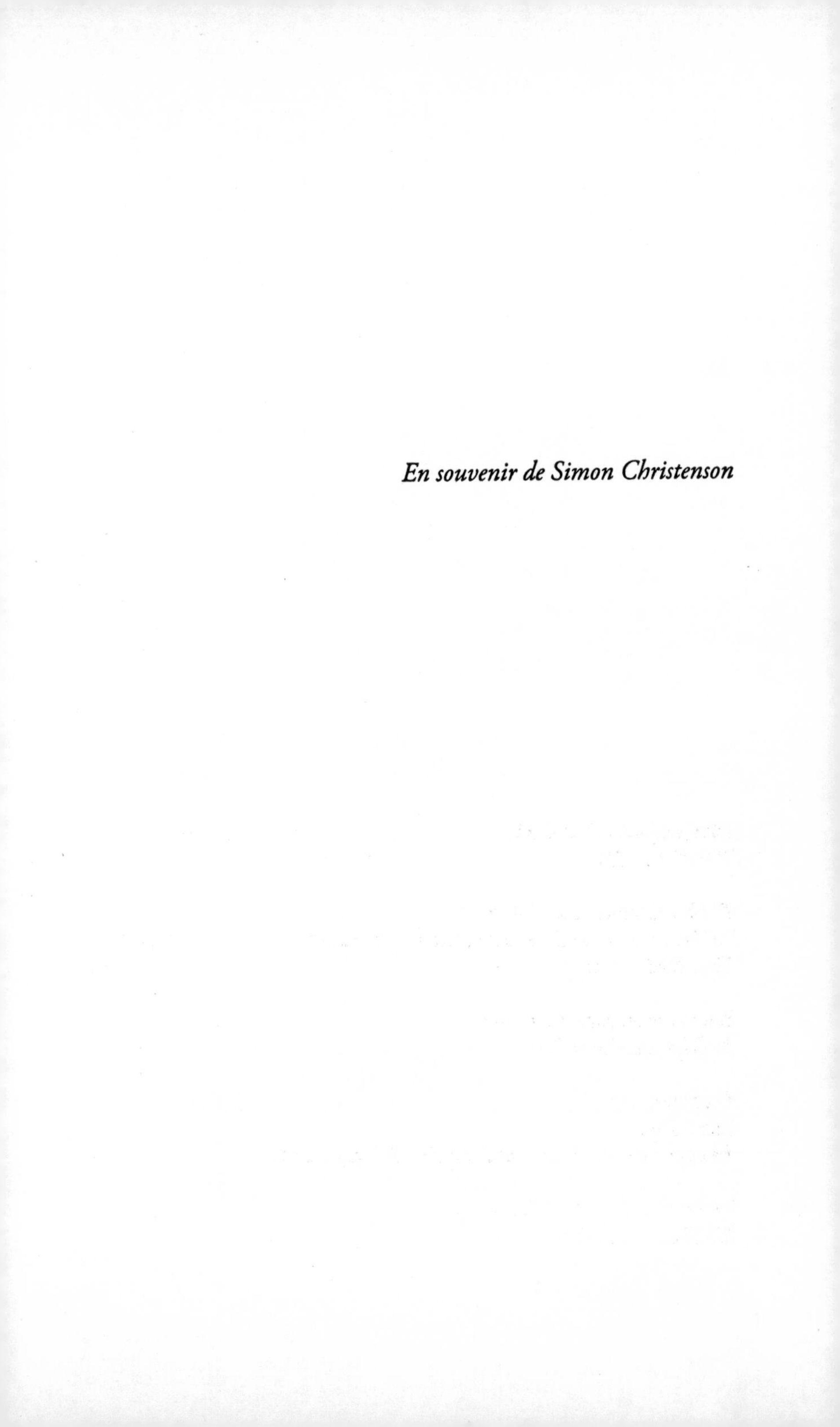

En souvenir de Simon Christenson

POISSON D'AVRIL

Ellis et Long roulaient dans Ventura Boulevard, direction est, à quatre voitures de la moto. Ils arrivaient au grand virage où la route oblique vers le sud et descend vers Hollywood après le col.

Ellis était au volant. C'était la place qu'il préférait, même si, plus âgé que Long, il avait le droit de dire qui conduisait et qui s'asseyait à la place du mort. Le nez sur l'écran de son portable, Long, lui, regardait le flux vidéo : il surveillait ce qu'ils appelaient leur « investissement ».

Ellis aimait bien cette voiture. Elle en avait sous le capot. Il n'y avait pratiquement pas de jeu dans la direction et il s'y sentait fermement aux commandes. Il vit une ouverture dans la file de droite et appuya sur l'accélérateur. La voiture bondit.

Long releva la tête.

— Qu'est-ce que tu fais ? demanda-t-il.

— Je me débarrasse d'un problème.

— Quoi ?

— Avant que c'en devienne un.

Il avait déjà rattrapé la moto et roulait à côté d'elle. Il jeta un coup d'œil par la fenêtre et vit les bottes noires du motard et les flammes orange peintes sur son réservoir d'essence, du même orange que la Camaro.

Il dépassa la moto de quelques mètres et, la route virant à droite, laissa la voiture se déporter sur la gauche en obéissant à la force centrifuge.

Il entendit crier le motard, qui flanqua un coup de pied dans la carrosserie, puis accéléra pour passer. C'était l'erreur. Il aurait dû freiner et renoncer, mais il tenta de s'en sortir en mettant la gomme. Ellis s'y attendait et écrasa lui aussi le champignon. La Camaro entra en force dans la file de gauche – queue de poisson terminée.

Ellis entendit couiner des freins, puis le long coup de Klaxon d'une voiture au moment où la moto partait dans les files d'en face. Vinrent ensuite les grincements suraigus de l'acier qui racle le sol et le choc inévitable, métal contre métal.

Ellis sourit et poursuivit sa route.

CHAPITRE 1

Vendredi matin, les petits malins étaient déjà partis en week-end. La circulation en étant plus que fluide pour gagner le centre-ville, Harry Bosch arriva au tribunal en avance. Plutôt que d'attendre Mickey Haller sur les marches où ils avaient convenu de se retrouver, il décida de chercher son avocat dans la structure monolithique haute de dix-neuf étages qui s'étendait sur la moitié d'un bloc. L'y localiser ne serait pas aussi difficile que la taille de l'immeuble le laissait présager. Après avoir franchi le portique de sécurité sans encombre – expérience inédite pour lui –, il prit un ascenseur jusqu'au quinzième et commença à chercher la salle d'audience en redescendant par l'escalier. Les trois quarts des chambres criminelles se trouvaient entre les neuvième et quinzième étages. Il le savait parce que cela faisait trente ans qu'il y traînait.

Il trouva Haller à la chambre 120, au treizième. L'audience avait débuté, mais il n'y avait pas de jurés. Haller lui avait dit avoir une requête à soumettre au juge et précisé que l'audience finirait avant le déjeuner, qu'ils prendraient ensemble. Bosch se glissa sur un banc au fond de la salle, dans la partie réservée au public, et regarda Haller interroger son témoin, un policier du LAPD. Il avait raté les remarques préliminaires, mais savait ce que Haller avait en tête dans cet interrogatoire.

— Officier Sanchez, j'aimerais que vous m'expliquiez en détail ce qui vous a amené à arrêter M. Hennegan le 11 décembre dernier. Pourquoi ne pas commencer par nous dire en quoi consistait votre travail ce jour-là ?

Sanchez mit du temps à composer une réponse à ce qui semblait n'être qu'une question de routine. Bosch remarqua qu'il avait trois barrettes sur sa manche, une par tranche de cinq années passées au LAPD. Quinze ans, cela constituait une belle expérience et Bosch savait que Sanchez allait beaucoup se méfier de Haller et serait très habile à lui donner des réponses allant plus dans le sens de l'accusation que dans celui de la défense.

— Mon associé et moi faisions une patrouille de routine pour le commissariat de la 77e Rue, répondit Sanchez. Nous roulions vers l'ouest dans Florence Avenue au moment de l'incident en question.

— Et M. Hennegan roulait lui aussi dans Florence Avenue ?

— C'est exact.

— Dans quel sens roulait-il ?

— Vers l'ouest, lui aussi. Il était juste devant nous.

— Bien, et que s'est-il passé ensuite ?

— Nous sommes arrivés au feu rouge de Normandie Avenue et M. Hennegan s'arrêtant, nous nous sommes rangés derrière lui. M. Hennegan a ensuite mis son clignotant et tourné à droite dans Normandie Avenue, direction nord.

— A-t-il commis une infraction au code de la route en prenant à droite alors que le feu était au rouge ?

— Non. Il a marqué l'arrêt et n'a tourné à droite qu'une fois assuré que la voie était libre[1].

Haller acquiesça d'un signe de tête et vérifia quelque chose dans un bloc-notes. Il était assis à côté de son client, celui-ci en combinaison bleue de la prison du comté – signe manifeste que c'était sérieux. Bosch se dit qu'il devait s'agir d'une affaire de drogue et que Haller essayait d'empêcher que ce qui avait été trouvé dans la voiture de

1. Dans certaines villes américaines, il est permis de tourner à droite lorsque le feu est rouge.

son client soit retenu comme pièce à conviction lors du procès, la tactique étant d'arguer que l'arrestation n'avait pas lieu d'être.

C'était de la table de la défense où il était assis que Haller interrogeait le témoin. Sans jurés dans la salle, le juge n'exigeait pas qu'on se tienne debout pour interroger un témoin.

— Vous avez donc vous aussi pris à droite et suivi la voiture de M. Hennegan, exact ?

— Exact, répondit Sanchez.

— À quel moment avez-vous décidé de procéder à l'interpellation de M. Hennegan ?

— Tout de suite. Nous le lui avons signalé en allumant le gyrophare et il s'est rangé sur le bas-côté.

— Que s'est-il passé ensuite ?

— Dès qu'il s'est arrêté, la portière côté passager s'est ouverte et quelqu'un a bondi du véhicule.

— Le passager s'est sauvé en courant ?

— Oui, maître.

— Où est-il allé ?

— Il y a un centre commercial avec une contre-allée derrière. Il y est entré et a filé vers l'est.

— Vous ou votre associé vous êtes-vous lancé à sa poursuite ?

— Non, maître, se séparer serait aller contre le règlement et pourrait être dangereux. Mon associé a décroché la radio de bord, demandé des renforts et un hélico avant de donner le signalement de l'individu en fuite.

— Un hélicoptère ?

— Un hélicoptère de la police.

— D'accord. Qu'avez-vous fait vous, officier Sanchez, pendant que votre associé parlait à la radio ?

— Je suis descendu de la voiture de patrouille, j'ai gagné le côté conducteur du véhicule de M. Hennegan et j'ai demandé à ce dernier de mettre les mains hors de l'habitacle de façon à ce que je puisse les voir.

— Avez-vous sorti votre arme ?

— Oui.

— Que s'est-il passé ensuite ?

— J'ai ordonné au conducteur… M. Hennegan… de descendre du véhicule et de se coucher par terre à plat ventre. Il m'a obéi et je lui ai passé les menottes.

— Lui avez-vous dit pourquoi il était en état d'arrestation ?

— À ce moment-là, il ne l'était pas.

— Il était couché par terre à plat ventre dans la rue et vous me dites qu'il n'était pas en état d'arrestation ?

— Nous ne savions pas ce qu'il avait sur lui et j'étais inquiet pour ma sécurité et celle de mon associé. Nous avions vu le passager se sauver de la voiture et nous nous méfiions.

— C'est donc cet homme qui bondit de la voiture qui a tout mis en branle.

— Oui, maître.

Haller tourna quelques pages de son bloc-notes pour y vérifier deux ou trois choses, puis il regarda l'écran de son ordinateur portable ouvert sur la table de la défense. Son client avait incliné la tête et, vu de dos, donnait l'impression de dormir.

Le juge, qui s'était tellement tassé sur son siège que Bosch ne voyait plus que le haut de ses cheveux gris, s'éclaircit la gorge, se pencha en avant et, ce faisant, se révéla au public. La plaque apposée sur le devant de sa table l'identifiait comme étant l'Honorable Steve Yerrid. Bosch ne le reconnut pas plus que son nom, ce qui ne signifiait pas grand-chose dans la mesure où le bâtiment abritait plus de cinquante chambres et juges divers.

— Plus de questions, maître Haller ?

— Veuillez m'excuser, monsieur le juge. Je consultais seulement quelques notes, lui répondit Haller.

— Ne ralentissons pas les débats.

— Bien sûr, monsieur le juge.

Haller devait avoir trouvé ce qu'il cherchait car il était de nouveau prêt.

— Combien de temps avez-vous laissé M. Hennegan menotté par terre, officier Sanchez ? reprit-il.

— J'ai examiné la voiture et dès que j'ai été sûr qu'il n'y avait personne d'autre à l'intérieur, je suis revenu vers lui, l'ai palpé pour voir s'il était armé, puis je l'ai aidé à se relever et l'ai assis sur la banquette arrière du véhicule de patrouille, pour sa sécurité et pour la nôtre.

— Pourquoi sa sécurité était-elle en danger ?

— Comme je vous l'ai dit, nous ne savions pas à quoi nous avions affaire. Un individu qui s'enfuit en courant, un autre qui a l'air nerveux... Il valait mieux s'assurer de sa personne pendant que nous tentions de déterminer ce qui se passait.

— Quand avez-vous remarqué pour la première fois que M. Hennegan « semblait nerveux », comme vous dites ?

— Tout de suite. Quand je lui ai dit de passer les mains hors de l'habitacle.

— Vous pointiez bien une arme sur lui quand vous lui avez donné cet ordre, n'est-ce pas ?

— Oui.

— Bien. Vous avez donc Hennegan sur la banquette arrière de votre voiture. Lui avez-vous demandé la permission de fouiller son véhicule ?

— Oui, et il m'a dit non.

— Qu'avez-vous fait après qu'il vous a dit non ?

— J'ai décroché la radio et j'ai demandé qu'on m'envoie un chien détecteur de drogue.

— Que fait cet animal ?

— Il est formé à donner l'alerte s'il sent de la drogue.

— D'accord et donc, combien de temps a-t-il fallu pour que ce chien arrive au croisement des avenues Florence et Normandie ?

— À peu près une heure. Il devait être ramené de l'Académie de police, où il participait à une démonstration d'entraînement.

— Ce qui fait que mon client est resté enfermé à l'arrière de votre véhicule pendant tout ce temps.

— C'est bien ça.

— Pour votre sécurité et pour la sienne.

— Exact.

— Combien de fois êtes-vous retourné à votre véhicule et en avez-vous ouvert la portière pour lui demander la permission de fouiller sa voiture ?

— Deux ou trois fois.

— Et quelle était sa réponse ?

— Il disait toujours non.

— Avez-vous, vous ou votre associé, retrouvé le passager qui s'était sauvé en courant ?

— Non, pas à ma connaissance. Mais toute l'affaire a été confiée à l'unité des Stups du South Bureau après ce jour-là.

— Que s'est-il passé lorsque le chien est enfin arrivé ?

— L'officier de l'unité canine lui a fait faire le tour du véhicule et le chien a marqué l'arrêt devant le coffre.

— Comment s'appelait ce chien ?

— Cosmo, je crois.

— Quel genre de véhicule conduisait M. Hennegan ?

— Une vieille Toyota Camry.

— Et donc Cosmo vous signifiait qu'il y avait de la drogue dans le coffre.

— Oui, maître.

— Vous avez donc ouvert le coffre.

— Dans notre procès-verbal, nous invoquons cet arrêt du chien comme étant le motif raisonnable nous ayant autorisé à fouiller le coffre.

— Avez-vous trouvé de la drogue, officier Sanchez ?

— Nous avons trouvé un sac contenant ce qui semblait être de la métamphétamine en cristaux et de l'argent dans un autre sac.

— Combien de métamphétamine ?

— Un kilo cent au total.

— Et pour l'argent ?

— Quatre-vingt-six mille dollars.

— En liquide ?

— Oui, tout en liquide.

— C'est à ce moment-là que vous avez arrêté M. Hennegan pour possession et trafic de drogue, c'est ça ?

— Oui, c'est là que nous l'avons arrêté, que nous lui avons lu ses droits et que nous l'avons conduit au South Bureau pour incarcération.

Haller hocha la tête et regarda encore une fois son bloc-notes. Bosch comprit qu'il avait forcément autre chose sous le coude. Tout sortit lorsque le juge pressa une fois encore Haller de poursuivre.

— Reprenons donc au début, lança celui-ci. Vous avez déclaré que M. Hennegan a tourné à droite alors que le feu était au rouge, que pour ce faire il a commencé par marquer un arrêt complet et a attendu que la voie soit libre pour tourner. Ai-je bien compris, officier Sanchez ?

— Oui, c'est ça.

— Et rien de tout cela n'était illégal ?

— Rien, non.

— Et donc, s'il a bien fait tout ce qu'il fallait, pourquoi avez-vous allumé les gyrophares et l'avez-vous obligé à se ranger sur le bas-côté ?

Sanchez jeta un rapide coup d'œil au procureur assis à la table de l'accusation. Jusqu'alors, celui-ci n'avait rien dit, mais Bosch l'avait vu prendre des notes pendant le témoignage de l'officier de police.

À ce petit coup d'œil, Bosch comprit que Haller avait vu la faille.

— Monsieur le juge, reprit Haller, pouvez-vous demander au témoin de répondre à ma question et de ne pas regarder le procureur pour avoir sa réponse ?

Le juge Yerrid se pencha de nouveau en avant et ordonna à Sanchez de répondre. Sanchez demandant qu'on lui répète la question, Haller s'exécuta.

— C'était Noël, répondit enfin Sanchez. Nous distribuons toujours des bons de dinde à cette époque de l'année et j'avais arrêté le véhicule pour en donner à ses occupants.

— Des « bons de dinde » ? De quoi parlez-vous ?

CHAPITRE 2

Bosch appréciait beaucoup le show de l'avocat à la Lincoln. Haller avait très expertement fait consigner tous les détails de l'arrestation, puis était revenu au talon d'Achille de l'affaire et s'apprêtait à l'exploiter en grand. Bosch crut alors comprendre pourquoi le procureur avait gardé le silence pendant toute cette phase de l'audience. Il n'avait rien pour contrer les faits. Tout allait se réduire à la façon dont il plaiderait plus tard devant le juge.

— Que sont ces « bons de dinde », officier Sanchez ? demanda encore une fois Haller.

— Eh bien, à South L.A., il y a une chaîne de supermarchés Little John et chaque année, aux environs de Thanksgiving et de Noël, ces magasins nous donnent des bons pour des dindes. Et nous, nous les distribuons à la population.

— Vous voulez dire… comme des cadeaux ?

— Voilà, comme des cadeaux.

— Comment choisissez-vous ceux qui en bénéficient ?

— Nous cherchons ceux qui font de bonnes actions ou qui se conduisent comme on est censé le faire.

— Comme les conducteurs qui respectent le code de la route ?

— C'est ça.

— Et donc, dans l'affaire qui nous concerne, vous avez demandé à M. Hennegan de se ranger sur le bas-côté parce qu'il s'était conduit comme il fallait à ce feu rouge ?

— Voilà.

— En d'autres termes, vous avez interpellé M. Hennegan parce qu'il respectait le code de la route, c'est bien ça ?

À nouveau, Sanchez regarda le procureur en espérant son aide. Aucune ne venant, il eut du mal à trouver une réponse.

— Nous n'avons su qu'il contrevenait à la loi qu'au moment où le passager s'est sauvé et où nous avons découvert la drogue et l'argent.

Même Bosch y vit un effort lamentable. Haller, lui, n'allait pas laisser passer.

— Officier Sanchez, et je vous le demande très précisément, reprit ce dernier, au moment où vous avez allumé les gyrophares et déclenché la sirène pour arrêter la voiture de M. Hennegan, celui-ci n'avait donc rien fait de mal ou d'illégal, c'est bien ça ?

— C'est bien ça, marmonna Sanchez.

— Pouvez-vous me répondre intelligiblement pour que ce soit consigné comme il faut ?

— C'est bien ça, répéta Sanchez d'une voix forte et indignée.

— Je n'ai plus de questions à poser au témoin, monsieur le juge.

Celui-ci demanda au procureur, maître Wright, s'il voulait interroger le témoin en contre, mais maître Wright préféra passer son tour. Les faits étaient les faits et rien de ce qu'il aurait pu demander au témoin n'aurait pu y changer quoi que ce soit. Le juge libéra l'officier Sanchez et s'adressa aux avocats.

— C'est votre requête, maître Haller, dit-il. Êtes-vous prêt à la défendre ?

Une brève dispute s'ensuivit, Haller déclarant qu'il était prêt à présenter ses arguments de vive voix, Wright suggérant, lui, qu'il les expose plutôt par écrit. Yerrid pencha pour Haller et affirma qu'il voulait les entendre et qu'après seulement il déciderait s'il était nécessaire de les consigner par écrit.

Haller se leva et gagna le lutrin entre les tables de la défense et de l'accusation.

— Je serai bref, monsieur le juge, commença-t-il. Les faits me semblent en effet assez clairs. Quelle que soit l'appréciation qu'on en a, non seulement le motif raisonnable qui a conduit à cette interpellation est insuffisant, mais il est encore et tout simplement inexistant. M. Hennegan respectait toutes les stipulations du code et ne se conduisait pas davantage de manière suspecte lorsque l'officier de police Sanchez et son collègue ont enclenché la sirène et allumé les gyrophares pour le forcer à se ranger sur le bas-côté.

Haller avait emporté un livre de droit au lutrin. Il en regarda un paragraphe surligné et poursuivit en ces termes :

— Monsieur le juge, le quatrième amendement à la Constitution exige que toute fouille, saisie ou prise de corps ne puisse se faire que suite à un mandat s'appuyant sur un motif raisonnable. Cela étant, il y a trois exceptions à cette règle, *confer* affaire Terry contre État de l'Ohio, l'une d'elles stipulant qu'un véhicule peut être arrêté lorsqu'il y a un motif raisonnable de croire qu'une infraction a été commise ou qu'on peut raisonnablement penser que ses occupants sont en train de perpétrer un crime. Dans l'affaire qui nous occupe, nous n'avons aucun des critères permettant une interpellation de type Terry. Le quatrième amendement pose des limites très strictes à l'État dans son exercice du pouvoir et de l'autorité. Distribuer des bons de dinde ne constitue pas un exercice valable du pouvoir constitutionnel. M. Hennegan n'avait contrevenu en rien au code de la route et de l'aveu même de l'officier de police Sanchez, il conduisait d'une manière parfaitement légale et correcte lorsqu'il a été obligé de se ranger sur le bas-côté. Ce qui a été trouvé dans le coffre de sa voiture n'a aucune importance dans cette affaire. La force publique a piétiné le droit qu'avait mon client d'être protégé de toute fouille, saisie et prise de corps illégales.

Haller marqua une pause, sans doute pour voir s'il avait besoin d'en dire davantage.

— Sans même parler, reprit-il enfin, de l'heure que M. Hennegan a passée enfermé à l'arrière de la voiture de patrouille de l'officier de police Sanchez et qui constitue une arrestation sans mandat ou motif raisonnable, soit, là encore, une violation du droit qu'il a d'être protégé de toute fouille, saisie ou prise de corps illégales. Et quand la preuve est obtenue de manière illégale, monsieur le juge… Cette interpellation l'était et tout ce qui pourrait en sortir en est contaminé. Je vous remercie.

Haller regagna son siège et se rassit. Son client ne montra en aucune façon qu'il avait écouté et compris la démonstration.

— Maître Wright ? lança le juge.

Le procureur se leva et s'approcha du lutrin à contrecœur. S'il n'avait pas de licence en droit, Bosch avait une solide connaissance pratique de la loi. À ses yeux, il était clair que le dossier monté contre Hennegan avait du plomb dans l'aile.

— Monsieur le juge, c'est tous les jours que les policiers sont confrontés à ce que nous appelons le « contact avec les citoyens », certains de ces contacts pouvant conduire à l'interpellation. Comme le spécifie l'arrêt de la Cour suprême dans l'affaire Terry contre État de l'Ohio : « Ce ne sont pas tous les rapports interpersonnels entre la police et les citoyens qui impliquent l'arrestation de personnes. » C'était effectivement d'un « contact avec les citoyens » qu'il s'agissait… dont le but était de récompenser quelqu'un pour sa bonne conduite. Ce qui lui a imprimé une tout autre direction et a donné à ces officiers de police un motif raisonnable à leurs actes est que le passager s'est sauvé du véhicule de l'accusé. C'est cela qui a changé la donne.

Il vérifia les notes dans le bloc qu'il avait apporté avec lui. Il y trouva ce qu'il cherchait et poursuivit ainsi :

— L'accusé est un trafiquant de drogue. Les bonnes intentions de ces officiers de police ne sauraient empêcher cette affaire de suivre son cours. En ce domaine, la cour a toute discrétion et l'officier de police Sanchez et son collègue ne devraient pas être pénalisés pour avoir fait leur devoir jusqu'au bout.

Il s'assit. Bosch comprit que, de fait, l'accusation s'en remettait à l'indulgence de la cour. Haller se leva pour répondre.

— Monsieur le juge, si je puis oser une remarque... Contrairement à son nom, maître Wright a tort[1]. En citant Terry contre État de l'Ohio, il oublie le passage où il est dit que lorsqu'un officier de police, par le recours à la force physique ou en usant de son autorité, restreint la liberté d'un citoyen, il y a bien interpellation. Maître Wright semble avoir une vision assez élastique du moment où le motif raisonnable autorise pareille interpellation. Il déclare qu'il n'y a eu possibilité d'interpellation qu'au moment où, en se sauvant de la voiture de M. Hennegan, le passager a fourni un motif raisonnable à l'officier de police. Mais, monsieur le juge, cette logique-là ne saurait tenir. C'est en faisant usage de sa sirène et de son gyrophare que l'officier Sanchez a contraint M. Hennegan à s'arrêter sur le bas-côté de la route. Et pour qu'une quelconque arrestation puisse avoir lieu, il aurait d'abord fallu que l'interpellation ait un motif raisonnable. Dans ce pays, tous les citoyens ont le droit de voyager et de se déplacer sans restrictions. En obliger un à s'arrêter pour bavarder constitue restriction et viole le droit qui lui est garanti de vaquer à toute occupation légale sans être inquiété. En résumé, un bon de dinde ne saurait constituer un motif raisonnable. Le dindon de l'affaire là-dedans, c'est ce bon. Monsieur le juge, je vous remercie.

Fier de cette dernière réplique, Haller retourna à sa place. Wright ne se leva pas pour avoir le dernier mot. Ses arguments, ou ce qu'il en restait, avaient été exposés.

Encore une fois, le juge Yerrid se pencha en avant et s'éclaircit la gorge, mais en plein dans le micro de son bureau, ce qui

1. Jeu de mots sur *to be (W)right*, « avoir raison », et *to be wrong*, « avoir tort ».

déclencha comme un coup de tonnerre dans la salle. Hennegan se redressa d'un bond, révélant ainsi qu'il avait bel et bien dormi pendant toute l'audience au cours de laquelle il allait être décidé de sa liberté.

— Je vous prie de m'excuser, dit Yerrid lorsque le vacarme se fut apaisé. Après avoir entendu le témoignage et les plaidoiries, la cour arrête que ces éléments de preuve ne seront pas retenus lors du procès. Tout ce qui a été découvert dans le coffre de cette...

— Monsieur le juge ! s'écria Wright en bondissant de son fauteuil. Je demande des éclaircissements !

Et d'écarter grand les mains comme s'il était tout surpris par cet arrêt qu'il ne pouvait certainement pas ne pas avoir vu venir.

— Monsieur le juge, l'État de Californie n'a plus rien sans ce qui a été saisi dans le coffre de cette voiture. Vous seriez en train de nous dire que la drogue et l'argent vont passer par la fenêtre ?

— Oui, c'est exactement ce que je suis en train de vous dire, maître Wright. Il n'y avait aucun motif valable de procéder à cette interpellation et comme l'a fait remarquer maître Haller, tout ce qui est obtenu illégalement...

— Monsieur le juge, s'écria aussitôt Wright en montrant Hennegan du doigt. Cet individu est un trafiquant de drogue ! Lui et ses semblables sont le fléau de notre ville et de notre société. Et vous, vous le remettez dans la na...

— Maître Wright ! aboya Yerrid dans le micro. N'accusez pas la cour des faiblesses de votre dossier.

— L'État va se pourvoir en appel dans les vingt-quatre heures.

— Il en a le droit. Je serai fort intéressé de voir comment vous allez faire disparaître ce quatrième amendement de la Constitution.

Wright baissa le nez, Haller saisissant aussitôt ce moment pour enfoncer le couteau dans la plaie.

— Monsieur le juge, dit-il, j'aimerais soumettre à la cour une requête en abandon de toutes les charges contre mon client. Il n'y a plus aucun élément de preuve ou pièce à conviction pour étayer le dossier de l'accusation.

Yerrid hocha la tête. Il s'y attendait et décida de faire preuve d'un peu de pitié à l'endroit de Wright.

— Je vais y réfléchir, maître Haller, dit-il, et attendre de voir si l'État de Californie interjette effectivement appel. Autre chose ?

— Non, monsieur le juge, répondit Wright.

— Oui, monsieur le juge, répondit Haller. Mon client est actuellement incarcéré et le montant de sa caution s'élève à un demi-million de dollars. Je demande qu'il soit remis en liberté sans caution jusqu'à l'appel ou le prononcé du non-lieu.

— Objection, monsieur le juge. L'associé de cet individu s'est enfui et rien n'indique que Hennegan ne fera pas pareil. Comme je vous l'ai dit, nous allons faire appel de cet arrêt et reviendrons ici pour juger cet individu.

— C'est ce que vous dites, lui renvoya le juge. Je vais aussi réfléchir à la question de la caution. Nous verrons ce que l'État de Californie fera après un examen plus approfondi de l'affaire. Maître Haller, vous pourrez toujours exiger une nouvelle audience pour vos requêtes si le bureau du district attorney prenait trop de temps pour agir.

Ce que Yerrid disait à Wright était qu'il ferait mieux de ne pas traîner, sans quoi lui agirait.

— Cela étant, s'il n'y a plus d'autres questions, j'ajourne la séance, dit-il enfin.

Il attendit un instant pour voir si les avocats avaient quelque chose à ajouter, puis il se leva, quitta son siège et disparut par la porte derrière le bureau du greffier.

Bosch regarda Haller donner une grande claque dans le dos de Hennegan et se pencher pour lui expliquer la belle victoire qu'il venait de remporter. Il savait que l'arrêt ne signifiait pas que Hennegan allait sortir tout de suite libre du prétoire ou de la prison du comté. On en était loin. C'était maintenant que les marchandages allaient commencer. Le dossier était mort et n'irait nulle part. Mais aussi longtemps que Hennegan serait maintenu en détention, le procureur aurait de quoi peser dans la négociation conduisant à la fin de l'affaire. Il pourrait proposer de réduire les charges moyennant plaider-coupable. Au lieu de plusieurs années, Hennegan pourrait alors n'envisager de passer que quelques mois en prison, le district attorney, lui, obtenant quand même une condamnation.

Bosch savait que c'était comme ça que ça marchait. La loi était flexible. Dès qu'il y avait des avocats, il y avait matière à marchés. Le juge, qui le savait, lui aussi, se retrouvait dans une situation intenable. Personne dans la salle d'audience n'ignorait que Hennegan était un trafiquant de drogue. Mais l'arrestation étant fautive, les éléments de preuve en étaient contaminés. En gardant Hennegan à la prison du comté, le juge permettait aux parties d'œuvrer à une solution interdisant la libération d'un trafiquant de drogue. Wright remballa rapidement ses affaires, referma sa mallette et se tourna pour partir. Puis il se dirigea vers le portillon, jeta un coup d'œil à Haller et lui dit qu'il reprendrait contact.

Haller lui renvoyait son salut lorsqu'il remarqua Bosch. Il mit vite fin à son entretien avec Hennegan que le garde venait déjà chercher pour le reconduire en cellule.

Peu après, il franchit le portillon à son tour et gagna l'endroit où Bosch se tenait assis.

— Qu'as-tu retenu de tout ça ? lui demanda-t-il.

— Pas mal de choses. J'ai bien aimé ton « contrairement à son nom, maître Wright a tort ».

Haller eut un grand sourire.

— Ça fait des années que j'attendais d'être contre lui dans une affaire. Rien que pour pouvoir lui sortir ça !

— Permets que je te félicite.

Haller le remercia d'un signe de tête.

— Je dois t'avouer que ça n'arrive pas trop souvent. Je compte sur les doigts d'une main le nombre de fois où je l'ai emporté dans une requête en exclusion d'éléments de preuve.

— Tu l'as dit à ton client ?

— Dieu sait pourquoi, les subtilités du droit lui échappent. Tout ce qui l'intéresse, c'est la date à laquelle il sortira de taule.

CHAPITRE 3

Ils se retrouvèrent au Traxx de la gare d'Union Station. Proche du tribunal, l'endroit était agréable et très prisé des juges et des avocats à l'heure du déjeuner. La serveuse connaissait Haller et ne prit même pas la peine de lui donner un menu. Il se contenta de lui commander ce qu'il prenait d'habitude. Bosch, lui, y jeta un petit coup d'œil et commanda un hamburger-frites, ce qui parut décevoir Haller.

En chemin, ils avaient parlé d'affaires de famille. Bosch et Haller étaient demi-frères et avaient des filles du même âge. Elles envisageaient de partager une chambre à l'université de Chapman, comté d'Orange, à la rentrée de septembre. Elles avaient toutes les deux soumis leur candidature à cet établissement sans s'en parler et ne l'avaient découvert qu'en postant, et le même jour, la nouvelle de leur acceptation sur Facebook. L'idée de devenir colocataires n'avait alors pas mis longtemps à germer dans leurs têtes. Leurs pères avaient été heureux de savoir qu'ils pourraient conjuguer leurs efforts pour assurer leur bien-être et leur adaptation à la vie de campus[1].

Maintenant qu'ils étaient enfin attablés près d'une fenêtre donnant sur l'énorme salle d'attente de la gare, l'heure était venue de

1. Contrairement à la France, les étudiants américains sont pratiquement tous internes.

se mettre au travail. Bosch attendait que Haller l'informe des derniers développements de l'affaire qu'il lui avait confiée. L'année précédente, Bosch avait en effet été suspendu du LAPD suite à des accusations inventées de toutes pièces parce qu'il avait crocheté la serrure du bureau de son capitaine afin de pouvoir consulter des archives ayant trait à une enquête pour meurtre à laquelle il travaillait[1]. C'était un dimanche et il n'avait pas eu envie d'attendre jusqu'au lendemain le retour de son supérieur. L'infraction était mineure, mais aurait pu conduire à son éviction de la police.

Plus important à ses yeux, il s'agissait d'une suspension sans solde et qui, en plus, arrêtait tout versement à son fonds de retraite différée. Cela signifiait qu'il n'avait plus de salaire et ne pourrait plus accéder à sa pension aussi longtemps qu'il se battrait contre cette suspension en portant l'affaire devant un *Board of Rights*[2]. Cette action en justice prendrait au minimum six mois et l'amènerait de toute façon au-delà de la date de sa mise à la retraite obligatoire. Sans ressources pour subvenir à ses besoins et régler les frais qui l'attendaient pour les études de sa fille, il avait décidé de prendre sa retraite de façon à toucher sa pension et embauché Haller pour engager des poursuites contre la ville au motif que la police s'était lancée dans des manœuvres illégales pour le forcer à rendre son tablier.

Haller lui ayant demandé de le voir en tête à tête, Bosch s'attendait à de mauvaises nouvelles. Jusqu'alors Haller l'avait toujours tenu au courant par téléphone. Bosch sentait qu'il se passait quelque chose.

Il décida de repousser un peu cette discussion en reparlant de l'audience qui venait de prendre fin.

— Tu dois être assez fier de toi, non ? Exonérer ce trafiquant de drogue comme ça…

1. Cf. *Mariachi Plaza*, publié dans cette même collection.

2. Juridiction à mi-chemin entre le conseil de discipline et les prudhommes, devant laquelle sont portés les différends opposant les policiers du LAPD à la ville de Los Angeles qui les emploie et les paie.

— Tu sais aussi bien que moi qu'il n'ira nulle part, lui renvoya Haller. Le juge n'a pas le choix. Le district attorney va réduire les charges et mon gus fera un peu de prison.

Bosch acquiesça.

— Mais le fric dans le coffre… Je parie qu'il lui revient. Qu'est-ce que tu vas en tirer ? À moins que ma question te gêne…

— Cinquante mille dollars, et j'hérite de la voiture. Il n'en aura pas besoin en prison. J'ai un type qui s'en occupe. Un liquidateur judiciaire. Je devrais en tirer deux mille dollars de plus pour la voiture.

— Pas mal !

— À condition que ça rentre dans mes caisses. Faut bien payer les factures. Hennegan m'a engagé parce qu'il avait vu mon nom sur un banc d'arrêt de bus au croisement des avenues Florence et Normandie. Il était à l'arrière de la voiture de patrouille où ils l'avaient collé et il a appris le numéro de téléphone par cœur. Ces bancs d'arrêt de bus, j'en ai soixante dans toute la ville et ça coûte du fric. Faut que je mette de l'essence dans le réservoir, Harry !

Bosch avait insisté pour payer Haller, mais cela n'avait rien d'aussi stratosphérique que ce qu'il était susceptible de tirer de l'affaire Hennegan. Haller avait réussi à maintenir les frais au plus bas en prenant un associé pour gérer les trois quarts de ce qui ne concernait pas le travail au prétoire. Il appelait ça son « discount application de la loi ».

— À propos de fric… tu as vu combien la fac va nous coûter ? reprit Haller.

— Oui, c'est raide, répondit Bosch. J'ai gagné moins que ça pendant mes dix premières années de service. Mais Maddie a deux ou trois bourses. Comment s'en sort Hayley de ce côté-là ?

— Pas mal. Et ça aide.

Bosch acquiesça d'un signe de tête. Il semblait bien qu'ils avaient couvert tous les sujets hormis celui à l'origine de leur déjeuner.

— Bon alors, reprit enfin Bosch, et si tu me donnais la mauvaise nouvelle. Avant que ce soit froid.

— Quelle mauvaise nouvelle ?

— Je ne sais pas, moi. Comme c'est la première fois que tu veux me voir pour me mettre au jus, je me dis que ça ne doit pas être bon.

— Oh non, je ne vais même pas te parler de ce truc du LAPD. Ça avance lentement et on les tient toujours. Non, je voulais te parler d'autre chose, Harry. Je voudrais t'embaucher.

— Comment ça, « m'embaucher » ?

— Tu sais que j'ai hérité de l'affaire Lexi Parks, non ? Et que je défends Da'Quan Foster ?

— Euh, oui, Foster. Mais qu'est-ce que ç'a à voir avec..., demanda Bosch que ce brusque changement de direction dans la conversation avait désarçonné.

— Écoute, Harry, le procès va me tomber dessus dans six semaines et j'ai absolument que dalle pour sa défense. Il est innocent, mec, et il est en train de se faire complètement rétamer par notre magnifique système judiciaire. Il va y passer pour le meurtre de cette femme si je n'arrive pas à faire quelque chose. C'est pour ça que je veux t'embaucher. Pour retourner la situation.

Et il se pencha en travers de la table avec une telle urgence que, sans le vouloir, Bosch eut un mouvement de recul. Il avait toujours l'impression d'être le seul type du restaurant à ne pas savoir ce qui se passait. Depuis qu'il avait pris sa retraite, il s'était assez largement autorisé à ne plus être au courant de ce qui agitait la ville au quotidien. Lexi Parks et Da'Quan Foster étaient des noms dont il n'avait que vaguement connaissance. Il savait qu'il s'agissait d'une affaire et qu'elle était énorme. Mais cela faisait six mois qu'il essayait de se tenir à l'écart des journaux et des programmes de télévision qui lui rappelaient la mission qui avait été la sienne pendant presque trente ans de sa vie : attraper des tueurs. Projet dont il rêvait depuis longtemps, mais n'avait jamais pu concrétiser, il était même allé jusqu'à restaurer une vieille Harley qui rouillait et prenait la poussière dans son appentis depuis pas loin de vingt ans.

— Mais tu en as déjà un, d'enquêteur ! s'écria-t-il. Le grand balaise avec les gros bras. Le biker.

— Cisco, oui, sauf qu'il est mal en point et qu'il ne se sent pas de gérer un truc pareil. Des affaires de meurtre, j'en ai disons... une tous les deux ans. Et celle-là, je ne l'ai prise que parce que Foster est un vieux client. J'ai besoin de toi sur ce coup-là, Harry.

— Quoi, Cisco est infirme ? Qu'est-ce qui lui est arrivé ?

Haller hocha la tête comme s'il avait mal.

— Il pilote une Harley tous les jours que Dieu fait et que j'te passe d'une file à l'autre quand j'en ai envie, et que j'te porte un de ces derniers casques à la mode que c'est de vraies saloperies quand il faut avoir le cou protégé, bref... Je lui avais dit que ce n'était plus qu'une question de temps et je lui avais même demandé une option sur son foie. C'est quand même pas pour rien qu'on parle de « bikers-donneurs d'organes ». Et peu importe que tu sois bon pilote ou pas, c'est toujours la faute de l'autre.

— Qu'est-ce qui s'est passé ?

— Y a un petit moment de ça, un soir, il descendait Ventura Boulevard quand un type est arrivé, lui a coupé la route et l'a poussé droit dans la voie d'en face. Il a évité une voiture et après, il a été obligé de lâcher la bécane... elle est vieille, y a pas de freins avant... bref, il a traversé tout le carrefour en glissant sur la hanche. Heureusement, il portait une combinaison en cuir. Les gravillons ne l'ont pas trop amoché, mais il s'est quand même bousillé le ligament croisé antérieur. Pour l'instant, il est KO, et on parle de lui remplacer tout le genou. Mais bon, tout ça n'a pas d'importance. Ce que je veux te dire, c'est que Cisco est un grand enquêteur pour la défense et qu'il s'est déjà frotté à cette affaire. Ce dont j'ai besoin, c'est d'un enquêteur qui a de l'expérience en matière criminelle. Si mon client tombe pour meurtre, je me le reprocherai jusqu'à la fin de mes jours,

Harry. Les clients innocents, ça laisse des cicatrices, si tu vois ce que je veux dire.

Bosch le fixa longuement.

— Je suis déjà sur un truc, finit-il par lâcher.

— Tu veux dire… tu es déjà sur une affaire ?

— Non, je restaure une moto.

— Ah non, toi aussi ?!

— Une Harley de 1950, comme celle de Lee Marvin dans *L'Équipée sauvage*. Je l'ai héritée d'un type de la police que je connaissais y a longtemps. Y a vingt ans de ça, il a mis dans son testament que c'était à moi qu'elle reviendrait et il s'est jeté d'une falaise dans l'Oregon. Je la garde dans un coin depuis ce temps-là.

— Elle y est donc depuis un bon moment, non ? lui renvoya Haller en écartant l'objection d'un revers de main. Elle peut encore attendre. C'est d'un innocent que je te parle et je ne sais pas quoi faire. Je suis désespéré. Personne ne m'écoute et…

— Ça foutra tout en l'air.

— Quoi ?

— Travailler pour toi, toi ou n'importe quel autre avocat de la défense d'ailleurs, foutra en l'air tout ce que j'ai fait en portant le badge.

Haller eut l'air incrédule.

— Oh allons ! C'est une affaire. C'est pas…

— C'est toute ma vie, Mickey. Tu sais comment on appelle un mec qui passe du côté de la défense aux Homicides ? On appelle ça un « Jane Fonda ». C'est comme quelqu'un qui aurait traîné avec les Nord-Vietnamiens. Tu comprends ? C'est comme passer du côté des ténèbres.

Haller tourna la tête et regarda la salle d'attente. Elle était pleine de gens qui descendaient des quais de la Metrolink sur le toit de la gare.

Avant qu'il puisse répondre quoi que ce soit, la serveuse apporta les plats. Il ne lâcha pas Bosch des yeux tandis qu'elle les posait sur la table et remplissait leurs verres de thé glacé. Ce fut Bosch qui reprit le premier la parole lorsqu'elle s'en alla.

— Écoute, dit-il, ça n'a rien de personnel... si je devais travailler pour quelqu'un, ce serait probablement pour toi.

C'était vrai. Ils étaient tous les deux fils d'un célèbre avocat de la défense de Los Angeles, mais, d'une génération différente, ils avaient grandi à des kilomètres l'un de l'autre. Cela ne faisait que quelques années qu'ils apprenaient à se connaître. Et bien que Haller soit pour ainsi dire toujours « de l'autre côté », Bosch l'aimait bien et le respectait.

— Je suis désolé, mec, mais c'est comme ça, enchaîna-t-il. Et ce n'est pas comme si je n'y avais pas réfléchi, mais il y a une ligne jaune que je ne me résous toujours pas à franchir. Et tu n'es pas le premier à me le demander.

— Je comprends. Mais ce que je te propose est différent. Je suis persuadé que, Dieu sait comment, mon bonhomme s'est fait piéger pour un meurtre qu'il n'a pas commis, et comme il n'y a pas moyen que je me débarrasse de l'analyse ADN, il va tomber, à moins que je trouve quelqu'un comme toi pour m'aider à...

— Allons, Mick, ne sois pas ridicule ! Tous les avocats de la défense disent la même chose dans tous les tribunaux de la terre. Tous leurs clients se sont fait piéger ou sont victimes d'un coup monté. Ça fait trente ans que j'entends ça. Et tu sais quoi ? Je n'ai jamais eu le moindre remords d'avoir expédié celui-ci ou celui-là au pénitencier et il y a toujours eu un moment où, tous autant qu'ils étaient, ils disaient être innocents.

Haller ne répondant pas, Bosch prit tout son temps pour avaler sa première bouchée. C'était bon, mais la conversation lui avait coupé l'appétit. Haller, lui, se mit à pousser sa salade à droite et à gauche dans son assiette, mais n'y toucha pas.

— Écoute, reprit-il, tout ce que je te demande, c'est de jeter un coup d'œil au dossier pour te faire une opinion. Va voir le type et tu seras convaincu.

— Il n'est pas question que j'aille voir qui que ce soit, lui renvoya Bosch avant de s'essuyer la bouche avec sa serviette et de la poser sur la table à côté de son assiette. Bon, tu as autre chose à me dire, Mick ? Sinon je remballe ce truc et je m'en vais.

Haller ne répondit pas et regarda son assiette toujours pleine. Bosch vit la peur dans ses yeux. La peur de l'échec, la peur de devoir vivre avec quelque chose de terrible.

Haller reposa sa fourchette.

— Bon, je te propose un marché, dit-il. Tu travailles à l'affaire et si tu trouves des preuves contre mon client, tu les apportes directement au district attorney. Tout ce que tu trouves, et que ça soit mauvais pour nous ou pas, on le partage avec lui. Échange des preuves absolument illimité... hormis ce qui est régi par les lois sur la confidentialité entre l'avocat et son client.

— Et il va en dire quoi, ton client, hein ?

— Il sera d'accord parce qu'il est innocent.

— Ben voyons !

— Écoute, penses-y, juste ça. Et tu me dis.

Bosch repoussa son assiette. Il n'avait avalé qu'une bouchée, mais pour lui, le repas était terminé. Il s'essuya les mains à sa serviette en tissu.

— Je n'ai pas besoin d'y penser pour te donner ma réponse, dit-il. Je ne peux pas t'aider.

Et il se leva, laissa tomber sa serviette dans son assiette, plongea la main dans sa poche, en sortit assez de billets pour payer les deux repas et les glissa sous la salière. De tout ce temps, Haller n'avait, lui, pas cessé de regarder dans la salle d'attente.

— C'est bon, reprit Bosch. Je m'en vais.

CHAPITRE 4

Bosch réussit à ne pas trop repenser à l'offre de Haller pendant le week-end. Ce samedi-là, sa fille et lui se rendirent dans le comté d'Orange pour voir sa future école et se faire une idée de la ville alentour. Ils déjeunèrent tard dans un restaurant aux abords du campus – tout y était servi sur des gaufres – et assistèrent à un match de base-ball des Angels dans la ville voisine d'Anaheim.

Il réserva son dimanche aux travaux de restauration de sa moto. La tâche qui l'attendait concernait un des éléments essentiels du projet. Il démonta le carburateur dans la matinée, en nettoya toutes les pièces et les mit à sécher sur de vieux journaux posés sur la table de la salle à manger. Il avait acheté un kit de restauration chez le concessionnaire Harley de Glendale et avait tous les joints toriques et d'étanchéité nécessaires. Le manuel Clymer l'avertissait que s'il posait un seul joint au mauvais endroit, ne nettoyait pas correctement le gicleur ou se trompait dans l'une des manœuvres de réassemblage, tout son travail de restauration ne servirait à rien.

Après avoir déjeuné sur la terrasse à l'arrière de la maison, un tournevis cruciforme en main et du jazz montant de la stéréo, il regagna la table. Il étudia encore une fois sérieusement les pages du manuel avant d'entamer le processus d'assemblage en refaisant à l'envers tous les gestes qu'il avait effectués pour démonter le carburateur. Il écoutait « Naima », l'ode à John Coltrane composée par le saxophoniste du John Handy Quintet en 1967. Pour lui, cet enregistrement comptait au nombre des meilleurs jamais réalisés en direct.

Les instructions de montage du manuel étant suivies pas à pas, le carburateur commença vite à prendre forme. Bosch tendait déjà la main vers le gicleur lorsqu'il remarqua qu'il travaillait sur la photo de l'ancien gouverneur de l'État : cigare coincé entre les dents et grand sourire en travers de la figure, l'homme passait le bras autour des épaules d'un autre individu, qu'il identifia comme étant un ancien député d'East L.A.

Il se rendit compte alors que le numéro du *Times* qu'il avait étalé sur la table était ancien et qu'il avait voulu le garder. On y trouvait un grand classique de la politique. Quelques années plus tôt, dans les dernières heures de son mandat, le gouverneur avait usé de son autorité en matière de droit de clémence pour réduire la condamnation d'un assassin, ledit assassin se trouvant être le fils d'un copain député dudit gouverneur. Ayant, avec d'autres, été mêlé à une bagarre qui s'était terminée par des coups de couteau mortels, le fils du député avait conclu un marché avec le procureur moyennant plaider-coupable, mais n'avait pas été très heureux de se voir infliger une peine de quinze à trente ans de pénitencier par le juge. Alors qu'il s'apprêtait à mettre la clé sous la porte, le gouverneur avait alors réduit sa peine à sept ans.

S'il s'imaginait que personne ne s'apercevrait de ce dernier acte officiel de son mandat, il se trompait. L'affaire éclatant au grand jour, il avait été accusé de copinage, de favoritisme et d'être un politicien de la pire espèce, le *Times* faisant monter la sauce avec une grande enquête en deux parties sur tout ce sordide épisode. Bosch avait eu envie de vomir en la lisant, mais pas au point de recycler le numéro du journal. Il l'avait gardé afin de pouvoir le lire et relire, et ne rien oublier du fonctionnement réel du système judiciaire. Avant de se présenter à ce poste, le gouverneur avait été acteur de cinéma et joué des rôles de héros plus grands que nature – d'hommes prêts à se sacrifier pour de justes causes. Il était maintenant de retour à Hollywood, où il essayait de redevenir une star. Bosch avait, lui, décidé de ne plus jamais voir aucun de ses films – même à la télé.

Ainsi amené à songer à ce genre d'injustices par cet article, Bosch laissa tomber la restauration du carburateur. Il se leva et s'essuya les mains avec le chiffon qu'il gardait près de ses outils. Puis il le jeta en se rappelant que c'étaient des dossiers de meurtres qu'il avait l'habitude d'étaler sur sa table, pas des pièces de moto. Il ouvrit la porte coulissante du séjour et passa sur la terrasse pour contempler la ville. Construite sur plusieurs niveaux, sa maison se trouvait sur le versant ouest du col de Cahuenga et lui offrait une vue qui s'étendait de l'autoroute 101 jusqu'aux Hollywood Heights et Universal City.

La 101 était embouteillée dans les montée et descente du col. Même en plein dimanche après-midi. Depuis qu'il avait pris sa retraite, Bosch se régalait d'être à l'écart de tout ça. Finis les bouchons, les heures de travail, les tensions et les responsabilités.

Cela dit, ce plaisir lui semblait factice. Il savait bien qu'aussi stressant qu'il soit de se trouver là-bas, dans ce fleuve de lumières et d'acier qui avançait lentement, il y était à sa place. Et que, d'une façon ou d'une autre, on y avait besoin de lui.

C'était bien à lui que Mickey Haller avait fait appel lors du déjeuner de vendredi en arguant que son client était innocent. Ce qui, bien sûr, restait à démontrer. Mais, ce faisant, il avait loupé l'autre moitié de l'équation. Si son client était vraiment innocent, cela signifiait qu'il y avait un tueur dans la nature et que personne ne se donnait même seulement la peine de le rechercher. Et ce tueur était en plus assez vicieux pour faire porter le chapeau à un innocent. Malgré les protestations qu'il avait élevées au restaurant, cette histoire chagrinait Bosch et n'avait jamais vraiment quitté son esprit de tout le week-end. Il avait du mal à ne pas y repenser.

Il sortit son portable de sa poche et appela un de ses numéros préférés. Cinq sonneries plus tard, il entendait la voix de Virginia Skinner, et le ton était urgent.

— Je suis charrette, Harry. Qu'est-ce qu'il y a ?

— C'est dimanche soir, qu'est-ce que tu...

— On m'a demandé de venir.

— Qu'est-ce qui se passe ?

— Sandy Milton est impliqué dans un délit de fuite. C'est arrivé hier soir, dans les Woodland Hills.

Milton était député conservateur et Skinner journaliste politique au *Times*. Bosch comprenait bien pourquoi on avait fait appel à elle un dimanche. Ce qu'il ne comprenait pas, c'était pourquoi elle ne l'avait pas appelé, lui, pour l'en informer, voire essayer de lui tirer les vers du nez afin de savoir à qui téléphoner au LAPD pour avoir des détails. Cela soulignait encore plus ce qui se passait dans leurs relations depuis quelques mois. Ou plutôt, ce qui ne s'y passait pas.

— Faut que j'y aille, Harry, reprit-elle.

— D'accord. Désolé. Je te rappelle plus tard.

— Non, c'est moi qui te rappellerai.

— OK. On dîne toujours ensemble ce soir ?

— Oui, pas de problème, mais là faut que j'y aille.

Elle raccrocha. Bosch repassa à l'intérieur pour aller chercher une bière au frigo, et vérifia son contenu. Il s'aperçut qu'il n'avait rien pour convaincre Skinner de monter le voir sur sa colline. Sans compter que Maddie allait rentrer de son service des *Police Explorers* aux environs de 20 heures, et qu'il serait probablement gênant qu'elle tombe sur la dame en arrivant. Maddie et elle n'en étaient encore qu'aux tout premiers pas de reconnaissance des lignes à ne pas franchir.

Il décida de proposer à Skinner d'aller dîner quelque part en ville lorsqu'elle le rappellerait.

Il venait juste de décapsuler une cannette et de mettre un CD de Ron Carter enregistré au Blue Note de Tokyo lorsque son portable bourdonna.

— T'as fait vite, dis !

— Je viens juste de rendre mon papier. Ce n'est qu'un petit encart sur ce que ça pourrait impliquer pour Milton. Richie

Bed-Wetter doit me rappeler d'ici à dix minutes un quart d'heure pour les corrections. Ça nous laisse assez de temps tu penses ?

Richie Bed-Wetter n'était autre que Richard Ledbetter, son rédac'chef. C'est ainsi qu'elle l'appelait[1] parce que malgré son jeune âge et son manque d'expérience – il était de plus de vingt ans son cadet –, il essayait toujours de lui dire comment gérer son service et rédiger ses articles et son édito de politique hebdomadaire, édito qu'il tenait à qualifier de « blog ». Entre eux deux, la situation n'allait pas tarder à devenir critique et Bosch craignait que ce soit elle la plus vulnérable dans l'histoire : son expérience se traduisant par un salaire plus élevé, elle serait une cible de choix pour la direction.

— Où veux-tu aller ? lui demanda-t-elle. Quelque part en centre-ville ?

— Ou près de chez toi. C'est toi qui décides. Mais pas d'hindou.

— Pas d'hindou, évidemment. Laisse-moi réfléchir. J'aurai trouvé avant que tu arrives. Appelle-moi quand tu seras à Echo Park. Au cas où.

— D'accord. Mais dis-moi, tu pourrais retrouver des trucs sur une affaire ? Pour me rendre service ?

— Quelle affaire ?

— Un type qui s'est fait arrêter pour meurtre, une affaire du LAPD, je crois. Il s'appelle Da'Quan Foster. J'aimerais voir…

— Da'Quan Foster, oui, je vois. Le type qui a tué Lexi Parks.

— Voilà.

— C'est une grosse histoire, Harry.

— Grosse comment ?

— Pas besoin que je te sorte des articles. Va sur le site du journal et entre son nom. Il y a des tas de papiers sur elle à cause de ce qu'elle était et parce que lui n'a été arrêté qu'un mois après les faits. Et non, ce n'est pas un dossier du LAPD. C'est du ressort

1. « Mouille sa couche » en anglais.

du shérif. Ça s'est passé à West Hollywood. Bon, faut que j'y aille. Richie vient de me faire signe.

— D'accord. Je vais…

Elle avait filé. Il remit son portable dans sa poche et regagna la table de la salle à manger. En tenant le journal par les coins, il mit le carburateur de côté. Puis il descendit son ordinateur d'une étagère et l'alluma. En attendant qu'il s'initialise, il regarda le carburateur posé sur le journal et comprit qu'il avait eu tort de croire que restaurer sa vieille moto pouvait tout remplacer.

Maintenant accompagné par deux guitaristes, Ron Carter jouait un morceau de Milt Jackson intitulé « Bag's Groove [1] ». Du coup, Bosch se mit à penser à tout ce qui le branchait et à tout ce qui lui manquait.

Dès que l'ordinateur fut prêt, il passa sur le site du *Times* et y chercha Lexi Parks. Le nom y était mentionné dans trois cent trente-trois articles remontant six ans en arrière, soit bien avant son assassinat. Il réduisit ses recherches à ceux de l'année en cours et en trouva trente-six classés par titres et dates de parution. Le premier avait été publié le 10 février 2015 et s'intitulait : *La très aimée directrice adjointe des services municipaux de West Hollywood retrouvée morte dans son lit.*

Il passa en revue les autres entrées jusqu'au moment où il tomba sur un article du 19 mars 2015 ayant pour titre : *Un donneur d'ordres des gangs arrêté pour le meurtre de Parks.*

Il revint en arrière et cliqua sur la première entrée en se disant qu'il pourrait au moins lire le premier papier sur le meurtre et le premier sur l'arrestation avant de prendre sa voiture pour descendre en ville.

Le premier article traitait plus de la victime que du crime dont le Bureau du shérif ne disait pas grand-chose. En fait, tous les détails du papier auraient pu se résumer en une phrase : Parks avait été

1. Ce qui branche « Bags ». « Bags » ou « poches sous les yeux » était le surnom du vibraphoniste Milt Jackson.

battue à mort dans son lit, son époux l'y trouvant en rentrant de son service de nuit à Malibu, où il était shérif adjoint.

Bosch jura haut et fort en découvrant que ledit époux était shérif adjoint. Que lui, Bosch, s'implique dans la défense de l'accusé constituerait une insulte encore plus grande aux yeux des représentants des forces de l'ordre et ce détail-là, Haller avait très commodément omis de le lui signaler lorsqu'il l'avait pressé de jeter un coup d'œil au dossier.

Bosch n'en poursuivit pas moins sa lecture et apprit que Lexi Parks avait compté parmi les quatre directeurs adjoints des services municipaux de West Hollywood. Entre autres responsabilités lui avait incombé la gestion des services de la sécurité publique, de la protection des consommateurs et des relations avec les médias. C'était son poste de porte-parole de la municipalité et de chargée des relations avec les médias qui lui valait ce « très aimée » dans la manchette. Âgée de trente-huit ans à sa mort, Lexi Parks avait travaillé douze ans pour la ville, où elle avait commencé par être inspectrice des bâtiments et, une promotion après l'autre, s'était ensuite élevée régulièrement dans la hiérarchie.

Elle avait rencontré son mari, le shérif adjoint Vincent Harrick, alors qu'ils étaient tous les deux en service. La municipalité de West Hollywood ayant en effet confié le maintien de l'ordre au Bureau du shérif, Harrick s'était retrouvé assigné au commissariat de San Vicente Boulevard. Une fois fiancé avec Parks, il avait demandé à être transféré de ce commissariat pour éviter qu'on puisse voir un conflit d'intérêts dans le fait que l'un et l'autre travaillaient pour la ville. Il avait alors été expédié à Lynwood dans le sud du comté, puis envoyé à Malibu.

Bosch décida de lire l'article suivant proposé par le site dans l'espoir d'y trouver plus de détails sur le meurtre. Son titre était prometteur : *Selon les enquêteurs, le meurtre de Lexi Parks serait un crime sexuel.* Publié le lendemain du premier, l'article laissait entendre que les enquêteurs des Homicides voyaient dans ce crime une violation de domicile au cours de laquelle Parks avait été agressée alors qu'elle dormait dans son lit, violée, puis sauvagement battue à l'aide d'un instrument contondant. Il n'était rien dit de la nature de cet instrument, ni non plus s'il avait été retrouvé. On ne mentionnait pas davantage que des éléments de preuve auraient été recueillis sur les lieux du crime. Ces maigres détails de l'enquête ainsi précisés, l'article s'étendait ensuite sur les réactions de ceux qui connaissaient Parks et son époux, et sur le véritable sentiment d'horreur qui s'était emparé de la communauté. Il y était ensuite mentionné que Vincent Harrick s'était mis en congé pour essayer de gérer la douleur de l'assassinat de son épouse.

Ce deuxième article lu, Bosch revint à la liste des entrées et en passa les intitulés en revue, la douzaine suivante ne lui paraissant pas prometteuse. L'affaire était bien restée dans les nouvelles quotidiennes, puis hebdomadaires, mais tout cela était passablement négatif : *Toujours pas de suspects dans l'affaire Parks*, *La ville de West Hollywood offre cent mille dollars de récompense pour retrouver l'assassin de Parks*... Bosch savait bien que promettre une récompense, c'était, de fait, reconnaître qu'on n'avait rien et qu'on se raccrochait au moindre espoir.

Puis la chance avait tourné. Publié trente-huit jours après le meurtre, le quinzième article annonçait que Da'Quan Foster, quarante et un ans, avait été arrêté pour le meurtre de Parks. Bosch s'aperçut que le lien avec le suspect semblait sortir de nulle part, se réduisant à de l'ADN collecté sur les lieux du crime. Foster avait été appréhendé avec l'aide d'une équipe de policiers du LAPD au studio de Leimert Park, où il venait de terminer le cours de peinture qu'il donnait à des enfants dans le cadre d'un programme d'activités périscolaires.

Ce fut ce dernier renseignement qui le fit tiquer. Il ne cadrait pas vraiment avec l'idée qu'il se faisait d'un donneur d'ordres de gang. Il se demanda si Foster n'effectuait pas des travaux d'intérêt public suite à une condamnation pénale, puis il poursuivit sa lecture. L'article précisait ensuite que l'ADN collecté sur les lieux du crime avait été envoyé à la banque de données de l'État, une correspondance apparaissant rapidement avec un échantillon prélevé sur Foster lorsque, soupçonné de viol, il avait été arrêté en 2004. Aucune charge n'avait été retenue contre lui dans cette affaire, mais son ADN était resté dans la banque de données du ministère de la Justice de Californie.

Bosch aurait aimé lire plus d'articles sur le meurtre, mais il n'avait pas le temps s'il voulait retrouver Virginia Skinner. Il n'en repéra pas moins un autre publié quelques jours après l'arrestation de Foster sous le titre : *Le suspect avait changé de vie.* Il le fit monter à l'écran et y jeta un coup d'œil. On y lisait que Da'Quan Foster était un repenti des Rollin' 40s Crips qui s'était remis dans le droit chemin et rendait maintenant des services à la communauté. Peintre autodidacte, il avait des œuvres exposées dans un musée de Washington D.C. Il dirigeait un atelier dans Degnan Boulevard où, après l'école et le week-end, il offrait des cours de peinture à des gamins des environs. Marié, il était lui-même père de deux jeunes enfants. Afin d'équilibrer le tableau, l'article du *Times* rappelait que son casier judiciaire comprenait quatre arrestations pour trafic de drogue dans les années 90 et une peine de prison de quatre ans. Cela étant, Da'Quan Foster avait été libéré sous caution en 2001 et, en dehors de cette arrestation pour viol qui n'avait donné lieu à aucune mise en examen, il n'avait jamais enfreint la loi depuis plus de dix ans.

L'article mentionnait des déclarations de voisins faisant part de leur incrédulité devant ces accusations, quand ils ne disaient pas tout simplement que Foster était victime d'un coup monté. Aucune des personnes citées dans l'article ne croyait qu'il avait tué Lexi Parks, ou s'était même seulement trouvé près de West Hollywood le soir en question.

À s'en tenir à ce qu'il venait de lire, Bosch ne voyait pas très clairement si Foster connaissait la victime, ni pourquoi il l'aurait prise pour cible.

Il referma son ordinateur. Il lirait les autres papiers plus tard. Il ne voulait pas faire attendre Virginia Skinner, où qu'elle ait choisi de le retrouver. Ils avaient besoin de parler. Leur relation s'était fortement tendue depuis quelque temps, essentiellement parce qu'elle était très prise par son travail alors qu'il n'était pris que par son envie de restaurer une moto aussi vieille que lui.

Il se leva de la table et retourna dans sa chambre pour enfiler une chemise propre et d'autres chaussures. Dix minutes plus tard, il descendait la colline pour rejoindre l'autoroute. Dès qu'il se fut glissé dans la rivière d'acier et eut franchi le col, il sortit son portable et installa son kit mains-libres pour ne pas être en infraction. À l'époque où il portait un badge, il se moquait bien de ce genre de considérations, mais maintenant il se faisait un devoir de boucler sa ceinture et d'utiliser son kit. Sans quoi il aurait pu se voir infliger une amende pour usage du téléphone au volant.

Au bruit qu'il entendit en arrière-plan, il devina qu'il s'agissait de Haller assis sur la banquette arrière de sa Lincoln. L'un comme l'autre, ils allaient quelque part.

— J'ai des questions à te poser sur Foster, lança-t-il.

— Vas-y, balance.

— D'où il sort, cet ADN ? Sang, salive, sperme ?

— Sperme. Sur la victime.

— Sur ou dans ?

— Les deux. Dans le vagin. Sur la peau, en haut de la cuisse droite. Et un peu sur les draps.

Bosch roula sans rien dire quelques instants. L'autoroute surplombait la traversée de Hollywood. Il passa devant le Capitol Records Building. Le bâtiment avait été construit pour ressembler à une pile de disques, mais les temps avaient changé : il n'y avait plus beaucoup de gens pour en écouter.

— Quoi d'autre ? reprit Haller. Je suis content que tu réfléchisses à la question.

— Depuis combien de temps connais-tu ce mec ?

— Presque vingt ans. C'était un de mes clients. Il n'avait rien d'un ange, mais il y avait quelque chose de doux en lui. Ce n'était pas un tueur. Trop malin ou trop gentil pour ça. Peut-être les deux. Toujours est-il qu'il a changé et ne vit plus cette vie-là. C'est pour ça que je le sais.

— Que tu sais quoi ?

— Qu'il n'a pas fait ça.

— J'ai lu quelques articles postés en ligne. Et l'arrestation pour viol, hein ?

— Des conneries. Je te montrerai le dossier. Il s'est fait arrêter avec une vingtaine de types. Les flics l'ont laissé repartir en moins de vingt-quatre heures.

— Où en es-tu de l'échange des pièces entre les parties ? Tu as le livre du meurtre ?

— Oui, je l'ai. Mais si tu commences à t'intéresser à cette affaire, faudrait que tu parles à mon client, à mon avis. Si tu ne lis que le dossier, tu n'auras droit qu'à un versant de l'histoire. Tu ne…

— Rien à foutre. Tout est dans le livre du crime. C'est là que ça commence et c'est là que ça s'arrête. Quand est-ce que je pourrais en avoir une copie ?

— Je peux t'en avoir une demain.

— Bien. Appelle-moi et je viendrai la chercher.

— Alors, c'est bon ?

— Appelle-moi dès que le dossier est prêt, juste ça.

Il coupa la communication. Il réfléchit à la conversation qu'il venait d'avoir et à ce qu'il éprouvait après avoir lu les articles. Il ne s'était toujours pas engagé. Il n'avait franchi aucune ligne jaune, mais il ne pouvait pas nier qu'il s'en rapprochait. Il ne pouvait pas davantage nier l'impression grandissante qu'il avait d'être à deux doigts de renouer avec la mission.

CHAPITRE 5

Bosch et Skinner se retrouvèrent à la Factory Kitchen, un restaurant italien en retrait d'Alameda Street, dans le quartier tendance de l'Arts District. Ça lui ressemblait et c'était elle qui avait choisi. Toutes les suggestions qu'il lui avait faites étaient tombées à l'eau.

C'était bondé et les voix partaient en échos métalliques qui rebondissaient sur les murs en brique de l'ancienne usine. Ce n'était pas le meilleur endroit pour discuter du délitement de leur relation, mais ils le firent malgré tout.

Devant le plat de tagliatelles sauce *ragù* au canard qu'ils partageaient, elle l'informa que leur histoire touchait à sa fin. Journaliste, elle avait passé presque trente ans à couvrir la politique et la police. Elle avait une façon directe – parfois même abrupte – de parler lorsqu'elle discutait de tel ou tel sujet, y compris d'amour et de la satisfaction de ses envies. Elle lui dit qu'il avait changé. Qu'il était maintenant bien trop dévoré par la perte de son travail et le besoin de retrouver une place dans un monde où il ne portait plus le badge pour veiller à ce que leur relation ne soit pas reléguée au second plan.

— J'ai besoin de m'éloigner un peu et de te laisser régler ton problème, conclut-elle.

Il acquiesça. Il n'était surpris ni par sa décision, ni par les raisons qui la fondaient. Dieu sait comment, il savait que cette relation, qui n'avait même pas un an d'âge, ne pourrait jamais tenir la distance. Elle était née dans l'excitation et l'énergie d'une affaire à laquelle il travaillait et d'un scandale politique qu'elle couvrait[1]. C'était là le cœur même de leur amour. Ces deux éléments disparus, l'un comme l'autre ne pouvaient plus que se demander ce qui les liait encore.

Elle tendit la main et lui effleura la joue en un geste plein de mélancolie.

— Je ne suis que quelques années derrière toi, dit-elle. Moi aussi, ça m'arrivera.

— Non, tu t'en sortiras. Ton boulot, c'est de raconter des histoires dans des articles, et des histoires, il y aura toujours besoin d'en raconter.

Après le dîner, ils se firent la bise en attendant que le voiturier ramène leurs voitures. Ils se promirent de rester en contact, mais l'un comme l'autre savaient que ça ne se produirait pas.

1. Cf. *Mariachi Plaza*, publié dans cette même collection.

CHAPITRE 6

Bosch retrouva Haller à 11 heures le lendemain... dans un parking du centre-ville, sous les mains tendues d'Anthony Quinn peintes sur le côté d'un immeuble de la 3ᵉ Rue. Bosch arrêta sa vieille Cherokee à hauteur de la portière arrière de la Lincoln côté passager et abaissa sa vitre. Celles de la Lincoln étant teintées et l'angle plutôt mauvais, il n'arriva pas à voir qui conduisait.

Haller lui tendit un gros dossier entouré d'élastiques par la fenêtre arrière. Dieu sait pourquoi, Bosch s'était imaginé qu'il s'agirait d'un classeur bleu comme ceux qu'il avait au bureau des inspecteurs. Voir que le dossier était plein de photocopies lui rappela violemment que ce qu'il s'apprêtait à faire n'aurait qu'un rapport lointain avec son ancien travail d'enquête au LAPD. Il allait se sentir bien seul.

— Qu'est-ce que tu vas faire maintenant ? lui demanda Haller.

— Qu'est-ce que tu crois ? Je vais aller me poser quelque part et lire ce truc de bout en bout.

— Ça, je le sais, mais... qu'est-ce que tu vas y chercher ?

— Les trucs qui manquent. Écoute, j'ai pas envie de te monter le bourrichon. J'ai lu tous les articles ce matin. Et je ne vois rien de ce que tu vois. Ce mec est un criminel. Et si tu le connais, c'est parce que c'en est un. Bref, pour l'instant je ne te promets qu'une chose : je vais lire tout ça et après seulement, je te donnerai mon opinion. C'est tout. (Il leva le dossier peu maniable afin que Haller le voie encore une fois.) Si je n'y vois rien qui manque ou s'agite sur mon écran radar, je te rends tout ça et on n'en parle plus. *Comprende, hermano ?*

— *Comprende.* Ça doit être dur d'être comme ça, tu sais ?

— D'être comme ça, quoi ?

— De ne pas croire à la réhabilitation, à la rédemption. De ne pas croire qu'on peut changer. Pour toi, c'est escroc un jour, escroc toujours.

Bosch ignora l'accusation.

— Et donc, le *Times* dit que ton client n'a pas d'alibi. Comment tu vas t'en débrouiller ?

— Il en a un. Il était en train de peindre dans son studio. C'est juste qu'on peut pas le prouver… pas encore. Mais on y arrivera. Les flics disent qu'il n'a pas d'alibi, mais ils n'ont pas de mobile non plus. Foster ne connaissait pas cette femme. Il ne l'avait jamais vue et ne s'était jamais trouvé dans ce quartier. Et encore moins dans sa maison. C'est complètement fou d'imaginer qu'il ait fait un truc pareil. Les flics ont essayé de le relier au mari quand celui-ci travaillait à Lynwood… d'après eux, ç'aurait été une espèce de vengeance de gang… mais ça ne colle pas. Da'Quan était Crips et le mari bossait sur les Bloods. S'il n'y a pas de mobile, c'est parce qu'il ne l'a pas tuée.

— Y a pas besoin de mobile. Dans un crime de type sexuel, la baise suffit amplement. Qu'est-ce que tu vas faire de l'ADN ?

— Je vais en contester la valeur.

— C'est pas de conneries à la O.J. Simpson que je te parle. A-t-on la preuve qu'il y ait eu un cafouillage dans la chaîne de possession de l'échantillon ou que le test ait été un échec ?

— Pas encore.

— Pas encore… Ça veut dire quoi ?

— Que j'ai demandé au juge d'ordonner un test indépendant. Le district attorney a élevé une objection en prétendant qu'il n'avait pas été recueilli assez de matière, mais c'étaient des conneries et le juge a été d'accord avec moi. J'ai un labo indépendant qui m'analyse ça en ce moment même.

— Et tu auras des nouvelles quand ?

— Ça a pris deux mois de bagarre au prétoire. Je viens juste de leur envoyer l'échantillon et j'espère avoir les résultats d'un jour à l'autre. Au moins est-ce plus rapide qu'au labo du shérif.

Bosch n'en fut pas impressionné. Il se dit que cette nouvelle analyse ne dirait rien d'autre que ce qu'avait fait apparaître celle du shérif – à savoir que l'ADN était bien celui de Da'Quan Foster. L'étape suivante consisterait à s'en prendre à ceux qui avaient manipulé l'échantillon. C'était le genre de tactique à laquelle recouraient toujours les avocats de la défense. Quand les preuves sont contre vous, toujours essayer de les discréditer au mieux.

— Et donc, en dehors de ça, c'est quoi, ta théorie ? Comment l'ADN de ton bonhomme a-t-il atterri dans la victime ?

Haller hocha la tête.

— Je ne pense pas qu'il s'y soit trouvé. Même si mon labo me dit que c'est bien son ADN, pour moi, ce ne sera toujours pas lui le coupable. C'est un coup monté.

Ce fut au tour de Bosch de hocher la tête.

— Mais putain ! s'écria-t-il. Tu fais ce boulot depuis bien plus longtemps que les trois quarts des avocats que je connais et... Comment peux-tu penser un truc pareil ?

Haller le regarda, Bosch soutenant son regard.

— Peut-être que c'est justement pour ça. Quand tu bosses depuis aussi longtemps que moi, tu finis par savoir qui te ment. J'ai rien d'autre, Harry, mais j'ai mon instinct, et mon instinct me dit qu'il y a quelque chose qui cloche dans cette histoire. C'est un coup monté, y a une magouille, quelque chose, et ce mec est innocent. Et si tu allais lui parler, toi, histoire de voir ce que te dit ton instinct ?

— Pas encore. Laisse-moi lire le dossier. Je veux savoir tout ce qu'il y a à savoir de l'enquête avant de lui parler. Si je lui parle...

Haller acquiesça d'un signe de tête et ils se séparèrent, Bosch lui promettant de rester en contact. Chacun gagna une sortie différente du parking. En attendant de pouvoir se glisser dans le flot des voitures, Bosch regarda Anthony Quinn : il avait les mains écartées comme pour montrer qu'il n'avait rien.

— On est deux, marmonna-t-il.

Puis il passa sur la chaussée, prit à droite dans Broadway et traversa le Civic Center pour gagner Chinatown. Il trouva à se garer dans la rue et entra déjeuner tôt dans un Chinese Friends. Le restaurant était désert. Le dossier que Haller lui avait passé sous le bras, il s'installa à une table d'angle, dos au mur de façon à ce qu'on ne puisse pas regarder ou lire par-dessus son épaule. Il n'avait envie de couper l'appétit à personne.

Il commanda sans regarder le menu. Puis il ôta les élastiques du dossier et l'ouvrit sur la table. Il en avait préparé pendant plus de vingt ans à l'intention des avocats qui allaient défendre les individus, hommes et femmes, qu'il avait arrêtés pour meurtre. Il connaissait toutes les astuces pour enfumer et lancer la défense sur de mauvaises pistes. Il aurait pu rédiger un manuel sur l'art et la manière de transformer l'échange obligatoire des pièces entre les parties en véritable cauchemar pour les défenseurs. À l'époque, il corrigeait de façon routinière, et sans rime ni raison, des mots dans les rapports et ôtait de temps en temps la cartouche de toner dans la photocopieuse de la salle des inspecteurs pour que des pages entières du dossier qu'il allait transmettre soient si pâles qu'il était quasi impossible de les lire, à tout le moins de les déchiffrer sans attraper la migraine.

Et maintenant, il allait devoir recourir à tout son savoir pour juger la qualité de ce dossier, l'expérience lui ordonnant de commencer par y mettre de l'ordre. Il était habituel de battre les piles de rapport comme des paquets de cartes et d'y jeter un ou deux menus de plats à emporter, juste pour le plaisir de dire « Va te faire foutre » à l'avocat de la défense et à son enquêteur. Toutes les pages du dossier transmis à la partie adverse étaient datées et numérotées. Ainsi, tous les avocats des côtés accusation et défense présents au prétoire pouvaient-ils se référer à telle ou telle autre pièce en l'identifiant de cette manière. Que Bosch mette les pages dans un ordre ou dans un autre n'avait donc aucune importance. Haller n'aurait qu'à se référer au numéro de la page s'il voulait citer telle ou telle autre pièce à la barre.

Il n'y avait rien de bien différent entre les rapports rédigés par les enquêteurs du shérif et ceux qu'il avait lui même l'habitude de préparer pour le LAPD. Les intitulés et les numéros assignés aux procès-verbaux n'étaient parfois pas les mêmes, mais il n'eut aucun mal à tout remettre en ordre avant qu'on lui apporte son assiette de tranches de porc. Il posa la pile de documents devant lui au centre de la table et son plat sur le côté de façon à pouvoir continuer de travailler tout en mangeant.

En haut de la pile ainsi réorganisée se trouvait le procès-verbal d'incident[1], à savoir ce qui est toujours en première page du livre du meurtre, juste après la table des matières. Sauf que là, autre manière de dire « Allez vous faire foutre » aux avocats de la défense, il n'y avait pas de table des matières. Il jeta donc un coup d'œil au PVI, mais sans s'attendre à y apprendre quoi que ce soit. Il ne s'agissait que des renseignements collectés le premier jour. Quand il n'était pas bourré d'erreurs, il était en général incomplet.

Fines et croustillantes, les côtelettes de porc reposaient sur une couche de riz frit. Bosch les prit avec les doigts pour les manger comme des chips, puis il s'essuya les mains sur sa serviette en papier pour éviter de tacher les pages du dossier en les tournant. Il liquida rapidement plusieurs rapports annexes sans aucun intérêt et arriva enfin au suivi chronologique. Véritable bible, cœur même de toute enquête criminelle, il donnait le détail de toutes les mesures prises par les inspecteurs en charge de l'affaire. C'était là,

1. Équivalent américain de nos « premières constatations ».

en d'autres termes, qu'on découvrait leurs hypothèses de travail. Là qu'il serait ou bien convaincu de la culpabilité de Da'Quan Foster, ou bien conduit par son instinct à avoir les mêmes doutes que Mickey Haller.

La plupart des appariements d'inspecteurs donnaient lieu à une division du travail s'étalant sur plusieurs affaires. D'habitude, un des membres de l'équipe était chargé de garder intacts et à jour tous les rapports du livre du meurtre. Seul le suivi chronologique faisait exception à la règle. Tenu sous forme de fichier numérique dans l'ordinateur, il était compulsé par les deux inspecteurs de façon à ce que l'un comme l'autre puissent y consigner les mesures qu'ils avaient prises. Régulièrement imprimé sur des feuilles à trois perforations, il était ensuite mis dans un classeur ou, comme dans le cas présent, ajouté aux documents présentés à la partie adverse. Cela dit, la version numérique était toujours la plus active qui, tel un document vivant, grossissait et changeait tout le temps.

Le tirage papier du suivi faisait cent vingt-neuf pages et portait les signatures des inspecteurs du Bureau du shérif Lazlo Cornell et Tara Schmidt. Bien qu'il ait eu beaucoup de relations de travail avec les inspecteurs des Homicides du shérif, Bosch ne les connaissait ni l'un ni l'autre. Le handicap était de taille et l'empêchait de jauger leurs talents ou tempéraments au fur et à mesure qu'il avançait dans sa lecture. Il savait que la vérité se ferait jour en partie lorsqu'il découvrirait les mesures qu'ils avaient prises et les conclusions auxquelles ils étaient arrivés, mais il eut quand même l'impression d'être à la traîne. Il connaissait bien d'autres inspecteurs qu'il aurait pu appeler aux Homicides du Bureau du shérif afin de discuter des mérites de ces deux-là, mais il n'osait pas le faire et ainsi risquer de dévoiler qu'il travaillait contre eux. Sa trahison ne mettrait que quelques heures, voire seulement quelques minutes pour passer du Bureau du shérif au LAPD. Et ça, il n'en voulait pas. Pas encore.

Les soixante-quinze premières pages du suivi chronologique décrivaient les faits et gestes des enquêteurs avant que l'analyse

ADN ait établi un lien avec Da'Quan Foster. Bosch les lut néanmoins avec attention parce qu'elles permettaient de comprendre la manière dont les inspecteurs avaient vu l'affaire au début, et de sentir s'ils s'étaient montrés exhaustifs et déterminés. Interrogé à fond, le mari de Lexi Parks avait été exonéré : décrits avec précision dans le document, les efforts déployés par les inspecteurs le disaient clairement. Bien qu'il ait un alibi en béton – au moment où sa femme se faisait assassiner, il poursuivait un voleur de voitures qu'il avait fini par arrêter –, les enquêteurs avaient été assez futés pour se dire qu'il aurait très bien pu faire en sorte que le meurtre soit perpétré par un autre. Même si certaines caractéristiques de l'affaire – l'agression sexuelle et la violence des coups ayant entraîné la mort – tendaient à faire penser à autre chose, ils ne s'étaient pas laissés intimider dans leur façon de voir le mari. Bosch éprouva de plus en plus de respect pour Cornell et Schmidt au fur et à mesure qu'il passait d'une séquence à l'autre dans leur suivi.

Au début, l'enquête était partie dans bien d'autres directions. Les inspecteurs avaient interrogé une multitude de délinquants sexuels dans la région de West Hollywood, sondé le passé de la victime afin d'y découvrir de possibles ennemis et scruté à fond ses activités professionnelles, à la recherche d'individus qu'elle aurait pu mettre en colère ou qui auraient pu lui en vouloir.

Tous ces efforts n'avaient mené à rien. Dès qu'ils avaient eu l'ADN de l'assassin, ils s'en étaient servis pour exonérer tous ceux qui, même de loin, auraient pu être considérés comme suspects. Le passé de la victime n'avait fait apparaître aucun conflit sérieux, aucun amant éconduit ni aucune aventure extraconjugale de sa part ou de celle de son mari. La directrice adjointe des services municipaux qu'elle était avait certes des contacts étendus dans l'appareil politique et la bureaucratie de la ville, mais elle n'avait le dernier mot que dans de rares domaines, et jamais dans ceux donnant lieu à controverse.

C'était le profil de l'assassin dessiné par les détails du crime qui avait fini par éloigner les enquêteurs des vies personnelle et professionnelle de la victime. Ce profil, établi par l'unité des Sciences du comportement du Bureau du shérif, avait révélé que le suspect était un psychopathe qui avait cherché à satisfaire un ensemble de besoins psychologiques en assassinant Lexi Parks. *Sans blague!* songea Bosch en lisant cette conclusion.

Le document indiquait encore que l'assassin ne connaissait très probablement pas sa victime et que celle-ci aurait pu le croiser à peu près n'importe où et ce, depuis longtemps. Parce que personnalité locale, elle apparaissait régulièrement sur le réseau câblé de la télévision publique de West Hollywood et lors d'événements publics, ces possibilités étaient innombrables. L'assassin aurait tout simplement pu la voir aux informations ou à une réunion du conseil municipal retransmise à la télé. Bref, ils auraient pu se croiser absolument n'importe où.

Le meurtre lui-même donnait l'impression d'avoir été tout à la fois soigneusement planifié et exécuté de manière irréfléchie tant par sa violence insensée que par l'ADN laissé sur la victime. Parmi les autres détails de la scène de crime à avoir modelé ce profil était le fait que la victime n'avait pas été attachée de quelque manière que ce soit – ce qui suggérait que l'assassin n'avait pas eu besoin de la maîtriser et contrôler. Il y avait aussi que le mari avait trouvé sa femme avec un oreiller sur la figure, oreiller qui cachait l'étendue des dommages ayant conduit à sa mort et pouvait indiquer que l'assassin avait eu des remords.

Vincent Harrick, le mari, faisant partie des forces de l'ordre, plusieurs dispositifs de sécurité avaient été installés dans la maison, dont une alarme et de multiples serrures sur toutes les portes. L'assassin avait réussi à entrer en passant par la fenêtre d'un bureau dont il avait ôté l'écran antimoustiques avant de le poser contre le mur de derrière et de forcer le verrou. Il semblait que la victime n'avait pas enclenché l'alarme, ce dont, aux dires de son mari, elle était coutumière bien qu'il n'ait eu de cesse de lui demander de le faire lorsqu'il était de service de nuit et qu'elle se retrouvait seule chez eux.

Tout cela, plus d'autres détails, disaient un suspect opportuniste, mais implacable. Parks s'était rendue au supermarché Pavilions de Santa Monica Boulevard le soir de sa mort. Plusieurs jours durant, les enquêteurs avaient analysé les vidéos de surveillance de l'établissement et du centre commercial dont il faisait partie et l'y avaient suivie des yeux en espérant trouver le moment où la victime et le prédateur s'étaient croisés. Mais rien n'en était sorti. À l'intérieur du magasin, Parks avait vu et salué plusieurs personnes qu'elle connaissait par son travail au sein de la municipalité. Mais toutes avaient été exonérées, soit par comparaison ADN volontaire soit par d'autres moyens.

Bref, on s'était donné beaucoup de mal pour rien, mais ces efforts étaient nécessaires. À la fin de ces quatre-vingts premières pages de suivi, Bosch fut persuadé que Lazlo Cornell et Tara Schmidt avaient mené une enquête exhaustive – une enquête qu'il aurait lui-même été fier de signer.

Mais tout cela n'avait servi à rien. Enfin... jusqu'au moment où, au vingt-septième jour de l'enquête, les inspecteurs avaient reçu une lettre du ministère de la Justice de Californie les informant qu'il y avait une correspondance entre l'ADN qu'ils avaient envoyé à la base de données du CODIS[1] et celui d'un criminel déjà condamné du nom de Da'Quan Foster.

Jusqu'alors, ni Cornell ni Schmidt n'avaient entendu parler d'un quelconque Da'Quan Foster à relier à Parks ou à toute autre affaire. Cela ne les avait pas empêchés de se préparer à le rencontrer. Il avait été mis sous surveillance vingt-quatre heures sur vingt-quatre afin de voir s'il se comportait d'une manière pouvant le faire inculper ou constituant un danger potentiel pour d'autres femmes. Son passé avait été décortiqué, ce travail se poursuivant dans le plus grand secret de façon à ce que rien n'en transpire dans les médias ou que le mari en ait vent.

1. Combined DNA Index System.

Onze jours après l'arrivée de la lettre établissant la correspondance ADN, les deux inspecteurs en charge du dossier étaient entrés dans le studio où Foster se trouvait seul après le cours sur les couleurs primaires qu'il venait de donner à un petit groupe d'écoliers. Leimert Park faisant partie de la City de Los Angeles, Cornell et Schmidt s'étaient fait accompagner par deux policiers en tenue de la South Bureau Gang Unit du LAPD[1]. Ils avaient demandé à Foster s'il était d'accord pour descendre à l'unité des Homicides, où ils voulaient lui poser des questions.

Da'Quan Foster avait dit oui.

***

Bosch releva la tête et s'aperçut qu'il avait travaillé pendant tout le coup de feu de midi. La note était posée au bord de la table et il ne l'avait même pas remarquée. Un peu penaud de ne pas avoir rendu sa table, il laissa trente dollars pour une note de dix, puis il rassembla ses documents et sortit. Et maudit le sort en découvrant une contravention sous l'essuie-glace de sa Cherokee. Il avait payé pour deux heures de stationnement au parcmètre et en avait passé une demie de plus au restaurant. Il dégagea le PV de dessous le balai et le fourra dans sa poche. Il n'avait jamais eu à se soucier des contraventions quand il conduisait des véhicules de la ville et portait un badge. Cela lui rappela une fois encore à quel point sa vie avait changé en six mois. Outsider travaillant à l'intérieur du système. Voilà comment il se voyait avant. Dorénavant, il serait outsider à plein-temps.

Pour une raison ou pour une autre, il n'eut pas envie de rentrer chez lui pour finir de lire le suivi chronologique et le reste du dossier. Il avait l'impression qu'étudier le livre du meurtre assis à la table de la salle à manger où il avait passé tant d'heures à travailler des dossiers en qualité d'inspecteur du LAPD serait une sorte de

1. Unité chargée de la surveillance des gangs de South L.A.

trahison. Il prit la 3e Rue pour sortir du centre-ville et se dirigea vers West Hollywood. Avant de se remettre à lire le suivi, il voulait passer devant la maison où Lexi Parks avait été assassinée. Il pensait que ça lui ferait du bien de lever le nez de tous ces papiers et de découvrir certains aspects physiques de l'affaire.

La maison se trouvait dans Orlando Avenue, dans un quartier de modestes bungalows au sud de Melrose Avenue. Il se gara le long du trottoir d'en face et examina la bâtisse. Elle était presque entièrement abritée des regards par une grande haie dans laquelle se découpait une entrée en forme d'arche. Il aperçut la maison au bout de l'allée. Un panneau À VENDRE était planté devant la haie. Bosch se demanda à quel point il devait être difficile de vendre une habitation où un meurtre aussi sauvage venait d'être commis. Et conclut que continuer à vivre dans la maison où son épouse avait été la victime de ce meurtre ne pouvait que l'être encore plus.

Son portable bourdonnant, il répondit en continuant de fixer la maison.

— Bosch, dit-il.

— C'est moi, lui renvoya Haller. Comment ça avance ?

— Ça avance.

— Toujours à lire le dossier qu'on m'a communiqué ?

— J'en suis à peu près à la moitié.

— Et… ?

— Et rien. Je n'ai pas fini de le lire.

— Je me disais juste que tu avais peut-être…

— Écoute, Mick, ne me bouscule pas. Je sais ce que j'ai à faire. Si je décide d'aller plus loin quand j'aurai fini de le lire, je te le dirai. Sinon, je te rendrai tout le bazar.

— OK, OK.

— Parfait. Je te rappelle plus tard.

Et il raccrocha. Et continua de regarder la maison et remarqua un panneau ATTENTION AU CHIEN planté dans une jardinière à côté de la porte de devant. Il n'avait encore rien lu dans le dossier qui mentionnerait que Parks et son mari avaient un chien. Il réfléchit en tapotant son volant du bout des doigts. Il était évident à ses yeux que si le couple avait eu un chien, ç'aurait tout de suite été noté dans les rapports. Les animaux domestiques laissent toujours des traces dans les maisons et c'est quelque chose dont il faut toujours tenir compte dans une enquête.

Il en conclut qu'il n'y avait pas de chien et qu'on avait installé le panneau uniquement pour écarter les curieux. Le mieux quand on n'a pas de chien, c'est de faire croire qu'on en a un. Mais la question restait pendante : l'assassin savait-il qu'il n'y avait pas de chien ? Et si oui, d'où le tenait-il ?

Pour finir, Bosch s'éloigna et remonta Orlando Avenue jusqu'à Santa Monica Boulevard. Puis il prit vers l'est pour rentrer, mais s'arrêta de nouveau en repérant un Starbucks dans Fairfax Avenue. Cette fois, il se paya quatre heures de stationnement au parcmètre et entra dans l'établissement avec son dossier.

Une tasse de café noir fumant dans la main, il se posa dans un fauteuil dans le coin, à côté d'une petite table ronde. Et comme il n'avait pas la place d'ouvrir tout le dossier et de l'y étaler, il ne s'empara que du suivi chronologique et reprit sa lecture à l'endroit où il s'était arrêté. Mais avant de commencer, il sortit un stylo de la poche de sa chemise et écrivit vite ces deux mots sur la couverture : *Un chien ?*

Il fallait absolument qu'il ait confirmation de sa conclusion. Noter ces deux mots disait la réaction presque involontaire qu'il avait eue en regardant la maison depuis l'autre côté de la rue. Mais dès qu'il les eut écrits, il se rendit compte que ce simple geste le mettait très largement dans la situation d'accepter l'affaire. Et cette question, il fallait qu'il se la pose ouvertement. Le métier lui manquait-il donc tellement qu'il était capable de passer de l'autre côté et de travailler pour un type accusé de meurtre ? Parce que c'était bien à ça que ça se réduirait. Haller était certes avocat, mais celui d'un client présentement en prison parce qu'on l'accusait d'avoir violé, puis battu une femme jusqu'à ce que mort s'ensuive.

S'il acceptait l'offre de Haller, ce serait en fait pour cet individu qu'il travaillerait.

Il sentit l'humiliation lui brûler la nuque. Il pensa à tous les types qui avaient pris leur retraite avant lui et *vlan*, dès l'instant d'après se mettaient à travailler pour des avocats de la défense, voire pire, commis d'office. Bosch rompait alors tout contact avec eux comme s'ils étaient eux aussi des criminels. Dès qu'on passait de l'autre côté, c'était ce qu'on devenait à ses yeux.

Et voilà que maintenant, il...

Il avala une gorgée de café brûlant et tenta d'oublier son embarras. Puis il reprit l'enquête là où il l'avait laissée.

Après avoir cueilli Foster à son studio, les enquêteurs du Bureau du shérif l'avaient conduit au commissariat de Lynwood, où ils s'étaient fait donner une salle. L'interrogatoire avait été court, et sa transcription intégrale figurait dans le suivi. Foster n'avait répondu qu'à quelques questions avant de mesurer la gravité de ses ennuis et de demander à voir, et nommément, Mickey Haller.

Cornell et Schmidt ne lui avaient jamais dit avoir relié son ADN à la scène de crime. Ils avaient tenté d'épaissir leur dossier en le forçant à avouer. Mais leurs efforts avaient échoué. Alors Cornell avait commencé l'interrogatoire en lui lisant ses droits constitutionnels – moyen le plus rapide de mettre le sujet en alerte maximum.

CORNELL : Bien, monsieur Foster, êtes-vous d'accord pour nous parler et disons... répondre à quelques questions afin d'éclaircir certains détails ?
FOSTER : Peut-être mais... de quoi s'agit-il ? Que croyez-vous que j'aie fait ?
CORNELL : Eh bien, c'est au sujet de Lexi Parks. Vous la connaissez, n'est-ce pas ?
FOSTER : Le nom me dit vaguement quelque chose, mais je ne sais pas pourquoi. Je lui ai peut-être vendu une toile, ou alors c'est la mère d'un des enfants que j'ai réussi à faire venir au studio.

CORNELL : Non, monsieur, Lexi Parks ne vous a pas acheté de tableau. C'est la femme de West Hollywood. Vous vous rappelez être allé la voir chez elle ?
FOSTER : À West Hollywood ? Non, je n'ai pas mis les pieds à West Hollywood.
CORNELL : Et Vince Harrick, vous le connaissez ?
FOSTER : Non, je ne connais pas de Vince Harrick. Qui est-ce ?
CORNELL : C'est le mari de Lexi. Il est shérif adjoint. Le connaissiez-vous quand il travaillait ici, dans ce commissariat ?
FOSTER : Quoi ? Non, je ne le connais pas. Je ne suis jamais venu ici avant que vous m'y ameniez.
Schmidt : Pouvez-vous nous dire où vous étiez dans la nuit du 8 au 9 février de cette année ? C'était un dimanche. Où étiez-vous cette nuit-là, monsieur Foster ?
FOSTER : Mais merde, comment voulez-vous que je le sache ? Ça remonte à quoi ? À deux mois ? Écoutez : le soir, je suis toujours chez moi avec ma famille, à mettre mes gamins au lit, ou alors au studio, à travailler. J'y passe souvent la nuit pour finir le boulot. Je n'enseigne rien à personne le soir et ça me permet de travailler à mes trucs perso, vous comprenez ? Non parce que j'ai des gens qui veulent mes toiles et qui me paient. Alors, je fais le boulot. Donc à vous de choisir : ou bien j'étais chez moi ou bien j'étais au studio, voilà, c'est tout. Je ne suis jamais ailleurs. Et je connais mes droits et vous êtes en train de me faire un coup tordu. Même que je veux mon avocat tout de suite. Même que je pense à Mickey Haller pour me représenter dans cette affaire… que je sais même pas de quoi il s'agit.
CORNELL : D'accord, alors on fait ça officiellement ici même, monsieur Foster. Dites-nous pourquoi vous avez choisi Lexi Parks.
FOSTER : Choisi pour quoi ? Je ne la connais pas et ne sais pas de quoi vous parlez.
CORNELL : Vous l'avez tuée, pas vrai ? Vous l'avez battue, vous l'avez tuée et après, vous l'avez violée.
FOSTER : Mais vous êtes fous ! Complètement fous ! Appelez-moi mon putain d'avocat ! Tout de suite !

Cornell : Ben tiens, connard. Et un avocat, un !
Schmidt : Vous êtes sûr de ne pas vouloir éclaircir tout ça ici ? C'est le moment où jamais. Si vous nous ramenez un avocat, ça nous échappe.
Foster : J'exige mon putain d'avocat.
Schmidt : Vous l'avez. Mais il ne va pas pouvoir expliquer pourquoi on a trouvé votre ADN dans Lexi Parks. Il n'y a que vous…
Foster : Mon ADN ? Quel ADN ? Nom de Dieu, mais qu'est-ce qui se passe ? Qu'est-ce que… j'arrive pas à y croire, bande d'enculés ! Je n'ai tué personne. Je veux mon avocat et je ne vous dirai pas un mot de plus.
Cornell : Dans ce cas, levez-vous, monsieur. Vous êtes en état d'arrestation pour le meurtre de Lexi Parks.
Fin de l'interrogatoire.

Bosch lut l'entrée à deux reprises et nota dans sa tête de dire à Haller d'obtenir la vidéo de l'interrogatoire. Il y avait toutes les chances pour que la salle soit équipée d'une caméra et s'il prenait l'affaire, il allait avoir besoin d'analyser la gestuelle de Foster et d'entendre le ton de sa voix. Cela lui dirait plus de choses que ces mots sur du papier. Mais même sans ça, à la simple lecture de cette transcription, il sentait que Foster n'avait pas vu venir les questions sur Lexi Parks. Il semblait bien y avoir eu une vraie surprise, puis de la panique dans ses paroles. Mais Bosch savait aussi que ça ne voulait rien dire. Les crimes sexuels sont généralement l'œuvre de psychopathes chez qui la capacité de mentir, d'agir et de feindre la surprise ou l'horreur au besoin est innée. Ce sont des menteurs de génie.

Il nota plus particulièrement un des passages de la transcription. Celui où Cornell accusait Foster d'avoir battu et tué Lexi Parks avant de la violer. Bosch n'avait pas encore lu le rapport d'autopsie, mais cette question de Cornell était la première à laisser entendre que le viol était intervenu *post mortem*. Et si c'était bien confirmé par les éléments de preuve, ce serait toutes sortes d'autres facteurs psychologiques qui entreraient en jeu.

Il poursuivit sa lecture. Le reste du suivi chronologique mettait en avant tous les efforts déployés par Cornell et Schmidt afin d'établir un lien entre Da'Quan Foster et Lexi Parks, soit par le mari et son travail, ce qui aurait mis la vengeance au cœur du mobile, soit par une rencontre fortuite entre le prédateur et sa proie, ce qui aurait été plus en accord avec les profil et type de l'agression. Mais aucun de ces efforts n'avait été couronné de succès. Comme il le disait clairement dans ce court interrogatoire, Foster n'avait jamais mis les pieds au commissariat de Lynwood où Vincent Harrick travaillait cinq ans plus tôt. Les enquêteurs n'avaient trouvé aucune preuve du contraire et la réalité était bien qu'il n'y aurait eu aucune raison logique à ce qu'un Crips des Rollin' 40s comme lui s'en aille traîner à Lynwood, soit très à l'est d'un Leimert Park en plein territoire Bloods. Ça n'avait aucun sens.

Cornell travaillait manifestement l'angle Lynwood-Harrick et cherchait dans le passé de Foster, Schmidt, elle, s'attachait à un côté prédateur sexuel nettement plus difficile à faire apparaître et à prouver dans la mesure où tout y reposait sur le hasard d'une Lexi Parks croisant quelque part le chemin d'un sadique sexuel en chasse. Tout comme Cornell et Schmidt, Bosch en avait lu et savait assez pour être certain que ce meurtre n'était pas un crime « d'occasion qui se présente ». Les éléments prouvant que la victime avait été suivie et son assassinat planifié étaient plus que suffisants. C'était le panneau ATTENTION AU CHIEN qui le laissait supposer. Il n'y avait pas de chien dans la maison et l'assassin semblant le savoir, cela suggérait que la maison d'Orlando Avenue avait fait l'objet d'une surveillance. D'autres facteurs tels que l'alarme qui n'avait pas été branchée et le mari de Lexi Parks de service de nuit étayaient encore plus cette hypothèse.

Schmidt avait très soigneusement étudié tout ce qu'avait fait Parks les six semaines avant sa mort dans l'espoir de découvrir l'endroit où elle et Foster se seraient croisés. Elle avait visionné des centaines d'heures d'enregistrement de vidéos de surveillance effectués dans les endroits que fréquentait Lexi, mais n'avait jamais découvert un seul plan où se serait trouvé Foster. Bosch savait d'expérience que c'était là que bien des affaires pouvaient mal tourner. Ils avaient un suspect en prison et une correspondance ADN. Pour certains, la victoire aurait déjà pu paraître assurée, mais les enquêteurs s'étaient montrés exhaustifs. Ils avaient cherché plus et, à le faire, s'étaient enfoncés dans un tunnel. Celui où la vision se rétrécissant, l'enquêteur ne voit plus que le suspect qu'il a sous la main. Comment Bosch n'aurait-il pas pu se demander si Schmidt avait cherché d'autres visages que celui de Foster dans ces vidéos ?

Il nota encore autre chose sur la couverture du dossier : demander à Haller de lancer une requête en accès à toutes les vidéos que Schmidt avait examinées.

Le suivi chronologique mentionnait un témoin que Cornell avait interrogé sans l'identifier autrement que sous l'acronyme TA – Bosch savait qu'il s'agissait de « témoin alibi » en abrégé. Il n'était pas rare de recourir à des abréviations codées dans les rapports et les PV, afin de protéger des témoins qui n'avaient pas officiellement droit au statut d'informateur anonyme. Bosch savait également qu'un TA peut aussi bien renforcer que démolir l'alibi de l'accusé. Dans le cas présent, il était dit que Cornell avait rencontré ce TA sept jours avant l'arrestation de Foster et que cette rencontre avait duré une heure.

Bosch feuilleta les dernières pages du suivi sans que rien ne retienne son attention. Il s'agissait d'entrées de routine rédigées pour que l'affaire soit présentée devant un tribunal. Cornell et Schmidt n'avaient rien trouvé qui relie directement Foster à la victime, mais ils avaient son ADN et, hormis dans l'affaire O.J. Simpson quelque vingt ans plus tôt, il n'y avait rien de mieux pour l'emporter. Cornell, Schmidt et le procureur assigné à l'affaire avaient tout ce qu'il leur fallait. Ils avaient franchi le cap de l'audience préliminaire d'avril sans problème et étaient maintenant prêts pour le procès.

Le procureur était une femme – ce qui est toujours un avantage lorsqu'il s'agit d'un crime à caractère sexuel. Elle s'appelait Ellen Tasker et Bosch avait travaillé avec elle dans de grosses affaires au début de sa carrière. Elle était habile et toujours à la hauteur de sa réputation dès qu'il fallait s'assurer que le dossier était assez solide pour être porté devant un juge. Depuis toujours au bureau du district attorney, elle ne se mêlait jamais de politique interne et se contentait de faire le boulot. Et elle le faisait bien. Bosch ne se rappelait pas l'avoir vue perdre une affaire.

Avant de continuer, il appela Haller.

— Tu dis que ton client a un alibi, mais que tu ne peux pas le prouver, lui lança-t-il.

— C'est juste. Il peignait dans son studio. Il le faisait souvent… travailler toute la nuit, je veux dire. Mais comme il travaillait seul… Comment est-ce que je vais pouvoir le prouver ?

— Il avait un portable ?

— Non, pas de téléphone portable. Donc pas de rapport de triangulation. Juste un fixe au studio. Pourquoi ?

— Dans le suivi, il est mentionné qu'un des inspecteurs a rencontré un TA. T'en sais plus là-dessus ?

— Non, et si ce témoin corrobore l'alibi de DQ, l'accusation devra le faire venir à la barre.

— « DQ » ?

— Da'Quan. C'est comme ça qu'il signe ses tableaux. À ce propos… tu sais comment je vais me faire payer ? En tableaux. Je me dis que si on obtient l'acquittement, leur valeur montera.

Bosch se moquait bien de la façon dont Haller serait payé.

— Écoute-moi, reprit-il. Je ne suis pas en train de te dire que ce TA corroborerait son alibi. C'est même probablement le contraire. Il en est fait mention dans le suivi et je voulais juste savoir si tu en étais conscient.

— Non, je n'avais pas remarqué.

— C'était court et codé... ce qui me fait penser que ça pourrait être du lourd. Je vais éplucher les déclarations des témoins, histoire de voir si je trouve quelque chose.

— Si tu ne trouves rien, ça va leur coûter cher. Violation des règles en matière d'échange de pièces entre les parties.

— Si tu le dis. Bon, je te rappelle plus tard.

En raccrochant, Bosch se rendit compte qu'il avait besoin de se montrer plus prudent avec Haller et de ne pas lui balancer des trucs dont il pourrait se servir au tribunal, l'entraînant ainsi avec lui.

Il feuilleta le dossier jusqu'à ce qu'il tombe sur les déclarations des témoins. Il les passa en revue et éplucha les résumés qui précisaient en faveur de qui ils étaient et ce qu'ils disaient. Amis, collègues de travail et connaissances professionnelles interrogés au fur et à mesure que l'enquête prenait forme, la grande majorité d'entre eux provenait du côté Parks de l'enquête. Il y avait aussi des déclarations de son mari et de plusieurs adjoints du shérif qui la connaissaient grâce à lui. L'autre moitié de la pile émanait, elle, d'officiers du LAPD qui avaient entendu parler de Foster à cause de son passé dans les gangs. Il y avait encore des déclarations de contrôleurs de probation, de voisins, d'employés de magasins qui avaient travaillé avec lui, et celles de sa femme, Marta.

Il trouva ce qu'il cherchait dans un « deux en un », soit le résumé de deux déclarations sur une même page. Encore une vieille astuce pour tromper la défense. Obliger l'avocat à compulser des tonnes de pages afin de cacher la seule chose qu'on ne veut pas qu'il découvre. L'accusation n'avait certes pas violé les règles régissant l'échange de pièces entre les parties, elle s'était simplement contentée de lui rendre la tâche aussi difficile que de chercher une aiguille dans une meule de foin.

La partie supérieure du PV était consacrée au résumé de l'interrogatoire d'un voisin de Da'Quan qui déclarait ne pas avoir vu la voiture de Foster garée devant sa maison le soir du meurtre. C'était relativement inoffensif dans la mesure où celui-ci ne prétendait pas être resté chez lui et affirmait au contraire être allé travailler à son studio.

Mais une ligne après la déclaration du voisin commençait une autre déclaration, celle d'un certain M. White qui disait être passé au studio de Foster la nuit du meurtre afin de le voir, mais ne pas l'y avoir trouvé. Rien d'autre ne figurait dans le PV, mais c'était plus que suffisant pour que Bosch sache que Cornell et Schmidt avaient mis la main sur quelqu'un qui réfuterait les allégations d'un Foster jurant être resté à peindre toute la nuit dans son studio.

Ce subterfuge auquel avaient eu recours les deux inspecteurs pour essayer de cacher l'identité et de minorer l'importance de ce M. White ne gêna guère Harry Bosch. Il se dit que ce « M. White » n'était probablement pas le nom du témoin, mais se référait plutôt à son sexe et à sa couleur de peau. Il savait qu'il suffirait à Haller de faire établir que la pièce était insuffisante pour que le Bureau du shérif ait à cracher l'identité du bonhomme. Tout cela faisait partie du jeu et Bosch avait lui-même plus d'une fois recouru au coup de l'aiguille dans la meule de foin du temps où il était flic. Ce qui le troublait davantage, c'était qu'il y avait maintenant un problème d'alibi qui s'ajoutait à l'ADN mettant clairement Foster sur le lieu du crime.

C'en était plus qu'assez pour lui donner envie de tout laisser tomber sans attendre.

Il réfléchit encore quelques instants à la question en finissant son café et en se reposant un peu les yeux. Il ôta ses lunettes et regarda par la fenêtre le croisement des plus animés de Fairfax Avenue avec Santa Monica Boulevard. Il savait qu'il lui restait encore le rapport d'autopsie et les photos de la scène de crime pour se faire un jugement définitif sur le livre du meurtre. Il s'était réservé les photos pour la fin parce que ce serait le plus pénible à regarder – sans même parler du risque de le faire dans un lieu aussi public qu'un café.

Et soudain, il aperçut un visage familier de l'autre côté du croisement. Celui d'un Mickey Haller tout sourire sur le panneau arrière d'un bus descendant Fairfax Avenue vers le sud. Et le slogan de la pub lui donna envie de tout balancer à la poubelle :

Un doute raisonnable à un prix raisonnable.
Vite, appelez l'avocat à la Lincoln[1].

Bosch se leva de table et gagna la poubelle. Et y jeta son gobelet vide avant de sortir.

1. À la différence de la France où ils sont appelés à condamner ou innocenter l'accusé en leur âme et conscience, aux États-Unis, les jurés ne peuvent le condamner que s'ils n'ont aucun doute raisonnable à le faire.

CHAPITRE 7

Une fois chez lui, Bosch regarda la table vide de sa salle à manger et eut envie de s'asseoir et d'y étaler les pages et les photos du dossier. Mais il savait que sa fille allait revenir d'un instant à l'autre et il ne voulait pas qu'elle tombe sur une scène particulièrement pénible. Il prit le couloir jusqu'à sa propre chambre, entra, ferma la porte derrière lui et commença à étaler des trucs sur son lit… juste après l'avoir fait et tiré les couvertures.

S'y retrouvèrent les clichés 18 × 24 en couleur de la scène de crime pris chez Lexi Parks. Dont plusieurs dizaines du corps de la victime au moment où elle avait été découverte sur son lit. Pris à des distances et selon des angles différents, ils allaient de ceux où l'on voyait toute la chambre aux très gros plans montrant des blessures et des parties du corps spécifiques.

Comme il y avait encore d'autres photos – elles aussi prises selon des angles différents – de toutes les pièces de la maison, il décida de les garder pour plus tard.

Les clichés étalés sur le lit composaient un tableau bien sinistre. Le meurtre de Lexi Parks avait été excessivement violent, sa brutalité ne se trouvant nullement atténuée parce qu'il la vivait par procuration en n'en voyant que des photos. Elles étaient toutes d'une âpreté à laquelle il était habitué. Les photographes de la police ne sont pas des artistes. Leur boulot est de tout montrer sans broncher et c'était bien ce qu'avait fait celui assigné à l'affaire Parks.

Bosch les disposa en une grille de huit photos sur huit, se redressa au pied du lit et contempla toute la mosaïque du meurtre. Puis il prit certains clichés un par un et les étudia en sortant une loupe d'un tiroir de sa commode afin d'en examiner des détails d'encore plus près.

Ce fut difficile. Bosch ne s'était jamais habitué à ce genre de travail. Il s'était déplacé sur des centaines de scènes de crime et n'avait que trop souvent vu le résultat de l'inhumanité de l'être humain. Il s'était toujours dit que le jour où il s'y habituerait, il n'aurait plus en lui ce quelque chose d'essentiel qui permet de faire le travail comme il convient. Il fallait absolument en passer par la réaction émotionnelle. C'était elle qui embrasait le désir de ne jamais lâcher le dossier.

Ce qui l'embrasa cette fois fut de voir les mains de Lexi Parks. Il était clair qu'elle avait essayé de lutter contre son agresseur. Elle s'était battue et avait levé les bras pour se protéger. Mais elle avait vite été maîtrisée tant il l'avait frappée au visage. Ses mains étaient alors retombées sur le lit, paumes en l'air, presque comme si elle essayait encore de les lever en signe de reddition. Bosch en fut ému et la colère montant, eut envie de trouver et faire mal à celui qui lui avait infligé ça.

Comment Haller peut-il donc défendre un type pareil?

Il se rendit à la salle de bains pour se servir un verre d'eau. Qu'il but debout sur le seuil de sa chambre, en regardant les clichés en biais. Puis il prit sur lui et se calma afin de pouvoir évaluer les photos et la scène de crime en vrai professionnel.

Il regagna son lit et les étudia encore une fois, les premières conclusions commençant à lui venir. Pour lui, la victime était en train de dormir dans son lit. Allongée sur le côté droit d'un *king size*, elle avait laissé le gauche à son époux. Tout indiquait que le tueur l'avait surprise en plein sommeil, l'avait immobilisée entre ses jambes et entièrement dominée dès qu'elle s'était réveillée. Il lui avait probablement mis une main sur la bouche, peut-être en tenant une arme dans l'autre. Elle avait réussi à dégager les siennes pour se battre et c'est à ce moment-là qu'il s'était mis à la frapper.

Et ne s'était plus arrêté. Il l'avait cognée longtemps après qu'elle eut été sans défense et infirme, avec quelque chose de dur, encore et encore. Sur les photos, son visage n'avait plus rien à voir avec celui qui accompagnait les nombreux articles de journaux sur son assassinat. En fait, elle n'avait plus figure humaine. Son nez avait littéralement disparu, enfoui désormais dans la pulpe de sang et de chairs qui avaient jadis formé son visage. Ses deux arcades sourcilières étaient défoncées et sans forme, des bouts de dents cassées et d'os brisés brillaient dans son sang. Ses yeux étaient à demi fermés par ses paupières, tout point focal ordinaire en étant absent. L'un regardait droit devant, l'autre à gauche vers le bas.

Bosch s'assit sur une chaise dans un coin de la pièce et regarda le carré de photos de loin. Se trouver sur les lieux mêmes du crime était la seule chose qui aurait pu être pire, qui aurait ajouté beaucoup d'autres sensations à sa répulsion. Aucune scène de crime ne sent bon. Même fraîche, même dans un environnement propre.

Son regard ne cessant de se porter sur les mains de la victime, de là où il se trouvait, il repéra une légère décoloration sur le poignet gauche de Lexi Parks. Il se leva et regagna le bord du lit. Il s'agissait d'un gros plan montrant tout le corps *in situ*. Il se pencha sur le cliché avec sa loupe et remarqua que la peau du poignet était marquée de fines lignes de bronzage laissées par un gros bracelet, ou plus probablement, une montre.

N'ayant rien lu dans les résumés ou les PV laissant entendre que le meurtre aurait pu avoir le vol pour mobile, cette montre qui manquait à l'appel l'intrigua. La victime la portait-elle au moment de l'agression ? L'avait-elle ôtée avant de se coucher ? Était-elle tombée ou lui avait-elle été arrachée alors qu'elle se battait pour rester en vie ? Son agresseur la lui avait-il prise en guise de souvenir ?

Bosch regarda de près la table de nuit à côté du corps. Il y vit une bouteille d'eau, un flacon de médicaments et un livre de poche, mais pas de montre. Il reprit le dossier et vérifia la liste des objets mis aux scellés. Dans la mesure où la victime avait été assassinée chez elle, cette liste ne comptabilisait pour l'essentiel que les objets de la scène de crime recueillis et analysés par les enquêteurs et les services du légiste. La montre n'y apparaissait nulle part et ne semblait pas être tombée lorsque la victime s'était débattue. Il n'était pas davantage indiqué qu'on l'aurait retrouvée dans les draps, sur le sol ou ailleurs.

Bosch reprit le suivi chronologique pour vérifier s'il n'avait pas loupé une quelconque mention de la montre dans les tout premiers stades de l'enquête – avant même qu'on ne s'intéresse à Da'Quan Foster. Ne trouvant rien, il rédigea une note à la suite de celles qu'il avait déjà couchées sur la couverture du dossier.

Puis il rassembla toutes les photos du cadavre en un tas qu'il mit de côté au cas où sa fille rentrerait. Il passa ensuite au deuxième jeu de photos, celles des autres pièces de la maison prises lors des premières constatations. L'enquête avait été menée de manière exhaustive. Bosch savait que ces clichés avaient sans doute été exigés par les inspecteurs en charge de l'affaire. On n'avait pas lésiné sur la dépense.

Chacune des pièces ayant été photographiée plusieurs fois, Bosch mit plus d'une demi-heure à tout examiner. Il ne vit rien que de très normal dans une maison bien tenue par un couple sans enfants et dans lequel le mari comme la femme travaillaient à plein-temps et menaient une vie très active. Une deuxième chambre servait de salle de gym et une troisième de bureau. Dans le garage étaient rangés des vélos, des planches de surf et du matériel de camping. Il n'y avait pas de place pour y garer la moindre voiture.

Ce fut le bureau qui retint le plus longtemps son attention. Il lui sembla qu'il était surtout occupé par Lexi Parks. Les bibelots et les souvenirs qui y étaient disposés ainsi que sur les étagères de la bibliothèque donnaient l'impression d'avoir été acquis pendant ses heures de service à la mairie. Il y avait un presse-papiers du

Rotary Club de West Hollywood et des certificats de reconnaissance émanant de diverses associations gay et lesbiennes la remerciant de ce qu'elle avait fait pour autoriser la gay parade annuelle qui attirait les spectateurs du monde entier. Au mur à côté du bureau était accroché un diplôme de l'université de Pepperdine délivré à Alexandra Abbot Parks. Divers badges à son nom étaient fixés au cadre et rappelaient les cérémonies auxquelles elle avait assisté dans le cadre de ses fonctions. Bosch se rendit compte que son travail avait une forte composante sociale et que cela ne faisait que rendre encore plus difficile la tâche de trouver le moment et le lieu où elle aurait pu croiser son assassin – que ce soit Foster ou quelqu'un d'autre.

Son regard s'arrêta sur le diplôme lorsqu'il y remarqua un badge assez différent des autres. C'était un badge rouge et noir de juré qui avait dû être émis par le comté et porté par elle lors d'un procès. Sur la photo, on n'en distinguait qu'un simple code-barres – pour protéger son anonymat –, rien n'indiquant par ailleurs à quel moment et à quel prétoire elle avait été appelée.

Bien plus que tout ce qu'il avait vu jusque-là, ce badge de juré le tracassa. Ni dans le suivi chronologique ni dans aucune autre pièce, il n'avait vu quoi que ce soit tendant à démontrer que ç'aurait donné lieu à enquête. Même s'il n'avait aucun mal à reconnaître qu'une enquête est toujours subjective et laisse la porte ouverte à toute sorte de doutes – de la part des avocats, des juges, des jurés et d'autres enquêteurs –, il ne pouvait s'empêcher de penser qu'on n'avait soit rien vu, soit que ça cachait quelque chose. Si Lexi Parks avait effectivement été jurée dans un procès au pénal, ç'aurait dû faire l'objet d'une enquête approfondie. Servir dans un jury l'avait obligée à se trouver dans un bâtiment où défilent sans arrêt des criminels présumés ou condamnés. Et dans une affaire de ce genre, une affaire où la victime semble avoir été choisie au hasard, il y a toujours un point de rencontre, un endroit où le prédateur croise sa proie pour la première fois. Le travail de l'enquêteur consiste alors à le découvrir, à trouver le lieu où se recoupent en partie le cercle où vit la victime et celui où évolue le prédateur.

Bosch devait maintenant déterminer si les inspecteurs Lazlo Cornell et Tara Schmidt avaient loupé cet éventuel point de rencontre ou si c'était quelque chose qu'ils avaient sciemment oublié de transmettre à la défense pour l'enfumer.

Il mit cela de côté pour l'instant et revint aux autres photos. Le bureau de Lexi Parks était équipé de deux penderies. L'une et l'autre avaient été photographiées sous plusieurs angles. La première était bourrée de robes d'été et de chemisiers accrochés à des cintres, et de boîtes à chaussures posées sur les étagères au-dessus. Il semblait bien que Parks procédait à une rotation complète de son dressing selon les saisons. Au moment de sa mort en février, la température était plus fraîche.

Dans la deuxième penderie étaient rangés des emballages d'ordinateurs, d'imprimantes et d'articles ménagers. Sur l'étagère du haut, Bosch repéra une petite boîte carrée fabriquée dans ce qui ressemblait à du cuir marron. Elle ne comportait ni logo ni marque, mais il se dit que c'était peut-être l'écrin d'une montre. Il examina la photo à la loupe. Il savait qu'il n'y aurait pas moyen de découvrir si elle était vide, ou si c'était l'écrin d'une montre d'homme ou de femme. Mais que cet écrin soit en cuir le fit pencher pour une montre d'homme.

Il entendit s'ouvrir la porte de devant. Sa fille venait de rentrer. Il faisait un tas du deuxième jeu de photos lorsqu'elle l'appela.

— Je suis dans ma chambre, lui cria-t-il. J'arrive dans une minute.

Il rassembla les dossiers et les photos et posa le tout sur sa commode. Puis il sortit son portable et appela Mickey Haller. Qui répondit tout de suite, Bosch devinant aux bruits de fond qu'il était encore une fois dans sa voiture.

— Bon, dit-il. Je suis prêt à parler.

CHAPITRE 8

Ils se retrouvèrent Chez Musso et commandèrent tous les deux une vodka martini. Il était encore suffisamment tôt pour que ça ne soit pas la croix et la bannière de trouver un des précieux tabourets de l'établissement. Bosch n'avait pas apporté l'épaisse liasse de documents avec lui pour ne pas attirer l'attention, se contentant de la chemise vide sur laquelle il avait rédigé ses notes.

Haller était toujours en costume bien pimpant, sa tenue de tribunal, mais il y avait longtemps que sa cravate avait disparu. Il remarqua la chemise vide que Bosch venait de poser sur le vieux comptoir en bois poli.

— Hé mais, tu ne m'as pas tout rapporté ! lança-t-il. Ça, c'est bon signe.

— Non. Pas encore en tout cas.

— Bon alors, de quoi veux-tu parler ?

— Je suis prêt à parler à ton client. Tu peux me faire entrer dans la prison ?

— Le plus simple et le plus rapide serait qu'on y aille tous les deux demain. L'avocat rend visite à son client avec un enquêteur en remorque. Ça évite toutes les merdes. Ça te pose un problème ?

Bosch réfléchit un moment avant de répondre.

— Il va falloir que je montre une licence de privé ? Je n'en ai pas. J'en avais une il y a une douzaine d'années de ça, mais il y a longtemps qu'elle a expiré[1].

— Non, pas besoin. Je vais t'imprimer une lettre d'embauche. Je lui dirai que tu travailles sous mes ordres et sous ceux de Dennis Wojciechowski qui a, lui, sa licence d'État.

— C'est qui ce Dennis Woja… Woja-comment déjà ?

— C'est Cisco, mon enquêteur.

— Je comprends pourquoi on l'appelle comme ça !

— Comme ça et des tas d'autres choses. Bon, moi, je suis libre le matin et j'ai deux trucs au Criminal Court Building après le déjeuner. Et toi, à quoi ressemble ta matinée ?

— Je suis libre.

— OK. On se retrouve donc au guichet des avocats à 9 heures demain matin.

Bosch acquiesça d'un hochement de tête, mais ne dit mot.

— Et… qu'est-ce que tu m'as trouvé ? reprit Haller.

Bosch posa la chemise devant lui et jeta un coup d'œil aux notes qu'il avait prises en étudiant le dossier.

— Des trucs qui n'ont pas de sens hors contexte, répondit-il. Il y a deux-trois choses qu'il aurait fallu voir plus à fond. Ou alors, peut-être que ç'a été fait, mais qu'on ne le sait pas.

— Tu veux dire qu'on nous les aurait cachées ? demanda Haller dont le ton de voix se fit outragé.

— Du calme. On n'est pas au tribunal et t'as pas à nous la jouer « outrage ». Je ne suis pas en train de dire qu'il y aurait eu dissimulation. Ce que je te dis, c'est que j'ai vu deux ou trois trucs qui me font tiquer. Et ce n'est pas de ton client que je parle. C'est de trucs que moi, j'aurais étudiés plus à fond. Peut-être que ç'a été fait, mais peut-être pas. Et peut-être que…

— Peut-être que quoi ?

1. Cf. *Lumière morte* et *Los Angeles River*, du même auteur.

— Peut-être que les flics ont été paresseux. Comme ils avaient une correspondance ADN, ils se sont peut-être dit qu'ils n'avaient pas besoin d'abattre toutes leurs cartes avant de foncer. En plus, ils ont un témoin qui va bousiller l'alibi de ton client. Ces deux trucs-là réunis, dans la plupart des cas, ça suffit largement pour l'emporter. Et sans se casser la nénette.

Haller se pencha vers lui.

— Parle-moi de ce témoin qui va me bousiller mon… c'est une femme ?

— Non, pour moi, c'est un mec, un Blanc, à cause de son nom dans le dossier… « M. White ». À mon avis, ils te cachent et le bonhomme et son identité pour mieux te coincer. Ce type dit être passé au studio de Foster cette nuit-là pour le voir, mais ne pas l'y avoir trouvé. C'est pour ça que je veux parler à Foster. Pour voir s'il ment.

— « Tu me mens, je dégage. » Je le dis à tous mes clients.

Il fit passer le reste de sa vodka du shaker dans son verre. Mélangea le tout avec l'olive piquée au bout d'un cure-dent, et croqua dedans.

— Tu restes à dîner ? Tu veux un autre cocktail ?

— Non, répondit Bosch en hochant la tête, je peux pas rester. Maddie est à la maison ce soir et je veux passer un peu de temps avec elle avant qu'elle parte.

— Quoi, de Los Angeles ? Pour aller où ?

— Ils partent camper avec la promo de son école. Tu sais… comme ça se fait avant la remise des diplômes. Ils doivent aller à Big Bear pour parler de la prochaine étape dans leur parcours, enfin… des trucs comme ça, et moi, je veux être aussi souvent que possible à la maison quand elle y est. J'ai aussi besoin de me préparer pour demain. De relire des trucs avant de rencontrer ton bonhomme.

— Tu as donc une opinion bien arrêtée… coupable de tous les chefs d'accusation ?

— Nan. C'est plus que probable à mon avis mais, comme je te l'ai dit, y a des choses que les enquêteurs n'ont pas faites alors que ç'aurait été moi, j'aurais poussé le truc plus loin. Je n'ai pas envie d'y aller et d'avoir à deviner, mais bon, quand ça se voit, ça se voit.

— Et on peut pas ne pas l'avoir vu.

— C'est à peu près ça.

— C'est quoi, le plus gros problème de l'accusation ?

— Maintenant ?

— Oui, d'après ce que tu as lu.

Bosch avala une gorgée en réfléchissant à sa réponse et la formula comme il fallait.

— Le point de rencontre, dit-il.

— C'est-à-dire ?

— Le mobile et l'occasion. Ils ont l'ADN qui nous colle ton bonhomme dans la maison et sur les lieux du crime. Sauf que… comment y est-il arrivé ? Et pourquoi ? Audiences à City Hall, réunions du conseil municipal, cérémonies, etc., Lexi Parks menait une vie tout ce qu'il y a de public. À s'en tenir aux rapports, ils ont visionné des centaines d'heures d'enregistrements vidéo et n'ont même pas un plan où on les verrait tous les deux.

Haller hocha la tête – il voyait déjà comment jouer le coup.

— Et en plus, reprit Bosch, il y a la scène de crime proprement dite. Ils l'ont fait profiler et il y a toute sorte de trucs psychologiques qui sont entrés en action dans ce crime. Comment tout ça peut-il être relié à Foster, un repenti des gangs de South L.A. au passé vierge de ce genre de violences m'échappe un peu. Il a peut-être été donneur d'ordres pour les Rollin' 40s, mais ça, c'est complètement différent.

— Et je peux m'en servir, dit Haller. De tout. Je vais leur tailler un de ces shorts !

— Écoute, c'est juste des trucs qui me font tiquer. Ça ne veut pas forcément dire que ça fera tiquer un juge ou un jury. Je te l'ai dit, pour moi, il est plus que probable que ton bonhomme l'ait bousillée. Je ne fais que te rapporter ce que j'ai remarqué. Et j'ai une question.

— Quoi ?

— L'ADN de Foster se trouvait dans la banque de données du ministère de la Justice à cause de l'accusation de viol qui n'a pas tenu.

— Elle n'a pas tenu parce que ce n'étaient que des conneries.

— Raconte.

— En gros, ça se résume à une descente. La victime avait été droguée et violée plusieurs jours de suite dans une arrière-salle de planque à immigrants clandestins. On ne sait pas qui est l'enfoiré qui a fait le coup, mais il lui a aussi collé un tatouage *Propriété des Rollin' 40s*. Et donc, la fille arrive à s'enfuir et le tatouage leur donne une piste. Ils coincent tous les Rollin' 40s qu'ils avaient dans leurs archives et leur font à tous un prélèvement de salive. Résultat, ça ne donne rien parce que ce n'est pas lui qui a fait le coup.

— Sale histoire. Ça sera rappelé au procès ?

— Pas si je peux l'empêcher. Les circonstances actuelles sont très différentes. Ça ne serait pas pertinent.

Bosch acquiesça d'un signe de tête et se demanda encore une fois pourquoi il se laissait entraîner dans cette histoire.

— Et donc, on va causer au mec demain matin, reprit Haller. Et après ? Qu'est-ce que tu attends de moi ?

Bosch finit le fond de son verre et ne tendit pas la main vers le shaker. Il ne voulait pas qu'on remarque la moindre trace d'ébriété quand il arriverait chez lui. Sur ce point, sa fille était encore plus stricte qu'une épouse.

— Commençons par voir si je continuerai après avoir vu ton bonhomme. Si c'est le cas, j'aimerais que tu demandes au juge d'avoir accès à tous les enregistrements vidéo visionnés par Cornell et Schmidt. Ils cherchaient Da'Quan, mais je me demande qui d'autre aurait pu se trouver dans les endroits que fréquentait Lexi Parks.

Haller pointa le doigt sur lui et approuva.

— Hypothèse du remplacement. Avec suspect différent. Pigé. C'est super.

— Non, c'est pas super. Pas encore en tout cas. Et il faut que je te prévienne: je ne vais pas être sympa avec ton client. Il est accusé de meurtre et c'est exactement comme ça que je vais le traiter. Il est possible qu'il ne veuille plus que je travaille pour toi ou pour lui quand on aura fini.

Il poussa son verre vers le barman et descendit du tabouret. Il vit une femme qui cherchait un endroit ou s'asseoir et lui fit signe que la place était libre.

— À demain 9 heures, lança-t-il à Haller. Ne t'endors pas sur le réveil.

— T'inquiète pas. J'y serai.

CHAPITRE 9

Ellis et Long planquaient dans une voiture garée le long du trottoir de Las Palmas Avenue, à l'ouest du parking arrière de Chez Musso. Il régnait entre eux un silence décontracté qui leur venait d'avoir passé des heures entières assis dans nombre de véhicules à surveiller les uns et les autres. Un peu plus tôt, Long était entré Chez Musso et, à l'autre bout du bar, avait longuement regardé l'avocat parler à un autre type – quelqu'un qu'il ne reconnaissait pas. Du coup, quand il vit l'inconnu dans la lumière du poste de garde en balayant le parking du regard, il se redressa sur le siège passager.

— C'est lui, dit-il. Le mec avec qui il avait rendez-vous.

— T'es sûr ? lui demanda Ellis en prenant une paire de jumelles et en étudiant l'inconnu.

— Oui. Tu devrais y aller. Au cas où.

Au cas où le type debout devant le poste de garde aurait vu Long chez Musso… sauf qu'ils n'avaient pas besoin de finir leurs phrases pour se comprendre.

Ellis reposa les jumelles sur le tableau de bord et sortit de la voiture, Long se glissant au volant à sa place. Juste au cas où. Puis il entra dans le parking, se baissa entre deux véhicules pour faire croire qu'il venait juste de se garer et attendit que l'inconnu ait récupéré ses clefs et se dirige vers sa voiture. Alors il sortit et, mains dans les poches, prit la même allée que l'homme qui approchait. Il remarqua qu'il était rasé de frais, avait une belle tignasse de cheveux gris et le corps mince. Il lui donna la cinquantaine, mais se dit qu'il faisait peut-être partie de tous les enfoirés qui avaient la chance de paraître plus jeunes que lui.

Juste avant qu'ils ne se croisent, l'inconnu prit à gauche entre deux voitures et se servit de sa clé pour déverrouiller la porte d'une vieille Cherokee. Ellis jeta mine de rien un coup d'œil à la plaque minéralogique et continua d'avancer vers les marches conduisant à l'arrière de Chez Musso. Et appela Long en numérotation rapide. Celui-ci décrochant aussitôt, il lui donna la marque de la voiture et son numéro d'immatriculation et l'informa qu'il allait entrer voir ce que fabriquait l'avocat.

— Je suis la Jeep ? lui demanda Long.

Ellis réfléchit un instant. Par principe, il n'était pas chaud pour qu'ils se séparent. Sauf que si ce gars-là était dans le coup, ça risquait d'être une occasion manquée.

— Je ne sais pas, dit-il. Qu'est-ce que t'en penses ?

— Paie-toi une bière. Moi, je m'occupe de voir où il va.

— Il conduit une bagnole de merde. Y a des chances qu'il n'aille pas bien loin.

— Ces vieilles Cherokee ? C'est des voitures de collection, mec.

— Des bagnoles de merde, ouais.

— Va sur Craiglist et tu verras que ça coûte facile dix mille dollars d'en avoir une en bon état. Même avec trois cent mille kilomètres au compteur.

— Comme tu voudras. Bon, j'entre. Haller est au bar du fond ? C'est ça ?

— Oui. Mais pas de noms, tu te rappelles ?

— Oui.

Ellis entendit le moteur de la Cherokee démarrer derrière lui. Puis quelqu'un qui l'appelait, lui aussi dans son dos.

— Monsieur ? Vous êtes garé ici ?

Il se tourna et vit l'employé à la porte du poste de garde.

— Non, ma voiture est dans la rue.

Il lui montra Las Palmas Avenue du doigt, puis il fit demi-tour et descendit les marches conduisant au couloir derrière les cuisines du restaurant. Il longea les vieilles cabines téléphoniques et entra dans la nouvelle salle à manger. Le restaurant avait presque cent ans. On y trouvait la nouvelle salle et l'ancienne, mais cette distinction remontait elle-même à un demi-siècle. Il emboîta le pas à un garçon en gilet rouge et entra dans l'ancienne salle, puis dans le bar. Il était bondé de gens qui se pressaient sur deux rangs derrière les chanceux assis sur les tabourets.

Il vit Haller installé sur l'un d'entre eux, presque à l'autre bout du comptoir. Il avait engagé la conversation avec la femme assise à sa gauche. Ellis eut l'impression qu'il essayait de la lever, mais comprit qu'elle n'en avait aucune envie. Le barman n'en déposa pas moins deux cocktails martini devant eux. Avec des shakers à *sidecar on ice*[1].

Haller n'était pas près de filer. Ellis rebroussa chemin et entra dans une des vieilles cabines téléphoniques de l'entrée arrière. Il n'y avait plus de téléphone dans la cabine, mais le petit espace permettait d'être tranquille. Il ferma la porte, sortit son portable et appela Long.

— Tu le suis ? lui demanda-t-il.

— Oui, on remonte Highland Avenue.

— Et que donne la plaque ?

— Accès interdit à la banque de données, forces de l'ordre. LAPD.

— C'est un flic.

— Ouais, mais peut-être en retraite. Il pourrait bien avoir donné un minimum de vingt-cinq ans à la police.

— Peut-être, mais qu'est-ce qu'il fabrique à causer à notre gars ?

1. Cocktail à base de cognac et de Grand Marnier.

— Comment veux-tu que je le sache ? Essayons de voir où il va.

— Moi, je reste ici. On dirait que notre gars travaille une nana au bar.

— À plus.

***

Long se moquait de ce qu'Ellis pouvait bien penser. La Cherokee bleue devant lui était une belle bagnole. Design carré utilitaire et massif. Il se demanda pourquoi les flics en avaient changé. Maintenant leurs véhicules ressemblaient à n'importe quel autre SUV. Enflés, comme des gros lards avec la graisse qui leur déborde à la ceinture. Les types que son ex-femme qualifiait de muffins à bourrelet.

L'inconnu avait maintenant pris Cahuenga Boulevard et roulait toujours vers le nord. Long vit son clignotant gauche se déclencher. L'inconnu allait monter dans les collines. Ça allait lui compliquer la tâche.

Il doubla la Cherokee qui attendait une ouverture dans le flot des voitures pour pouvoir tourner. Il jeta un coup d'œil à gauche et vit que l'embranchement se terminait par Mulholland Drive à gauche et Woodrow Wilson Drive à droite.

Il regarda dans son rétroviseur extérieur et dès qu'il vit la Cherokee prendre son virage, il mit ses warnings et fit demi-tour devant les voitures qui venaient en sens inverse et s'arrêtèrent. Puis il éteignit ses warnings, écrasa l'accélérateur au plancher et regagna l'embranchement. À droite comme à gauche, les feux arrière de la Cherokee avaient disparu.

Sans hésiter, il opta pour Mulholland Drive parce que c'était la rue la plus populaire et qu'elle allait plus loin. Il monta jusqu'en haut en zigzags, mais ne tarda pas à se rendre compte qu'il s'était trompé. La route n'arrêtait pas de tourner à droite et à gauche, suivant la crête de la montagne, et il aurait dû voir les feux de la

Cherokee dans un des virages en épingle à cheveux devant lui. Il n'était pas si loin derrière.

Une fois encore il fit demi-tour et repartit vers Woodrow Wilson en poussant la voiture au-delà des limitations de vitesse sur cette route sinueuse. Il ne manquerait plus qu'Ellis l'engueule d'avoir paumé ce type. Au cul les limitations de vitesse !

Étroite et résidentielle, Woodrow Wilson Drive grimpe dans la montagne, mais sur son versant opposé par rapport à Mulholland. Après une demi-douzaine de virages serrés et d'épingles à cheveux, Long aperçut enfin les feux arrière de la Cherokee devant lui. Il ralentit et resta à bonne distance. Bientôt, une fois de plus dans un tournant, il la vit se garer sous un auvent éclairé, à côté d'une Coccinelle Volkswagen bleu pastel. Il continua sa route sans ralentir.

Deux virages plus loin, il se rangea sur le bas-côté et se mit en position parking. Puis il vérifia s'il avait reçu des SMS ou des appels d'Ellis. Rien. Il laissa passer trois minutes et se servit d'un auvent à voitures vide pour faire demi-tour. Il éteignit ses phares, passa en roue libre et longea la maison où la Cherokee s'était garée. L'édifice, petit et à plusieurs niveaux, avait les lumières de la ville dans le dos.

Long vérifia le numéro de la Volkswagen en passant. Il remarqua aussi qu'une poubelle de la ville avait été mise sur le trottoir.

***

Haller était en train de perdre la partie avec sa voisine et se consolait de sa défaite à la vodka. Caché par les clients, Ellis le regarda dans la glace du comptoir. Il avait une cannette de bière à la main pour se fondre dans la foule, mais il ne buvait pas. Ellis ne consommait jamais d'alcool.

La femme que Haller travaillait au corps avait au minimum quinze ans de moins que lui et l'avocat avait oublié une des règles absolues quand on essaie de lever une femme plus jeune que soi : éviter tout ce qui peut rappeler la différence d'âge – en particulier les glaces derrière le comptoir.

Ellis sentit son portable vibrer dans sa poche et battit en retraite dans l'entrée à l'arrière. Il posa sa cannette sur le sol d'une des cabines téléphoniques, accepta l'appel de Long et referma la porte pour être au calme.

— Je crois qu'il s'est retiré pour la nuit, annonça Long.

— Où ça ?

— Dans les collines. Plutôt bien, la baraque, pour un salaire de flic.

— T'es sûr qu'il va y passer la nuit ?

— Non, mais si tu veux que je reste vérifier, je suis toujours dans le coin. Je peux y remonter.

Ellis réfléchit un instant. Un plan commençait à se former dans sa tête. À court terme, ce plan. Il avait besoin que Long revienne. Alors qu'il continuait de l'élaborer, Long brisa le silence.

— J'ai son identité.

— Comment ça ? Qui c'est ?

— Y avait une autre voiture, j'ai vérifié, mais là aussi il y avait une interdiction d'accès aux banques de données parce que c'est un flic. Mais c'est demain qu'on ramasse les poubelles. Alors j'ai sorti deux ou trois sacs de la sienne, suis allé un peu plus loin et j'ai fouillé dans ses merdes. Et j'ai trouvé du courrier. Il s'appelle, et je sais pas trop comment prononcer ça, Hermonius Bosch, enfin… quelque chose comme ça. Tout le courrier lui était adressé.

— Épelle-moi les deux mots.

— H-I-E-R-O-N-Y-M-U-S et B-O-S-C-H.

— Hieronymus comme le peintre.

— Quel peintre ?

— T'occupe. Et reviens ici. J'ai un plan pour retenir un peu notre bonhomme.

— Donne-moi un quart d'heure.

— Dix minutes. J'ai l'impression qu'il va se barrer.

Ellis raccrocha, reprit sa cannette et retourna au bar de l'ancienne salle. Haller y était encore, mais la femme qu'il travaillait au corps avait filé et un type en chemise blanche et veste de cuir noir avait pris sa place. Haller tenait une carte de crédit et essayait d'attirer l'attention du barman. Il était prêt à y aller.

Ellis se glissa entre deux clients et posa sa cannette sur le comptoir. Puis il remonta les marches et sortit du restaurant. Regagna Las Palmas Avenue et aperçut un petit recoin sombre à côté de l'accès piétons du parking public. De là, il pourrait surveiller le parking de Chez Musso en attendant Long.

Il avançait dans le noir lorsqu'il trébucha sur quelque chose. Il y eut comme un froissement suivi d'un grognement et d'une protestation.

— Mais merde, mec ! T'es dans mon espace, là !

Ellis sortit son portable de sa poche. Il alluma l'écran et le tourna de façon à ce que sa faible lumière balaie le sol en béton. Un type était en train de sortir d'un sac de couchage crasseux, tous ses biens fourrés dans des sacs en plastique alignés le long du mur. Ellis jeta un coup d'œil derrière lui, vit qu'il n'y avait personne dans la rue et aucun signe d'un Haller se dirigeant vers sa voiture. Il se retourna vers le sans-abri et prit sa décision. Et lui flanqua un grand coup de pied dans les côtes alors qu'il avançait à quatre pattes. Il sentit l'impact dans toute sa jambe et comprit qu'il avait cassé de l'os. Le type retomba sur le dos dans un bruit d'animal blessé. Avant même qu'il puisse hurler, Ellis lui écrasa la gorge du pied, y mit tout son poids et lui défonça la trachée-artère. Puis il recula et remit ça en lui flanquant un coup de talon sur l'arête du nez. L'homme resta silencieux et ne bougea plus.

Ellis rangea son portable dans sa poche et se posta dans le recoin d'où il pouvait surveiller Haller. Il le vit bientôt sortir du restaurant par l'escalier de derrière.

— Merde, murmura-t-il.

Il remarqua que Haller ne présentait aucun signe d'ébriété lorsqu'il paya le gardien et récupéra ses clés. Il appela Long.

— Où t'es, bordel ?

— J'arrive dans deux minutes. Je viens juste de prendre Hollywood Boulevard.

— Je serai au même endroit. Mets la radio.

— D'accord. Pourquoi ?

Ellis raccrocha sans répondre. Il remarqua que Haller parlait dans son portable en gagnant sa Lincoln. Il glissa la main dans une autre poche, en sortit un deuxième portable et l'alluma. Il avait toujours un jetable sur lui. Il attendait encore que l'appareil ait fini de s'initialiser lorsqu'il entendit comme un gargouillis dans son dos. Dans cet espace clos en béton, il y avait de l'écho. Il se retourna et enfonça le pied, talon en avant, dans les ténèbres où il savait que le sans-abri se trouvait encore. Il y eut contact avec une masse solide. Le gargouillis cessa.

Dès que son jetable fut prêt, Ellis fit le 911 et tira la manche de sa veste sur sa main pour assourdir sa voix. L'opératrice prenant son appel, il se dit qu'elle était noire. Elle semblait posée et efficace.

— Ici le 911, dit-elle. Quelle est la nature de votre urgence ?

— Y a un type, il est complètement saoul au volant et il va tuer quelqu'un.

— Où vous trouvez-vous, monsieur ?

— Croisement de Hollywood Boulevard et de Las Palmas Avenue. Il vient juste de me passer devant dans Hollywood Boulevard.

— Dans quelle direction va-t-il ? Est ou ouest ?

— Vers l'ouest en ce moment.

— Pouvez-vous me donner le signalement du véhicule ?

— Lincoln Town Car noire. Plaque d'immatriculation I WALK'EM[1].

1. « Avec moi, ils sortent libres. »

— Je vous demande pardon ?

— C'est une plaque personnalisée. I-W-A-L-K-E-M. Ça doit être un genre d'avocat.

— Restez en ligne, je vous prie.

Ellis savait qu'elle allait passer un appel en urgence au dispatching. Après, elle reviendrait vers lui et lui demanderait son nom et ses coordonnées. Il coupa la communication. Puis il regarda la Lincoln sortir du parking, passer dans Las Palmas Avenue et faire le petit trajet permettant de rejoindre Hollywood Boulevard. La Lincoln dépassa la Challenger que conduisait Long.

Ellis sortit de son recoin et regagna la rue pour retrouver son binôme. Juste au moment où la Challenger s'arrêtait, il se pencha et glissa le jetable devant la roue arrière de façon à ce que Long l'écrase. Puis il ouvrit la portière, s'installa sur le siège passager et ordonna à Long de faire demi-tour. L'appel radio signalant le conducteur possiblement en état d'ivresse passait déjà sur la fréquence de la police.

— À toutes les unités du secteur de Hollywood : appel signalant un conducteur en état d'ivresse roulant vers l'ouest dans Hollywood Boulevard à la hauteur de Las Palmas Avenue. Le suspect est au volant d'une Lincoln Town Car dernier modèle, plaque d'immatriculation de Californie Ida-William-Adam-Lincoln-King-Edward-Mary.

Le fil du micro était passé au-dessus du rétro intérieur, ses tortillons serrés jadis maintenant étirés par l'usage. Ellis le décrocha et le porta à ses lèvres.

— Ici six-Victor-cinq-cinq, dit-il. Nous roulons dans Hollywood Boulevard, direction ouest, et sommes à une minute de cet endroit.

Il ôta son doigt du bouton poussoir et se tourna vers Long.

— Prends Hollywood Boulevard, direction ouest. Il est probablement en train de rentrer chez lui.

Long écrasa le champignon, gagna le croisement, tourna et redescendit vers Hollywood Boulevard. Ellis jeta un coup d'œil dans l'entrée du parking au moment où ils passaient devant.

— Qu'est-ce qu'on fait ? lui demanda Long.

— On va l'obliger à se ranger le long du trottoir et l'interpeller pour conduite en état d'ivresse. Ça devrait le ralentir un peu.

— Et s'il n'est pas saoul ?

— Aucune importance. C'est un avocat. Il refusera de passer le test ou de respirer dans le bazar et nous, on lui fera une prise de sang. Et on finira par le mettre au trou. Je veux voir ce qu'il a dans son coffre.

Long acquiesça d'un signe de tête et roula en silence. Ils rattrapèrent Haller au feu rouge de La Brea Avenue.

— On y va maintenant ? demanda Long.

— Non. On lui colle au train. On attend qu'il traverse l'avenue et là, on sera dans un quartier résidentiel. Moins de gens et moins de caméras.

Ellis porta le micro à ses lèvres.

— Ici six-Victor-cinq-cinq, suspect possible au feu rouge de Hollywood Boulevard et de Camino Palmero Street, plaque d'immatriculation Ida-William-Adam-Lincoln-King-Edward-Mary. Demandons renforts toutes unités.

Dès que le feu passa au vert, Long zigzagua entre les files jusqu'à se retrouver derrière la Lincoln. Il enclencha le gyrophare et Haller se gara devant un immeuble d'appartements de deux étages.

— Bon, je prends le commandement des opérations, dit Ellis.

Il ouvrit la boîte à gants et en sortit des liens en plastique. Il ne voulait pas se servir de ses menottes parce qu'il avait l'intention de confier Haller à une unité de la patrouille de façon à pouvoir fouiller la Lincoln avec Long.

— Il descend, dit celui-ci.

Ellis leva le nez et regarda par le pare-brise. Haller avait déjà quitté sa voiture. Il était au téléphone. Il mit fin à son appel et jeta son portable dans la Lincoln. Puis il appuya sur le bouton de verrouillage et referma sa portière. Et posa les mains sur le toit de sa voiture et attendit.

— Il vient de verrouiller la bagnole, dit Long. Les clés sont probablement à l'intérieur.

— Quel petit con ! lança Ellis. Il s'imagine pouvoir nous empêcher d'aller voir ce qu'il y a dedans.

Il descendit et passa entre les deux voitures pour rejoindre Haller.

— Bonsoir, inspecteur, dit l'avocat.

— Vous avez bu ce soir ? lui demanda Ellis.

— Oui, répondit Haller. Mais pas assez pour que ça vous autorise à m'interpeller.

— C'est qu'on a reçu un appel du 911 nous signalant votre voiture, jusqu'à la plaque d'immatriculation, et disant que vous conduisiez de manière mal assurée et dangereuse. Nous vous suivons depuis quatre ou cinq blocs et vous roulez n'importe où.

— Des conneries, oui. Je vous ai vus. C'est vous qui rouliez n'importe où pour essayer de me rattraper.

— Qui appeliez-vous ? Vous savez qu'il est interdit de téléphoner en conduisant ?

— La réponse à la première question sera donc : cela ne vous regarde pas. Quant à la seconde, sachez que je n'ai appelé qu'après m'être arrêté et qu'il n'y a rien d'illégal à ça. Mais faites ce que vous avez à faire, inspecteur.

— Je suis juste officier de police. D'où venez-vous ?

— De Chez Musso et Frank.

— Avez-vous mangé ou seulement bu ?

— J'ai mangé des olives, ça, c'est sûr.

— Je peux voir votre permis, s'il vous plaît ?

— Pas de problème. Puis-je glisser la main dans la poche intérieure de ma veste, monsieur l'officier de police ?

— Lentement.

Haller prit son portefeuille et tendit son permis à Ellis. Qui l'examina et le rangea dans sa poche revolver.

— Nous allons nous mettre sur le trottoir et procéder à un test d'alcoolémie, dit-il.

— En fait, non, lui renvoya Haller. Cette interpellation est injustifiée et ma coopération a pris fin au moment où je me suis rangé le long du trottoir et vous ai tendu mon permis.

— Vous comprenez que ne pas vous soumettre à ce test ou refuser de souffler dans un ballon suffit à vous faire arrêter et nous autorise à procéder à la suspension de votre permis ? Après quoi, nous vous emmenons à l'hôpital pour une prise de sang, de toute façon.

— Je comprends, mais comme je vous l'ai déjà dit, vous faites ce que vous avez à faire. Je ne suis pas ivre, je suis en possession de tous mes moyens et je ne vous ai donné aucune raison valable de m'interpeller. Tout ce truc est bidon. Vous avez une caméra de tableau de bord dans votre voiture ?

— Non, monsieur.

— Aucune importance. Il y en a plus qu'il n'en faut dans Hollywood Boulevard.

— Eh bien, bonne chance à vous !

— Je n'en aurai pas besoin.

— J'imagine donc que vous êtes avocat.

— C'est exact. Mais ça, vous le saviez déjà.

Ellis remarqua qu'un véhicule de patrouille s'était arrêté en appui derrière sa voiture banalisée. Il sortit son lien en plastique de la poche de son coupe-vent.

— Pourriez-vous, s'il vous plaît, lâcher le toit de votre voiture de la main droite ?

— Bien sûr.

Ellis lui attacha les deux poignets dans le dos. En serrant fort le lien, mais Haller ne se plaignit pas.

***

Haller ayant été emmené à l'hôpital par les flics pour sa prise de sang, Ellis enfila des gants de scène de crime, sortit l'ouvre-portière à air comprimé du coffre de sa voiture et s'approcha de la Lincoln.

Haller s'était cru malin en y enfermant ses clés, mais Ellis se savait plus futé encore. Il attendit qu'un flot de voitures soit passé pour glisser le coin de l'appareil entre le châssis de la fenêtre et la carrosserie. Il commença ensuite à presser la pompe manuelle et le coin s'écarta lentement, créant une ouverture d'un centimètre et demi. Il glissa la tige en métal dans la fente, en appuya la pointe sur le bouton d'ouverture électronique installé dans l'accoudoir et entendit claquer les serrures des quatre portières. Il savait que l'alarme était maintenant éteinte et ouvrit la portière côté conducteur. Il tendit la main et appuya sur le bouton d'ouverture du coffre. Parce qu'il avait déjà surveillé Haller, il savait que celui-ci travaillait dans sa voiture et y gardait ses dossiers dans le coffre. Les flics de la patrouille avaient appelé le garage de la police pour y mettre la Lincoln en fourrière. Ellis se dit que ça lui donnait une bonne demi-heure pour fouiller dans les dossiers avant l'arrivée de la dépanneuse.

Il remarqua le portable de l'avocat sur le siège. Il se pencha, le ramassa et activa l'écran, mais s'aperçut qu'il était protégé par un mot de passe et qu'il ne lui servirait à rien. Il allait le rejeter sur le siège lorsqu'il vit qu'on appelait Haller. Le nom d'une certaine Jennifer Aronson s'affichait à l'écran. Il ne savait pas qui c'était, mais se mit le nom en mémoire et jeta enfin l'appareil sur le siège.

Il ferma la portière avant, ouvrit celle de derrière, se pencha à l'intérieur, regarda un peu partout et découvrit une mallette par terre, derrière le siège conducteur. Il l'ouvrit et en vérifia le contenu, trois blocs-notes grand format bourrés de notes illisibles. Chaque affaire avait droit à son bloc. Il y avait aussi un tas de cartes de visite professionnelles entouré d'un élastique. Rien d'autre qui aurait retenu l'attention. Il referma la mallette, la reposa par terre, ressortit de l'habitacle et claqua la portière.

Il gagna enfin le coffre et regarda son collègue qui suivait les appels radio. Long leva les deux pouces en l'air. Tout allait bien. Ellis hocha la tête.

Dans le coffre, il trouva trois cartons pleins de dossiers rangés côte à côte. Le filon ! Il passa vite en revue les cavaliers du bout de ses doigts gantés de latex et arriva à *Foster*.

— Bingo ! s'écria-t-il.

CHAPITRE 10

La porte de la chambre de sa fille était fermée, mais il vit un rai de lumière en dessous. Il frappa doucement.

— Hé, je suis revenu, dit-il.

— Salut, p'pa !

Il attendit qu'elle l'invite à entrer, mais non. Il frappa à nouveau.

— Je peux entrer ?

— Bien sûr. Ce n'est pas fermé à clé.

Il ouvrit la porte. Debout au pied du lit, elle était penchée sur un sac de couchage qu'elle enfournait dans un grand sac marin à roulettes. Le départ n'était que dans quelques jours, mais elle rassemblait déjà tout ce qui était inscrit sur la liste qu'on lui avait donnée à l'école.

— Tu as mangé ? lui demanda-t-il. J'ai des trucs de chez Panera.

— Oui, j'ai déjà mangé. Comme je n'avais pas de nouvelles, je me suis préparé du thon.

— Tu aurais pu m'envoyer un texto.

— Toi aussi.

Il décida de ne pas pousser plus loin leur petit numéro de joute verbale. Il n'avait aucune envie de déclencher les hostilités. Il lui montra le sac du doigt et tous les articles de camping étalés par terre.

— Alors ? Hâte d'y être ?

— Non, pas vraiment, répondit-elle. Je ne sais pas camper.

Il se demanda si ce n'était pas une critique à son endroit. Il ne l'avait jamais emmenée camper. Il ne l'avait lui-même jamais fait, à moins que ne compte le temps passé sous la tente et dans les trous d'hommes au Vietnam.

— Bah, tu apprendras. Tu seras avec des copains, ça sera amusant.

— C'est ça, des tas de gens que je ne reverrai sûrement plus jamais après la remise des diplômes. Je ne sais pas pourquoi on... Tout ce que je dis, c'est que ça ne devrait pas être obligatoire de la faire, cette expédition camping.

Il hocha la tête. Elle était d'une humeur qui ne ferait que s'assombrir chaque fois qu'il essaierait de la dérider. Il connaissait la musique.

— Bon, j'ai un peu de lecture à faire, dit-il. Bonne nuit, ma grande.

— Bonne nuit, papa.

Il s'avança et lui déposa un baiser sur le haut du crâne. Puis il lui montra l'énorme sac marin gris posé par terre.

— Tu devrais peut-être mettre le sac de couchage à part. Ça tiendra trop de place là-dedans.

— Non, lui renvoya-t-elle sèchement. Ils ont dit que tout devait être rangé dans un seul sac et c'est le plus gros que j'ai trouvé.

— D'accord, excuse-moi.

— Papa... combien de verres tu as bus ?

— J'ai bu un cocktail martini. Avec ton oncle. Et je suis parti, mais pas lui.

— Tu es sûr ?

— Oui. Je suis parti. J'ai du travail. Allez, bonne nuit. D'accord ?

— C'est ça, bonne nuit.

Il referma la porte en partant. Elle était à un moment de sa vie où les raisons de stresser ne manquaient pas. Elle apprenait à les gérer, mais il en faisait souvent les frais quand elle se lâchait. Il ne pouvait ni lui en vouloir, ni s'en sentir mal. Mais en avoir conscience ne rendait pas les choses plus faciles pour autant.

Il était mal à l'aise d'avoir laissé tomber « oncle Mickey ». Il gagna la cuisine pour y manger seul.

CHAPITRE 11

À 9 heures pile, Bosch s'approcha du guichet d'admission des avocats à l'entrée de la prison pour hommes, mais Haller était introuvable. Un attaché-case à la main, une jeune femme se tenait à côté de la vitre et le regarda approcher.

— Monsieur Bosch ? lui lança-t-elle.

Bosch marqua un temps d'arrêt et garda le silence. Il n'était toujours pas habitué à ce qu'on lui donne du « monsieur ».

— Oui, c'est moi, finit-il par dire.

Elle lui tendit la main. Il dut changer son dossier de côté pour la lui serrer.

— Je m'appelle Jennifer Aronson et je travaille pour maître Haller, reprit-elle.

S'il l'avait déjà rencontrée, il ne s'en souvenait plus.

— Il est censé être là, dit-il.

— Oui, je sais. Il est occupé pour le moment, mais je vais vous faire entrer pour que vous puissiez voir M. Foster.

— Je n'ai pas besoin d'être accompagné par un avocat ?

— Je suis avocate, monsieur Bosch. Et je suis associée sur ce dossier. J'ai déjà géré certains de vos rapports dans votre affaire au civil.

Il se rendit compte qu'il l'avait insultée en pensant que, vu son âge – elle ne devait même pas avoir trente ans –, elle était la secrétaire de Haller et non son associée.

— Je vous demande pardon, dit-il. Mais je pensais qu'il serait là. Où est-il exactement ?

— Il s'occupe de quelque chose qui vient d'arriver. Il a été retardé, mais il va essayer de nous rejoindre bientôt.

Il s'écarta du guichet pour téléphoner. Aronson le suivit.

— Vous n'allez pas pouvoir le joindre, enchaîna-t-elle. Pourquoi ne pas y aller et commencer l'interrogatoire ? Maître Haller viendra dès que possible.

Bosch mit fin à l'appel au moment où la voix de Haller lui demandait de laisser un message. Il regarda la jeune femme. Il voyait bien qu'elle mentait ou lui cachait quelque chose.

— Que s'est-il passé ? demanda-t-il.

— Je vous demande pardon ?

— Où est-il ? Vous ne me dites pas tout.

Elle eut l'air déçue de ne pas avoir été capable de le tromper.

— Bon écoutez, dit-elle. Il est à la prison municipale. Il a été cueilli suite à une accusation bidon de conduite en état d'ivresse hier soir. J'ai payé la caution et il attend d'être relâché.

— J'étais avec lui hier soir, dit-il. À quelle heure cela s'est-il produit ?

— Vers 22 heures.

— Pourquoi dites-vous que c'est bidon ?

— Parce qu'il m'a appelée au moment où on lui demandait de se ranger sur le bas-côté. Pour lui, ils devaient l'attendre devant Chez Musso. Ça arrive souvent. Maintien de l'ordre ciblé. C'est un coup monté.

— Bon mais… il était saoul ? Je l'ai laissé vers 19 h 30, 20 heures. Il a dû rester une ou deux heures de plus.

— D'après lui, non, et il va être très fâché que je vous en aie parlé. Je vous en prie, allons-y et démarrons l'entretien.

Il hocha la tête. Tout cela lui donnait l'impression de partir de travers et de virer au sordide.

— Allez, dit-il, finissons-en.

— Tenez, vous en aurez besoin, dit-elle en glissant la main dans son attaché-case et en lui tendant une feuille de papier pliée. C'est un document qui affirme que vous êtes enquêteur et que vous travaillez pour maître Haller dans cette affaire. Techniquement parlant, vous êtes sous la tutelle de Dennis Wojciechowski.

Il crut entendre : « Vous avez chaussé vos skis. » Il déplia la lettre et la lut rapidement. Il avait atteint le point de non-retour. Il savait que s'il l'acceptait et s'en servait pour entrer dans la prison, il serait officiellement enquêteur pour la défense.

— Vous êtes sûre que j'ai besoin de ça ? lui demanda-t-il.

— Si vous voulez le voir, vous devez avoir un statut officiel.

Il glissa la lettre dans la poche intérieure de sa veste.

— OK, bon, dit-il. Allons-y.

***

Da'Quan Foster n'était pas du tout ce à quoi il s'attendait. Vu la sauvagerie du meurtre de Lexi Parks, il pensait tomber sur un individu à la taille et à la musculature imposantes, mais Foster n'avait ni l'une ni l'autre. Il était tout maigre dans sa tenue bleue de prisonnier deux fois trop grande pour lui. Bosch comprit qu'il s'était trompé parce qu'il s'était conditionné à le croire coupable.

Un gardien fit asseoir Foster sur une chaise de l'autre côté de la table, en face de Bosch et d'Aronson. Il lui ôta les menottes des poignets et quitta la petite salle. Foster avait des tresses serrées. Il avait un gros baiser de rouge à lèvres tatoué sur le côté gauche du cou, et un autre tatouage à l'encre bleue de l'autre, mais Bosch ne put le distinguer sur le noir profond de sa peau. Foster avait l'air perplexe de se trouver en face d'eux. Aronson fit vite les présentations.

— Monsieur Foster, je ne suis pas certaine que vous vous souveniez de moi. Je m'appelle Jennifer Aronson et je travaille pour maître Haller. J'étais avec lui à votre mise en examen et aussi après, à l'audience préliminaire.

Il acquiesça d'un signe de tête – il s'en souvenait.

— Vous êtes avocate ? demanda-t-il.

— Oui, je suis un de vos conseils. Et j'aimerais vous présenter M. Bosch, qui est un de nos enquêteurs dans votre affaire. Il a quelques questions à vous poser.

Bosch ne se donna pas la peine de la reprendre. Il n'avait pas encore officiellement accepté de faire partie de l'équipe... malgré ce que disait la lettre.

— Où il est, le Haller ? demanda Foster.

— Il est pris par une autre affaire pour l'instant, lui répondit Aronson. Mais il sera là dans pas longtemps... avant que M. Bosch ait fini.

« Pris par une autre affaire », façon de parler, se dit Bosch.

Foster se tourna vers lui et n'eut pas l'air de beaucoup aimer ce qu'il voyait.

— Z'avez l'air d'un flic, dit-il.

— J'en étais un, lui renvoya Bosch en acquiesçant d'un signe de tête.

— LAPD ?

Bosch acquiesça de nouveau.

— Ben merde ! s'écria Foster. Je veux quelqu'un d'autre pour mon affaire. Pas question d'avoir un mec du LAPD de mon côté.

— Monsieur Foster, lui lança Aronson. Et d'un, ce n'est pas vous qui choisissez. Et de deux, M. Bosch est spécialiste des enquêtes criminelles et c'est un des meilleurs sur le marché.

— Ça m'plaît toujours pas. Là-bas, à South L.A., les flics des Homicides ont fait que dalle. Quand j'étais avec le gang, on a perdu neuf mecs en cinq ans et le LAPD a arrêté personne et y a pas eu de procès, rien de rien.

— Ce n'était pas là que je travaillais, dit Bosch.

Foster croisa les bras, tourna la tête pour l'ignorer et regarda le mur à sa gauche. Bosch vit clairement le tatouage qu'il avait sur le côté droit du cou. C'était le symbole standard des Crips, soit un six au centre d'une étoile à six branches formée par un triangle traversé par un autre dessiné à l'envers. Bosch savait que chacune des pointes de l'étoile représentait ce sur quoi le gang était censément fondé – la vie, la loyauté, l'amour, la connaissance, la sagesse et la compréhension. À côté du symbole se trouvaient deux mots en script stylisé : *Tookie RIP*. Bosch savait aussi qu'ils faisaient référence à Stanley « Tookie » Williams, le célèbre cofondateur du gang exécuté à la prison de San Quentin.

— Vous dites ne pas avoir commis le crime dont on vous accuse, enchaîna Bosch. Si c'est vrai, je peux vous aider. Mais si vous mentez, je vais vous abîmer. C'est aussi simple que ça. Vous voulez que j'y aille, on y va. C'est pas moi qui risque mes fesses dans cette histoire.

Foster se retourna vers lui.

— Va te faire foutre, mec ! Si t'es du LAPD, tu t'en fous que j'aie fait le coup ou pas. Du moment que vous avez quelqu'un à accuser, vous vous en foutez tous là-bas, au LAPD. C'est pas moi qu'ai fait le coup, mais j'ai sûrement fait autre chose. Qu'est-ce que ça change, putain ! Rien.

Bosch regarda Aronson.

— Ça ira, dit-il. Allez voir si vous pouvez nous ramener Mickey.

— Je préférerais rester.

— Non, ça ira, répéta-t-il. C'est moi qui mène l'interrogatoire. Vous pouvez y aller.

Il la regarda durement et elle comprit le message. Encore une fois insultée, elle se leva, gagna la porte, frappa et dès que le garde lui ouvrit, elle sortit. Bosch la regarda partir, puis se tourna de nouveau vers le prisonnier.

— Monsieur Foster, dit-il, je ne suis pas ici parce que j'ai envie que vous deveniez mon ami. Et vous, vous n'avez pas besoin que j'en devienne un pour vous non plus. Mais que je vous dise… Si vous êtes innocent de ce crime, vous ne voulez personne d'autre que moi sur cette affaire. Parce que si vous êtes innocent, ça veut dire qu'il y a quelqu'un d'autre là-bas dehors, quelqu'un qui n'est pas en prison et qui, lui, a fait le coup. Et moi, ce mec, je vais le trouver.

Il ouvrit le dossier et lui glissa une des photos de la scène de crime en travers de la table. Il s'agissait d'un gros plan montrant le visage brutalisé au point d'en être méconnaissable de Lexi Parks. D'après les rapports consignés dans le livre du meurtre, son mari l'avait trouvée avec un oreiller sur la figure. Le profil psychologique du meurtre lui aussi consigné au dossier laissait entendre que l'assassin avait eu ce geste parce qu'il avait honte de son crime et avait tenté de le masquer. Si tel était bien le cas, Foster réagirait violemment en découvrant l'horreur du meurtre.

Pour réagir, il réagit. À peine eut-il jeté un coup d'œil à la photo qu'il rejeta brusquement la tête en arrière et regarda au plafond.

— Ah mon Dieu ! s'écria-t-il. Ah mon Dieu !

Bosch l'observa de près pour étudier sa réaction. Ce serait dans les quelques secondes suivantes qu'il déciderait si oui ou non, Foster avait assassiné Alexandra Parks. Jury à un seul homme, il allait lire les expressions de l'accusé avant de rendre son verdict.

— Enlevez-moi ça de là ! s'écria Foster.

— Non, je veux que vous regardiez.

— Je peux pas, lui renvoya Foster en lui montrant la photo sur la table sans baisser les yeux du plafond. J'arrive pas à y croire. Ils disent que j'ai fait ça, mais... comme si j'pouvais faire un truc pareil à un visage de femme !

— Eh oui.

— Ma mère sera au procès et ils vont montrer ça ?

— Y a des chances. À moins que le juge dise que c'est trop préjudiciel... mais là, bonne chance !

Foster eut comme un pleur qui lui monta du fond de la gorge. Comme la plainte d'un animal blessé.

— Regardez-moi, Da'Quan, lui ordonna Bosch. Regardez-moi.

Foster baissa lentement la tête et regarda Bosch, sa ligne de vision n'incluant toujours pas la photo sur la table. Bosch lut de la douleur et de l'empathie dans ses yeux et il s'était trouvé en face de dizaines et de dizaines d'assassins à l'époque où il était inspecteur. La plupart d'entre eux, surtout les psychopathes, étaient de très bons menteurs. Mais pour finir, c'était toujours leur regard qui les trahissait. Les psychopathes sont froids. Ils peuvent parler sympathie, mais sont incapables d'en montrer dans leurs yeux. Et c'était toujours leurs yeux que Bosch regardait.

— C'est vous qui avez fait ça, Da'Quan ? lui demanda-t-il.

— Non.

Bosch crut alors voir la vérité dans les yeux de Da'Quan Foster. Il tendit la main et retourna la photo pour qu'elle ne soit plus une menace.

— Bon, dit-il, vous pouvez vous détendre.

Foster avait les épaules affaissées et semblait lessivé. Il lui apparaissait enfin, et peut-être pour la première fois, qu'on l'accusait du pire meurtre qui soit.

— Je pense vous croire, Da'Quan. C'est une bonne chose. Ce qui n'est pas bon, c'est qu'on a trouvé votre ADN à l'intérieur de la victime et ça, il va falloir l'expliquer.

— C'est pas l'mien.

— Ça, c'est vous qui le dites et ça ne tient pas comme explication. Pour l'instant, la science est contre vous. Pour l'accusation, cet ADN, c'est la victoire assurée. Vous êtes un mort en sursis si on n'arrive pas à trouver une explication.

— Je peux pas l'expliquer. Je sais que c'est pas à moi, mais c'est tout.

— Alors, comment est-il arrivé là, hein ?

— Je sais pas, moi ! C'est comme un coup monté.

— Monté par qui ?

— Je sais pas !

— Les flics ?

— Quelqu'un.

— Où étiez-vous cette nuit-là ? Chez cette femme ?

— Ah non !

— Où, alors ?

— Au studio. Je peignais.

— Non, vous n'y étiez pas. C'est des conneries, ça. Les services du shérif ont un témoin, et ce témoin dit être passé à votre studio et que vous n'y étiez pas.

— Si, j'y étais.

— Leur témoin sera appelé à la barre et affirmera que vous n'étiez pas au studio quand il y est passé. Ajoutez-y l'ADN et vous êtes cuit. Vous comprenez ? (Il lui montra la photo retournée.) Avec un crime pareil, pas un seul juge et pas un seul juré n'hésiteront à vous coller la peine de mort. Vous partirez de la même façon que Tookie.

Bosch le laissa digérer un instant avant de reprendre d'un ton plus doux.

— Vous voulez que je vous aide, Da'Quan ? Si oui, je vais avoir besoin de tout savoir. Le bon comme le mauvais. Vous pouvez mentir à votre avocat, mais pas à moi, parce que moi, je le vois. Alors, pour la dernière fois : où étiez-vous ? Vous ne me le dites pas, je m'en vais. Alors… on fait quoi ?

Foster baissa les yeux sur la table. Bosch attendit. Il savait que Foster allait craquer et tout lâcher.

— OK. Voilà c'qui s'est passé. Oui, j'étais là-haut à Hollywood. Et j'étais avec quelqu'un, quelqu'un qu'était pas ma femme.

— D'accord, dit Bosch. Et donc, qui était cette femme ?

— C'était pas une femme.

CHAPITRE 12

Haller manqua toute la séance avec Foster. C'était tour à tour un avocat célèbre ou indigne, tout dépendait de la façon dont on voyait les choses. Il avait eu droit à l'imprimatur suprême de Los Angeles – un film relatant une de ses affaires, avec rien de moins que Matthew McConaughey dans le rôle principal. Il avait aussi brigué le poste de district attorney lors des dernières élections et avait perdu suite au scandale qui avait éclaté lorsqu'un de ses anciens clients, qu'il avait réussi à blanchir d'une accusation de conduite en état d'ivresse, avait tué deux personnes, en plus de lui-même, parce qu'il était saoul au volant. Bref, certains jours, il défrayait la chronique et les gardiens de la prison municipale avaient fort obligeamment retardé sa libération jusqu'à ce que les médias soient mis au courant de son arrestation, que sa photo d'identité judiciaire soit téléchargée sur le Net et que tout un assemblage de reporters, de photographes et de caméramen puisse se retrouver devant la porte de la prison et tout dire et montrer de l'ignoble personnage.

Bosch accompagna Jennifer Aronson, qui représentait Haller, jusqu'à l'intérieur de la prison afin de prévenir ce dernier de ce qui l'attendait dehors. Aronson avait bâti un plan dans lequel Bosch devait arrêter sa Cherokee juste devant la porte de la prison, permettant ainsi à Haller de sortir vite en sautant à l'arrière du véhicule. Bosch démarrerait ensuite en trombe. Mais Haller lui fit comprendre qu'il ne voulait absolument pas prendre part à une sortie aussi lâche. Dès qu'il eut rassemblé ses affaires, il sortit sa cravate de la poche de son costume et l'attacha à son col de chemise avec un clip. Et se la lissa sur la poitrine avant de franchir la porte, le menton haut levé. Il gagna aussitôt le petit groupe de journalistes, attendit un bref instant qu'on ait positionné tous les micros et fait le point comme il faut avec les objectifs, et se lança :

— Je tiens juste à déclarer que je viens d'être la cible d'une énième manœuvre d'intimidation de la police. Mais intimidé, je ne le suis pas. C'est suite à un coup monté que j'ai été arrêté. Je ne conduisais pas en état d'ivresse et il n'y a rien pour le prouver. Je conteste ces charges, je les combattrai et finirai par être reconnu innocent. Personne ne pourra jamais me détourner de mon travail de défense des opprimés de notre société. Je vous remercie.

Un tumulte de voix se fit entendre tandis qu'on le pressait de questions. Puis une femme à la voix grave prit le dessus.

— Pourquoi cherche-t-on à vous intimider ? demanda-t-elle.

— Je ne le sais pas encore, lui répondit Haller. J'ai un certain nombre d'affaires dans lesquelles j'ai l'intention de mettre la police sur la sellette pour défendre mes clients. Et ça, la police le sait. À mon avis, la manœuvre pourrait venir de n'importe qui.

— Cela pourrait-il concerner l'affaire Lexi Parks ? enchaîna la femme.

— Je ne sais pas. Tout ce que je peux dire, c'est que ce qu'on m'a fait n'est pas juste. Et que ce sera puni.

Un deuxième reporter attaqua. Bosch le reconnut – il était du *L.A. Times* –, mais fut incapable de se rappeler son nom. Il avait des sources au sein de la police et était en général bien informé.

— On vous a fait une prise de sang au Queen of Angels Hospital. D'après le LAPD, vous aviez plus d'un gramme d'alcool dans le sang, ce qui est illégal.

Haller hocha la tête comme s'il connaissait la suite et se régalait déjà de la chance qu'il avait de s'en prendre à l'accusation.

— Non, seulement zéro virgule six grammes... vérifiez vos sources, Tyler! Le LAPD s'est servi d'une formule erronée pour faire monter le taux à zéro huit lors de l'interpellation. Cette formule ne résistera pas à l'examen du tribunal et je serai exonéré.

Bosch devait regagner la voiture pour la ramener, mais il voulait voir Haller à l'œuvre. Cette aisance et cette maîtrise de la foule de journalistes dont il faisait preuve! Aucune peur, aucune timidité. Il s'en émerveilla. Pas étonnant que ce soit un véritable tueur à l'audience.

— Mais vous avez déjà été arrêté pour conduite en état d'ivresse, n'est-ce pas?

La question émanait d'un autre reporter. Haller hocha la tête.

— Ce n'est pas du passé que nous parlons. C'est d'aujourd'hui même et la question est de savoir si nous voulons que notre police s'en prenne à des citoyens qui respectent la loi. L'intrusion de l'État dans nos vies est de plus en plus pregnante. Jusqu'où faudra-t-il la tolérer? C'est ici et maintenant que moi, je me dresse contre elle.

Les journalistes finissaient par se répéter et, bizarrement, s'éloigner de la réalité. Il était plus qu'évident qu'ils ne seraient pas à court de questions tant que Haller, lui, ne serait à court de réponses. Il y avait là un mélange de médias locaux légitimement en quête de nouvelles et de reporters faisant plus dans le divertissement soft. Haller était l'une des rares personnes à avoir un pied dans chaque camp. La dernière question qu'entendit Bosch avant de se diriger vers le parking fut celle de quelqu'un qui voulait savoir s'il était en contact avec Matthew McConaughey et s'il y aurait une suite à *La Défense Lincoln*.

Haller répondit qu'il n'en savait rien.

CHAPITRE 13

Haller mourait de faim après avoir fait l'impasse sur le sandwich au saucisson de Bologne et la pomme servis en guise de petit déjeuner à la prison. Mais il voulait retrouver sa voiture et son portable avant de manger.

Aronson retournant vaquer à ses affaires, Bosch conduisit Mickey Haller à la fourrière de Hollywood afin d'y récupérer sa Lincoln Town Car. Chemin faisant, Haller lui raconta son arrestation et lui dit être absolument sûr que les flics en civil qui l'avaient coincé le surveillaient. Rien dans ce qu'il lui affirmait n'étayant son hypothèse, Bosch pensa que tout cela n'était que pure paranoïa. Mais il trouva curieux qu'il ait été arrêté par des flics en civil. Il se demanda si Haller ne s'était pas retrouvé pris dans une opération des Mœurs.

La fourrière de Hollywood appartenait à la Hollywood Tow[1] de Mansfield Avenue. Haller ayant payé l'amende sans discuter, l'employé lui tendit les clés de la voiture. Haller les regarda fixement dans sa main, puis se tourna vers l'employé.

— Vous l'avez ouverte ? lui demanda-t-il.

L'employé regarda le document que Haller venait de signer.

— Non, monsieur, répondit-il. D'après ce papier, y a pas eu de serrures forcées... Le véhicule était OAA – ouvert à l'arrivée.

1. La compagnie de dépannage de Hollywood.

On fait attention à ce genre de truc, monsieur. Si vous voulez le contester ou déposer plainte, je peux vous donner toute la paperasse à remplir.

— Non, vraiment ? Je parie qu'ils sauteraient tout de suite dessus. Bon... dites-moi seulement où elle est.

— Emplacement vingt-trois. Vous descendez l'allée principale et c'est à gauche.

Bosch suivit Haller. La première chose que fit ce dernier fut de prendre son portable sur le siège de devant et de voir s'il avait été trafiqué. Il était protégé par un mot de passe et ne semblait pas avoir été touché. Puis il ouvrit le coffre et vérifia trois cartons de dossiers posés côte à côte, son doigt faisant claquer les cavaliers pour s'assurer qu'aucune chemise ne manquait. Il regagna ensuite le siège arrière, y prit sa mallette, l'ouvrit sur le toit de la voiture et en vérifia le contenu.

— Ils ont eu tout le temps de photocopier tout ce qu'ils voulaient, dit-il.

— « Ils » ? répéta Bosch. Qui ça, « ils » ?

— Eux. Les flics qui m'ont arrêté. Enfin... ceux qui me les ont envoyés.

— T'es sûr de vouloir jouer le coup comme ça ?

— Je devrais le jouer autrement ?

— J'ai l'impression que t'es un peu parano. T'es resté là-bas à boire pendant trois heures, enfin... d'après moi.

— J'espaçais et je n'étais pas saoul. Et encore moins diminué. Dès qu'ils m'ont arrêté, je suis descendu de voiture et j'ai verrouillé les portières. Avec les clés à l'intérieur. Et le type là-bas me dit que la bagnole était ouverte quand la dépanneuse est arrivée. Tu peux m'expliquer ?

Bosch garda le silence. Haller referma la mallette et le regarda.

— Bienvenue de l'autre côté, Harry. Allons manger un morceau. Je crève de faim.

Il s'approcha de la Lincoln et ferma le coffre, Bosch découvrant le IWALKEM de la plaque.

Il nota de ne jamais être vu dans cette voiture avec Haller.

***

Ils gagnèrent séparément le Pink's de La Brea Avenue et s'installèrent à une table de l'arrière-salle après avoir pris leurs plats. Il était un peu tôt pour déjeuner et la file d'attente était raisonnable. Pendant que Haller dévorait son hot-dog de trente centimètres, Bosch lui raconta sa visite à la prison et ce que Foster lui avait avoué au sujet de son alibi. Haller ne se donna pas la peine d'essuyer la moutarde sur ses lèvres avant d'avoir fini son hot-dog.

— Difficile de croire qu'il serait prêt à aller en taule pour un secret pareil, dit Bosch.

— C'est un mec fier et quelqu'un qui compte dans la communauté. Sans parler de sa femme et des enfants. Il n'avait pas envie que tout ça s'écroule. En plus de quoi, pour moi, quand on est innocent, on pense toujours qu'on sera sauvé au final, que la vérité nous libérera, enfin... toutes ces conneries, quoi. Même un ancien membre de gang comme lui y croit.

Bosch repoussa le hot-dog auquel il n'avait pas touché vers Haller et hocha la tête.

— N'importe quoi.

— Je sais bien.

— Non, c'est pas de la vérité qui libère que je parle. C'est de tes conneries à toi.

— À moi ? Quelles conneries ?

— Oh allez ! Tout ce truc est un coup monté. Et c'est toi qui me l'as monté.

— Je vois pas.

— Tu m'as mené en bateau, Mick. Tu m'as fait flairer l'odeur et tu savais que je finirais par la suivre jusqu'à la prison du comté pour parler à Da'Quan. Tu savais parfaitement qu'ils avaient un témoin qui allait lui foutre son alibi en l'air. Tu le savais depuis le début.

Haller marqua une pause après avoir mordu dans son second hot-dog. Et essaya de sourire la bouche pleine. Puis il avala et essuya la moutarde sur ses lèvres avec une serviette.

— Et si tu mettais un peu moins de moutarde sur ton hot-dog la prochaine fois que tu me le donnes, hein ? s'exclama-t-il.

— J'y veillerai. Mais ne change pas de sujet. Ce que je ne comprends pas, c'est pourquoi Da'Quan commencerait par me mentir s'il t'a dit, à toi, la vérité sur son alibi.

— Peut-être a-t-il, lui, commencé par ne pas te faire confiance. Peut-être te jaugeait-il.

— Et voilà, encore des conneries. Mais, du coup, je suis obligé de me demander pourquoi toi, tu ne me l'as pas dit. Tu me jaugeais, toi aussi ? C'est ça ?

— Non, non, rien de tel. Je l'ai fait parce qu'il fallait que je t'investisse dans l'affaire.

— Que tu m'« investisses dans l'affaire » ? Tu t'es servi de moi, oui !

— Peut-être. Mais il se pourrait aussi que je t'aie sauvé.

— Sauvé de quoi ?

— Tu es spécialisé dans les homicides et le LAPD a décidé qu'il pouvait se passer de toi. Mais il y a des gens… et des lieux où on a encore besoin de toi.

Bosch hocha la tête et posa les mains sur la table.

— Pourquoi tu ne me l'as pas dit franchement ? Que je puisse choisir tout seul ?

— Quoi ? Tu voulais que je te raconte que j'avais un type accusé du plus horrible meurtre que cette ville ait connu depuis que Nicole Simpson s'est fait massacrer et que, tiens donc, on avait aussi retrouvé son ADN dans le corps de la victime et que, tiens donc encore, il avait menti sur son alibi parce qu'il était allé se mettre au pieu dans un motel avec un mec qui s'appelle

Sindy, S-I-N[1]… DY? Ouais, ç'aurait sûrement marché si je te l'avais jouée comme ça !

Bosch garda le silence : il sentait que ce n'était que le début. Il ne se trompait pas.

— Et le clou, reprit Haller, c'est qu'aussi fou qu'il soit, cet alibi, il est maintenant impossible de le prouver parce que ledit Sindy s'est fait assassiner dans une ruelle de Hollywood avant que je puisse le joindre.

Bosch se pencha vers lui et sentit son corps se tendre. Foster ne lui avait rien dit de tout ça.

— Quand est-ce que ça s'est passé ?

— Ça remonte à mars dernier.

— Après ou avant que Foster se fasse arrêter pour le meurtre de Parks ?

— Après.

— Combien de temps après ?

— Plusieurs jours, je crois.

Bosch réfléchit un instant avant de poser la question suivante.

— On a arrêté quelqu'un ? demanda-t-il.

— Je ne sais pas. Pas lorsque j'ai vérifié la dernière fois. C'est même pour ça que j'ai besoin d'un enquêteur, Harry. Un spécialiste des homicides. Cisco venait juste de s'y mettre lorsqu'il s'est planté avec sa bécane et s'est bousillé la gueule.

— Tout ça, tu aurais dû me le dire.

— Je viens de le faire.

— J'aurais dû le savoir plus tôt.

— Ouais, bon, peut-être, mais maintenant tu le sais. Alors, c'est oui ou c'est non ?

1. « Péché ».

CHAPITRE 14

Bosch pensait qu'il allait mourir bientôt. Il n'y avait pourtant aucune menace physique ou raison de santé le lui laissant croire. En fait, il était même plutôt en bonne forme pour un homme de son âge. Quelques années auparavant, il avait travaillé sur une affaire de meurtre avec vols de matériaux radioactifs[1]. Il y avait été exposé, soigné, les check-up biannuels avec radiographie des poumons auxquels il était soumis passant ensuite à un par an et lui revenant toujours négatifs. Ce n'était donc ni cela ni quoi que ce soit d'autre ayant un rapport avec le métier qu'il avait exercé plus de trois décennies durant.

C'était sa fille. Bosch était un père de rattrapage. Il ignorait qu'il avait un enfant jusqu'au moment où Maddie avait eu quatre ans. Et elle n'était venue vivre avec lui qu'à treize. Cela ne faisait que cinq ans, mais il en était venu à croire que les parents voient leurs enfants non seulement comme ils sont, mais comme ils espèrent qu'ils deviendront plus tard. Heureux, épanouis, sans peur. Lorsqu'elle était venue vivre avec lui, il ne voyait pas encore les choses de cette façon, mais il avait eu tôt fait de s'y mettre. Le soir quand il fermait les yeux, il la voyait plus âgée : belle, confiante, heureuse et apaisée. Et n'ayant peur de rien.

1. Cf. *À genoux*, du même auteur.

Le temps avait passé et elle avait maintenant atteint l'âge de la jeune femme qu'il imaginait. Mais l'image n'évoluait pas. Elle ne vieillissait pas parce qu'il pensait que l'un des deux ne serait plus là pour la voir. Et parce qu'il ne voulait pas que ce soit elle, il était sûr que ce serait lui.

En rentrant chez lui ce soir-là, il décida donc de lui dire ce qu'il était en train de faire. La porte de sa chambre était fermée. Il lui envoya un SMS lui demandant de venir parler avec lui quelques instants.

Elle était déjà en pyjama lorsqu'elle sortit de sa chambre.

— Tout va bien ? lui demanda-t-il.

— Évidemment. Pourquoi cette question ?

— Je ne sais pas. On dirait que tu vas te coucher.

— Je me préparais, c'est tout. Je veux me coucher tôt pour faire des réserves de sommeil.

— Comment ça ?

— Tu sais bien. Comme si j'hibernais. Je ne pense pas que je vais beaucoup dormir au camp.

— Tu as fini tes bagages ?

— J'ai encore quelques trucs à caser et donc… qu'est-ce qu'il y a ?

— Tu vas dîner ?

— Non, j'essaie de rester en bonne santé.

Il se dit qu'elle avait dû se regarder dans une glace et y voir quelque chose que personne ne voyait, décider qu'elle devait absolument perdre du poids.

— Sauter des repas n'est pas sain, Maddie.

— C'est toi qui me dis ça ? Tu as oublié toutes les fois où tu étais sur une affaire et ne mangeais pas ?

— C'était parce que je ne trouvais pas de quoi manger ou parce que je n'en avais pas le temps. Tu pourrais très bien dîner de quelque chose de sain.

Elle lui fit sa grimace « fin-de-la-conversation ».

— Papa, fais-moi confiance. C'est tout ce que tu voulais ?

Il fronça les sourcils.

— Euh, non. Je voulais te parler un peu de ce que je fais en ce moment, mais ça peut attendre.

— Non, dis-moi, lui renvoya-t-elle, ravie de ne plus parler de ses habitudes alimentaires.

Il acquiesça.

— Bon. Tu te rappelles il y a un moment de ça quand on parlait de mon travail et que je te disais que pour moi, ce que je faisais... mon travail sur les homicides... c'était comme une vocation et que je ne pourrais jamais travailler pour un avocat de la défense comme ton oncle ?

— Oui, bien sûr, mais pourquoi tu me parles de ça ?

Il hésita, puis décida d'en finir.

— Bon eh bien, je voulais te dire que Mickey m'a approché pour une affaire. Une affaire de meurtre. Une affaire dans laquelle il est sûr que son client est innocent et s'est fait piéger. (Il marqua un temps d'arrêt, mais elle garda le silence.) Il m'a dit d'y jeter un coup d'œil. Enfin, tu sais... pour voir s'il y avait des éléments qui le prouveraient. Et... et donc, j'ai accepté.

Elle le regarda fixement un bon moment avant de parler.

— Qui est la victime ? demanda-t-elle.

— Une femme. Ç'a été très brutal, ignoble.

— Tu n'as pas dit que tu ne pourrais jamais faire ça ?

— Je sais. Mais là, je me suis dit que s'il était possible que ce type n'ait pas fait le coup, c'était que quelqu'un d'autre l'avait fait et qu'il était dans la nature. Et ça, ça ne me plaît pas... qu'un type comme ça puisse encore être dans la nature avec toi et tous les autres au milieu... Alors je viens de confirmer à Mickey que j'allais regarder ça de près. Et je me suis dit que tu devais le savoir.

Elle hocha la tête et cessa de le regarder dans les yeux. Cela lui fit encore plus mal que ce qu'elle lui asséna ensuite.

— Ce type est en prison ? lui demanda-t-elle.

— Oui. Depuis deux mois.

— Et donc le contraire de ce que tu es en train de me dire est bien que tu pourrais travailler à remettre quelqu'un de passablement horrible en liberté, avec moi et tous les autres au milieu.

— Non, Mads, je ne ferais jamais un truc pareil. J'arrêterais avant que ça se produise.

— Mais comment pourras-tu en être vraiment sûr ?

— C'est vrai qu'on ne peut jamais être vraiment sûr.

Elle hocha la tête.

— Je vais me coucher, dit-elle.

Et elle se détourna et disparut dans le couloir.

— Allons, Mads ! Ne sois pas comme ça ! Parlons-en encore.

Il l'entendit fermer la porte de sa chambre à clé. Il resta immobile et réfléchit à ce qu'elle venait de lui répondre. Il s'attendait à ce que la nouvelle lui vaille un gros retour de bâton de tous ceux qu'il connaissait dans les milieux du maintien de l'ordre. Mais il ne s'attendait à rien de pareil de sa fille.

Il décida que, lui aussi, il avait perdu l'appétit.

CHAPITRE 15

Il se leva tôt pour passer en revue ses notes et les rapports contenus dans le livre du meurtre et attendit précisément 8 h 20 pour appeler Lucia Soto. Il savait que si elle n'avait pas changé ses habitudes depuis leur binôme de ses derniers mois de carrière au LAPD, elle serait en train d'entrer au Starbucks de la 1re Rue, à un bloc du Police Administration Building.

Elle décrocha tout de suite.

— Soto.

— Lucia.

— Harry, quoi de neuf?

Bosch ayant masqué son identité sur son portable, c'était donc qu'elle reconnaissait encore sa voix ou se rappelait qu'il était le seul à l'appeler Lucia[1]. Les autres l'appelaient Lucy, Lucky ou Lucky Lucy, rien de tout cela ne lui plaisant beaucoup.

— Tu vas te prendre un café?

— Tu me connais bien. Ça fait du bien de t'entendre. Comment se passe la retraite?

— En fait, je ne suis pas vraiment en retraite. Et je me demandais si tu pourrais pas me rendre un service quand tu réintégreras la salle des inspecteurs avec ton *latte*.

— Bien sûr, Harry, de quoi as-tu besoin?

1. Cf. *Mariachi Plaza*, publié dans cette même collection.

— Avant que je te le dise, je veux être franc avec toi. Je travaille une affaire pour mon demi-frère.

— L'avocat de la défense ?

— Oui, l'avocat de la défense.

— Et c'est aussi lui que tu as engagé pour attaquer la police ?

— C'est exact.

Il attendit, et ce fut long avant qu'enfin elle réponde.

— Bon d'accord. Et donc, de quoi as-tu besoin ?

— Je n'ai pas besoin de ton aide pour l'affaire à laquelle je travaille, mais j'ai eu vent d'une autre qui pourrait avoir un lien avec elle. J'ai juste besoin d'une info, de savoir de quoi il retourne.

Il marqua une pause pour lui donner la possibilité de refuser tout net, mais elle garda le silence. *Jusqu'ici, tout va bien*, se dit-il. Il ne doutait pas qu'elle lui rende ce service, mais il ne voulait pas qu'elle se sente compromise, ou qu'elle craigne de se retrouver dans la ligne de mire du LAPD par sa faute. Ils n'avaient parlé que de rares fois depuis qu'il avait quitté, et pour ne plus jamais y revenir, l'unité des Affaires non résolues l'année précédente. Lorsqu'il l'avait contactée après le nouvel an pour voir comment elle allait, il avait appris qu'elle avait déjà eu droit à certains contrecoups suite à son départ.

Le capitaine de l'unité l'avait mise en binôme avec un vieux de la vieille, un inspecteur du nom de Stanley O'Shaughnessy. Connu sous le sobriquet de Stanley the Steamer[1] par la plupart des autres inspecteurs de la division des Vols et Homicides, c'était le pire des individus avec lequel être mis en équipe. Il ne se foulait pas trop à résoudre des meurtres, mais se montrait fort actif dès qu'il s'agissait de discuter de ce qui clochait dans le service et de déposer plainte contre d'autres inspecteurs et superviseurs qui lui auraient manqué de respect. C'était quelqu'un qui se laissait paralyser par ses frustrations et ses déboires dans la vie et dans sa carrière. Résultat, ses binômes ne restaient jamais longtemps

1. « Stanley le fumasse ».

avec lui à moins de ne pas avoir voix au chapitre en la matière. Tout en bas de l'échelle des Vols et Homicides, Soto resterait très probablement coincée avec lui jusqu'à ce qu'une nouvelle fournée d'inspecteurs n'amène du sang neuf dans la division et ça, seulement si aucun nouvel arrivant n'était plus ancien qu'elle dans la police. Soto n'y travaillant que depuis moins de huit ans, les chances que cela se produise étaient pratiquement nulles. Elle était coincée, et le savait. Elle passait l'essentiel de ses journées à travailler seule et ne faisait intervenir O'Shaughnessy que lorsque le règlement exigeait qu'il y ait deux inspecteurs sur l'enquête.

Tout cela lui avait été infligé parce qu'à l'époque du binôme avec Harry Bosch les quatre derniers mois de carrière de ce dernier, elle avait refusé de le cafter lors d'une enquête des Affaires internes[1] diligentée par le capitaine qui gérait les appariements. Lorsqu'elle lui avait dit sur qui elle était tombée, Bosch n'avait pu que l'encourager à ne pas s'occuper d'O'Shaughnessy, à sortir du commissariat et à travailler ses affaires en allant frapper aux portes. Ce qu'elle faisait en l'appelant de temps à autre pour puiser dans son expérience et lui demander des conseils qu'il n'était que trop heureux de lui donner. Tout cela à sens unique jusqu'à maintenant.

— Tu sais où est le répertoire des meurtres dans le bureau du capitaine ?

— Bien sûr.

— Je cherche une affaire. Je n'ai ni nom ni date exacte, je sais seulement que ça s'est passé à Hollywood, probablement dans la semaine qui a suivi le 19 mars de cette année.

— OK, mais… et si je jetais juste un coup d'œil au CTS et réglais ça tout de suite ?

Le CTS était le *Crime Tracking System*[2] du LAPD, auquel elle pouvait accéder de son ordinateur. À condition d'y entrer en se servant de sa clé d'utilisatrice.

1. Équivalent américain de nos bœufs-carottes.
2. Base informatique répertoriant les crimes.

— Non, ne fais pas comme ça, dit-il. Comme je ne sais pas où ça peut mener, ne te mets pas en danger en laissant tes empreintes numériques.

— OK, c'est compris. Autre chose ?

— Je ne sais pas si ce sera au répertoire, mais la victime était un prostitué. Pourrait être classé homo, trans ou quelque chose de ce genre. Nom de rue : Sindy. S-I-N-D-Y, voilà, c'est tout ce que j'ai.

À l'âge de la compilation et du stockage électronique des données, le LAPD respectait encore la tradition qui voulait qu'on répertorie tous les meurtres dans des registres reliés cuir. Ils étaient religieusement mis à jour depuis le 9 septembre 1899, date à laquelle, premier meurtre jamais enregistré dans l'histoire du LAPD, un certain Simon Christenson avait été retrouvé mort sur un pont de chemin de fer du centre-ville. Les inspecteurs de l'époque pensaient que l'homme avait été battu à mort, puis déposé sur les rails pour qu'un train le percute et que l'assassinat ressemble à un suicide. La fausse piste n'avait pas marché, mais personne n'avait été accusé du meurtre.

Bosch consultait régulièrement ces registres lorsqu'il travaillait aux Vols et Homicides. C'était une sorte de hobby qu'il avait de lire les un ou deux paragraphes consacrés à chaque meurtre consigné dans le volume. Il avait même mémorisé le nom de ce Christenson. Non pas parce que c'était la victime du premier meurtre consigné, mais parce que c'était le premier et qu'il n'avait jamais été résolu. Ça l'avait toujours agacé que justice n'ait pas été rendue à Simon Christenson.

— Qu'est-ce que je raconte au capitaine ? lui demanda Soto. Il va probablement me demander pourquoi je m'intéresse à cette affaire.

Bosch avait anticipé la question.

— Ne lui dis pas que tu cherches une affaire particulière. Sors le dernier registre et dis-lui que t'essaies seulement de te tenir au courant de ce qui se passe. Beaucoup les consultent. Je les ai tous lus de bout en bout au moins une fois.

— OK, c'est d'accord. Laisse-moi me payer mon café, que je puisse rentrer, et je te fais ça tout de suite.

— Merci, Lucia.

Il raccrocha et réfléchit à la suite. Si Lucia tenait parole, il aurait un point de départ dans l'affaire Sindy. Il pourrait alors déterminer si celle-ci avait un lien quelconque avec le meurtre de Lexi Parks et si l'alibi de Da'Quan était sérieux.

***

Il attendait que Soto le rappelle lorsque sa fille ressortit de sa chambre tout habillée pour l'école avec son sac à dos jeté par-dessus l'épaule.

— Salut ! lui lança-t-elle. Je suis en retard.

Elle attrapa les clés de sa voiture sur la table près de la porte d'entrée. Bosch se leva pour la suivre.

— Tu ne vas pas partir sans rien manger, si ?

— Pas le temps, lui répondit-elle en avançant vers la porte.

— Maddie, ça commence à m'inquiéter, ce truc.

— Te fais pas de soucis. Inquiète-toi seulement de ce tueur pour qui tu travailles.

— Oh, allons, Mads ! Arrête ça. Si ce type est un tueur, il n'ira nulle part. Fais-moi confiance, tu veux ?

— OK. Bye !

Elle franchit la porte et la laissa claquer fort derrière elle. Il resta debout sans bouger.

Après avoir attendu plus d'une heure que Soto le rappelle, il commença à se dire qu'il y avait peut-être eu un problème avec le capitaine lorsqu'elle était allée consulter le registre dans son bureau. Il fit les cent pas, se demanda s'il fallait qu'il appelle pour vérifier, mais songea qu'un coup de fil passé au mauvais moment – si, par exemple, elle était dans le pétrin avec le capitaine – risquait d'aggraver les choses. En plus de quoi, si elle était effectivement dans le pétrin, il ne pouvait absolument rien y faire. Il n'était plus des leurs maintenant.

Pour finir, une vingtaine de minutes plus tard, son portable bourdonna. Il regarda l'écran et s'aperçut qu'elle l'appelait de son poste. Il s'attendait à ce qu'elle passe par son portable, et à l'extérieur du bâtiment, ou du moins dans les toilettes.

— Lucia ?

— Salut, Harry. J'ai des infos pour toi.

— Tu es à ton bureau ? Où est le Steamer ?

— Oh, probablement à porter plainte ou autre. Il est passé et reparti assez mystérieusement sans rien dire. Comme souvent.

— Bon, au moins tu ne l'as pas dans les pattes. Alors, tu as jeté un coup d'œil au registre ?

Il s'assit à la table de la salle à manger, ouvrit son carnet, sortit un stylo et se prépara à écrire.

— Oui, et je suis quasi sûre d'avoir trouvé ton affaire.

— Pas d'ennuis avec le capitaine ?

— Non, j'ai fait comme tu m'avais dit et il m'a plus ou moins fait signe de lui foutre la paix et m'a laissée regarder ce que je voulais. Aucun problème. Pour que ç'ait l'air encore plus sérieux, j'ai pris deux ou trois registres de plus. Le premier remonte à 1899.

— Simon Christenson.

— Ah mon Dieu, mais comment tu fais pour te rappeller un truc pareil ?

— Je ne sais pas vraiment. Je m'en souviens, c'est tout. Tué sur un pont et personne d'inculpé.

— Pas terrible comme début pour le LAPD, hein ?

— Non, pas terrible du tout. Alors, qu'est-ce que tu m'as trouvé ?

— 21 mars, le corps de James Allen, de race blanche, âge : vingt-six ans, a été retrouvé dans une ruelle parallèle à Santa Monica Boulevard, à la hauteur d'El Centro Avenue. Derrière un atelier de réparation automobile. La victime était un prostitué souvent arrêté pour racolage, possession de drogue, les trucs habituels. C'est tout ce qu'il y a dans le registre, en dehors du fait que l'affaire a été confiée aux inspecteurs Stotter et Karim des Vols et Homicides.

Bosch cessa d'écrire. La division des Vols et Homicides comprenait les brigades d'élite des inspecteurs qui, travaillant au Police Administration Building, s'occupaient en général des affaires politiquement ou médiatiquement sensibles, ou considérées trop complexes pour les équipes d'inspecteurs ordinaires à cause du temps requis pour les résoudre. Mike Stotter et Ali Karim avaient été versés à l'Homicide Special, soit l'élite de l'élite. Bosch trouva plutôt inhabituel que l'assassinat d'un prostitué de Hollywood soit assigné aux Vols et Homicides. Dans un monde parfait, toutes les victimes de meurtre auraient été traitées également. Tout le monde compte ou personne. Mais ce monde n'étant pas parfait, certains meurtres étaient tenus pour importants et d'autres pour insignifiants.

— Les « Vols et Homicides » ? répéta-t-il.

— Oui, moi aussi, j'ai trouvé ça bizarre. Je suis donc allée les voir de l'autre côté de la salle et comme Ali était à son bureau, je lui ai demandé pourquoi. Il m'a...

— Lucia, tu n'aurais pas dû faire ça. Il ne faut surtout pas qu'on sache que tu t'intéresses à ce truc. Ça pourrait te revenir en pleine figure si jamais je fais des vagues avec ça. Ali saura tout de suite que c'est moi qui t'ai envoyée le voir.

— Calme-toi, Harry. Je ne suis pas idiote. Fais-moi un peu confiance, tu veux ? Je n'ai fait aucune connerie avec les types de l'Homicide Special en leur posant des questions sur l'affaire. Sans parler du fait qu'Ali et moi sommes copains. C'est lui qui a été appelé le soir de mon histoire à Rampart et qui a géré la scène de crime jusqu'à l'arrivée de l'équipe de l'Évaluation des tirs. Il a été vraiment sympa ce soir-là. Il m'a calmée, m'a coachée sur la façon de procéder avec les mecs de l'Évaluation. Et quand je suis revenue ici après, ç'a été un des rares types à ne pas me regarder de haut, si tu vois ce que je veux dire. En fait, pour être exacte, y a eu que lui et toi.

C'était du chemin qu'elle avait suivi pour arriver aux Vols et Homicides et à l'unité des Affaires non résolues qu'elle parlait. Moins de deux ans plus tôt, elle n'était encore qu'une « manche sans galons » assignée à la patrouille de la division Rampart. Mais sa bravoure et le calme impérial qu'elle avait montrés dans une fusillade qui l'opposait à quatre voleurs armés et avait déjà laissé son binôme sur le carreau l'avaient mise en vedette dans les médias. Elle avait alors été surnommée « Lucky Lucy » dans un portrait publié par le *L.A. Times*, le LAPD ne perdant pas de temps pour profiter de ce rare moment d'attention positive qu'elle suscitait dans la presse écrite et parlée. Le chef de police lui avait aussitôt offert une promotion et permis de choisir son affectation. Elle avait opté pour l'unité des Affaires non résolues de la brigade des Vols et Homicides et avait été élevée au rang d'inspectrice avant même d'avoir donné cinq ans à ce travail.

Les médias avaient adoré, mais ça ne s'était pas passé aussi bien avec tous ceux et toutes celles qui attendaient depuis des années, voire des décennies, une place à la brigade des Homicides, ne parlons même pas de la division d'élite des Vols et Homicides. Ainsi arrivée avec ce genre d'inimitiés dans sa besace, elle avait dû affronter une salle des inspecteurs où plus de la moitié de ses collègues trouvaient qu'elle n'y avait pas sa place ou ne la méritait pas. Alors que les médias parlaient de « Lucy la Chance », certains aux Vols et Homicides la traitaient de « Fas Trak[1] » en référence au passe électronique qui permet aux automobilistes d'emprunter les voies rapides pour éviter les bouchons sur les autoroutes encombrées de la ville.

— J'ai joué ça en finesse, reprit-elle. Je me suis arrêtée devant son box pour tailler une bavette et tiens, comme c'est bizarre, il avait le livre du meurtre sur son bureau. Je lui ai demandé sur quoi il travaillait et il a craché le morceau. Je lui ai aussi demandé ce que l'affaire avait de si spécial qu'elle ait atterri

1. « Voie rapide ».

à l'Homicide Special, et il m'a répondu qu'elle lui avait été balancée, à lui et à Mike, parce que ce jour-là, tout le monde au West Bureau était en stage de formation le matin où le corps avait été trouvé.

Il hocha la tête. C'était logique. Le nombre des meurtres avait tellement baissé depuis quelques années à L.A. que beaucoup d'équipes des Homicides de la division avaient été refondues. Celle de Hollywood ayant disparu, les rares assassinats perpétrés dans ce secteur étaient maintenant assignés à une équipe du West Bureau. Vu les engorgements et les conflits d'emploi du temps, tout cela rendait plus vraisemblable que certaines affaires soient effectivement balancées aux Vols et Homicides. Satisfait que celle-là n'ait pas suscité d'attention inhabituelle, Bosch voulut savoir ce qu'avait appris Soto.

— Alors, tu lui as posé des questions ?

— Oui, et tu le connais, Ali aime raconter des histoires. Il m'a donc tout rapporté. La victime était un travelo qui d'habitude travaillait dans une chambre de la Haven House, près de Gower Street. Il y a tout un dossier sur lui à l'Hollywood Vice[1].

— Il t'a dit quelle chambre ?

— Non, mais j'ai vu les photos. C'est la six, au rez-de-chaussée.

— Et leur hypothèse, c'est quoi ?

— D'après Ali, le mauvais sort l'a rattrapé et c'est probablement le micheton qu'il avait levé qui l'a buté. Ils n'ont pas de suspect, mais ils pensent que c'est un tueur en série.

— Il t'a dit pourquoi ils pensent ça ?

— Oui. Parce qu'il y a quinze mois de ça, un autre prostitué s'est fait zigouiller et que son corps a été laissé dans la même ruelle.

— Jusqu'à quel point ces deux affaires sont-elles semblables ?

— Je ne le lui ai pas vraiment demandé.

— Mais tu leur as demandé la cause de la mort ?

1. Équivalent de nos Mœurs.

— Je n'ai pas eu besoin. Comme je t'ai dit, Ali m'a montré les photos. Le type a été étranglé dans le dos avec du fil de fer. Il y a une ligne fine à l'avant de son cou. La peau a été ouverte. Ali dit que lorsqu'ils ont inspecté la pièce, les inspecteurs ont trouvé une photo encadrée de Marilyn Monroe posée par terre contre le mur. Ils ont remarqué qu'il y avait bien un clou dans le mur, mais quand ils ont retourné le cadre, le fil de fer pour l'accrocher avait disparu. Pour eux, c'est de ça que s'est servi le tueur.

— Et c'est là qu'il a été tué ? Dans cette pièce ?

— C'est l'hypothèse de base. D'après Ali, il n'y avait aucun signe de lutte dans la chambre, mais le fil de fer qui manque au cadre du tableau est une espèce d'indice, tu vois ? Il pense que c'est là que le micheton a rencontré la victime, que tout a tourné de travers et que le prostitué s'est fait tuer. Le corps a été transporté jusqu'à une voiture et conduit à la ruelle où il a été jeté. À cause de l'affaire quatorze mois plus tôt, ils ont un profil des Sciences du comportement d'après lequel l'assassin serait un type avec femme et enfants à la maison qui, va savoir comment, aurait accusé la victime de lui avoir fait franchir la ligne jaune pour se lancer dans ce genre d'activités. Il a donc tué Allen, l'a bazardé et s'en est retourné à sa petite vie tranquille quelque part dans la Valley ou ailleurs. Bref, le psychopathe pur et dur.

Bosch ne la reprit pas, même si à ses yeux il n'y avait pas assez d'éléments dans le profil ou le résumé de l'affaire pour déclarer que le suspect était un pur psychopathe. C'était la réponse facile de l'inspecteur encore jeune. Cela dit, à s'en remettre aux faits, l'assassin semblait effectivement avoir agi spontanément. Il n'avait pas apporté d'arme avec lui et rien d'autre n'indiquait qu'il aurait planifié quoi que ce soit. Que le meurtre d'Allen ait peut-être un lien avec un assassinat antérieur était la seule véritable indication de psychopathie.

— Bon alors, ils ont donc officiellement relié son meurtre à celui perpétré quatorze mois plus tôt ? demanda-t-il.

— Pas encore, répondit-elle. C'est le West Bureau qui s'occupe du premier. Toujours d'après Ali, on se le dispute encore et il y a des éléments qui ne collent pas.

Il n'était pas inhabituel que les divisionnaires renâclent à filer leurs enquêtes aux grands pontes du centre-ville. Et les gens qui travaillent aux Homicides ne sont pas des timides. Ils sont sûrs de pouvoir résoudre n'importe quelle affaire pourvu qu'on leur en donne le temps et les moyens.

— Ali t'a-t-il dit s'ils avaient recueilli de l'ADN sur le corps ? demanda Bosch.

— Non, pas directement sur le corps. La victime faisait dans le rapport protégé… j'ai vu des photos de la pièce et le type avait une quantité proprement industrielle de capotes dans une boîte. Comme celles où on mettait de la réglisse et des bonbons dans les salles d'attente des cliniques. Mais ils ont passé la chambre au peigne fin et n'ont récolté que les trucs habituels, genre une tonne de fibres, de poils et de cheveux. Et rien de tout ça n'a donné quoi que ce soit.

Bosch réfléchit un instant aux questions qu'il pourrait encore lui poser. Il avait l'impression d'avoir raté quelque chose, de ne pas lui en avoir posé assez sur ce qu'elle venait de lui dire, peut-être. Mais rien ne lui venant, il décida d'en rester là. Elle l'avait déjà beaucoup aidé.

— Merci, Lucia, dit-il enfin. Je te revaudrai ça.

— Pas de quoi, lui renvoya-t-elle. Ça t'aide ?

— Je pense, dit-il en hochant la tête alors même qu'elle ne pouvait pas le voir.

— Bon alors, tu m'invites à déjeuner un de ces jours ?

— Tu as vraiment envie qu'on te voie avec moi ? Je suis *persona non grata*, tu ne l'as pas oublié… si ?

— Qu'ils aillent se faire foutre, Harry. Tu m'invites, c'est tout.

Il rit.

— Je n'y manquerai pas.

CHAPITRE 16

Il lut les notes qu'il avait prises pendant le coup de fil et tenta de remettre tout ça en ordre. Deux jours après que Da'Quan Foster avait été arrêté pour le meurtre de Lexi Parks à West Hollywood, le type qui, disait-il, lui servirait d'alibi pour l'heure du crime se faisait lui-même assassiner à Hollywood, possiblement par un tueur en série. Rien ne prouvait ni même seulement ne suggérait que ce soit plus qu'une sinistre coïncidence – la profession qu'il exerçait mettait Allen dans une catégorie d'individus qui ont bien plus de chances de se faire tuer que la plupart des autres. Mais les coïncidences, Bosch ne les acceptait qu'à contrecœur.

Profil de la victime, scène de crime, méthode du meurtre : les deux affaires étaient différentes, du moins à s'en tenir aux photos de l'un et à la description verbale de l'autre. Il n'empêche : ce lien possible entre les deux valait d'être examiné plus à fond. Il repensa à ce que Lucia lui avait dit de l'enquête menée après le meurtre d'Allen. La chambre du motel ayant été examinée par une équipe de techniciens de médecine légale, il se demanda s'il y avait des chances que des fibres, des poils ou des cheveux laissés par Foster six semaines plus tôt aient été recueillis au cours de ce processus. De l'ADN ? Et côté empreintes digitales ?

Peu importait. Il savait que le laps de temps écoulé entre la mort d'Allen et le meurtre de Lexi Parks invaliderait tous ces éléments de preuve aux yeux de la loi. Ils ne seraient pas assez solides pour fonder un alibi et aucun juge ne les accepterait au procès. Il n'y aurait aucun moyen d'affirmer à quel moment ils s'étaient retrouvés dans la chambre du motel. Cela dit, Bosch n'avait rien d'un juge au tribunal. Il travaillait à l'instinct. Si Da'Quan Foster avait laissé la moindre trace, même microscopique, dans la chambre d'Allen, ce serait un sacré coup de pouce pour corroborer ses dires sur l'endroit où il s'était trouvé la nuit du meurtre de Lexi Parks.

Il se leva de la table et passa sur la terrasse. Dès qu'il en poussa la baie vitrée, il fut assailli par le bruit continuel de l'autoroute au pied du col de Cahuenga. Il posa les coudes sur la rambarde en bois et regarda plus bas, sans vraiment distinguer le spectacle qu'offrait l'autoroute engorgée. Il réfléchissait. Lucia lui avait dit que Mike Stotter et Ali Karim avaient fait profiler l'affaire. Ce profil, il voulait le lire pour le comparer à celui du meurtre de Parks et voir s'il y avait des ressemblances psychologiques entre les deux assassinats. Le problème étant évidemment qu'il ne pouvait pas aller voir Stotter et Karim sans du même coup leur révéler ce qu'il fabriquait et que, il le savait, il ne pouvait pas non plus réinterroger Soto. Lui demander de faire quoi que ce soit de plus pouvait la mettre dans de sales draps.

Dans sa tête, il se refit un plan de l'énorme salle des inspecteurs des Vols et Homicides et s'y avança entre les rangées de box, se rappelant qui occupait tel et tel espace et tentant de retrouver le visage de quelqu'un à qui il pourrait demander de l'aide. Et soudain, il se rendit compte qu'il cherchait au mauvais endroit. Il regagna la table sur laquelle il avait laissé son portable.

Il fit défiler sa liste de contacts, trouva le nom qu'il cherchait et appela. Il s'attendait à devoir laisser un message et fut tout surpris lorsqu'on décrocha.

— Docteur Hinojos à l'appareil.

— Docteur, dit-il, c'est Harry Bosch.

— Harry ! Comment allez-vous ? Comment se passe la retraite ?

— Euh, pas trop mal. Comment vous portez-vous ?

— Ça va, mais vous savez que je vous en veux.

— À moi ? Mais pourquoi donc ?

— Je n'ai pas été invitée à votre repas de départ en retraite. J'étais sûre que vous...

— Docteur, personne n'y a été invité parce que je n'en ai pas fait.

— Quoi ?! Et pourquoi donc ? Tous les inspecteurs en font un !

— Et à tous ces repas sans exception, on est là à raconter des histoires que tout le monde a déjà entendues des centaines de fois. Je ne voulais pas de ça. Sans même parler du fait que je ne suis pas parti en odeur de sainteté, vous savez ? Je ne voulais embarrasser personne en demandant à quiconque de venir à ma petite fête.

— Je suis bien sûre qu'ils seraient tous venus. Comment va votre fille ?

— Bien. C'est d'ailleurs pour ça que je vous appelle.

Cela faisait plus de vingt ans qu'ils se connaissaient. Hinojos était maintenant à la tête de l'unité des Sciences du comportement, mais la première fois qu'ils s'étaient rencontrés, elle n'était encore qu'une psychologue de la police chargée de déterminer si Bosch pouvait reprendre son travail après une suspension : il avait défenestré un superviseur qui interférait dans son interrogatoire d'un suspect. Et cela avait marqué le début d'une longue série de décisions qu'elle allait devoir prendre à son sujet.

Leurs relations avaient pris un tour différent le jour où, cinq ans plus tôt, Maddie était venue vivre avec lui à Los Angeles après l'assassinat de sa mère. Hinojos lui avait proposé ses services gratuitement, et ces séances de thérapie avaient aidé Maddie à surmonter son traumatisme. Bosch lui était redevable à bien des égards et voilà qu'il allait essayer de se servir d'elle en douce. Il se sentit coupable avant même de commencer.

— Elle veut venir me parler ? reprit Hinojos. J'ouvre mon emploi du temps et...

— Non, en fait, elle n'a pas vraiment besoin de parler, dit-il. Elle commence ses études en septembre, à Chapman, dans le comté d'Orange.

— C'est une bonne université. Qu'est-ce qu'elle va étudier ?

— La psycho. Elle veut faire comme vous, profileuse.

— C'est-à-dire que, dans mon cas, c'est seulement une partie du boulot, mais je dois dire que j'en suis flattée.

Il n'avait pas encore menti. Et jusqu'à un certain point, ce qu'il allait lui demander pouvait se défendre. Il ferait ce qu'il dirait… si Hinojos se montrait à la hauteur.

— En fait, je me disais que les trois quarts de ce qu'elle en sait lui viennent de la télé et des livres qu'elle a lus, mais finalement, elle n'a jamais vu le moindre rapport de profilage d'une affaire. C'est pour ça que je vous appelle. Je me demandais si vous n'en auriez pas deux ou trois sur des affaires récentes que vous pourriez me passer pour que je les lui montre. Vous pourriez modifier les noms, enfin… faire tout ce que vous jugeriez nécessaire. J'aimerais seulement qu'elle en voie un pour pouvoir se faire une idée un peu plus claire de ce qu'implique vraiment ce travail.

Hinojos mit un petit moment avant de répondre.

— Eh bien, finit-elle par dire, je devrais pouvoir vous arranger ça. Mais vous êtes sûr qu'elle est prête pour ce genre de choses ? Comme vous le savez, ces profilages vont plus que dans le détail et n'hésitent pas à décrire les aspects les plus horribles de ces crimes. Surtout dans les cas d'agression sexuelle. Ce n'est pas gratuitement explicite, mais les détails sont importants.

— Je sais, dit-il. Je crains seulement qu'elle ne se rende pas vraiment compte de quoi il retourne. Elle vient de se faire une orgie des seize saisons de *SVU*[1] et autres trucs de ce genre et maintenant, elle veut être profileuse. Et moi, je veux qu'elle se renseigne à fond et ne se dise pas que c'est comme dans une série télévisée.

1. Special Victims Unit de la série *New York Unité spéciale.*

Il attendit.

— Laissez-moi voir comment je peux faire. Donnez-moi jusqu'à ce soir. C'est plutôt calme dans le service, mais on a quand même eu plusieurs affaires cette année. Et je pourrais aussi aller voir dans les archives. Il vaudrait peut-être mieux sortir ça des affaires non résolues.

Mais ça, Bosch n'en voulait pas.

— Comme vous voulez, docteur, dit-il. Mais pour moi, plus récent ce sera, mieux ça vaudra. Vous savez bien… ça lui montrera comment c'est fait et assemblé en ce moment même. Mais je vous fais confiance et elle vous sera très reconnaissante de tout ce que vous pourrez lui procurer. Je m'assurerai qu'elle vous appelle pour vous dire ce qu'elle en pense.

— J'espère que ça la rendra plus certaine de son choix.

— Vous voulez que je vous rappelle plus tard dans la journée ?

— Ce serait parfait, Harry.

CHAPITRE 17

Il était en retard à son rendez-vous lorsqu'il se gara le long du trottoir, devant la maison d'Orlando Avenue. Il était censé rencontrer l'agent immobilier qui vendait la maison où Lexi Parks avait été assassinée, mais il n'y avait pas de voiture dans l'allée cochère et personne n'attendait à la porte. Il se demanda si l'agent n'était pas venu, puis reparti en constatant son retard.

Il descendit de voiture et appela le numéro indiqué sur le panneau à vendre. L'agent lui répondit tout de suite.

— Taylor Mitchell, dit-elle.

— Mademoiselle Mitchell ? Harry Bosch à l'appareil. Je suis devant la maison d'Orlando Avenue et je pense vous avoir ratée de peu. Je suis désolé d'être en retard. J'ai été...

Il n'avait pas vraiment d'excuse valable et ne s'était pas donné le temps d'en inventer une. Il joua celle qui marche toujours.

— ... coincé dans la circulation.

— Oh, ne vous en faites pas pour ça, lui renvoya-t-elle gaiement. Et vous ne m'avez pas ratée. Je suis là, dans la maison, je vous attends.

Il traversa la rue.

— Ah bon, d'accord, dit-il. Moi aussi, je suis là, mais comme je ne voyais ni voiture ni personne dans le coin... Je me suis dit que je vous avais loupée.

— J'habite le quartier et je viens juste d'arriver. Je vous retrouve à la porte.

— À tout de suite.

Il raccrocha et franchit le passage ouvert dans la grande haie qui entourait la maison. Il montait les trois marches conduisant à la véranda lorsque la porte s'ouvrit sur une jeune femme aux cheveux blond-roux. Elle était séduisante et avait le sourire sincère. Elle lui tendit la main et l'invita à entrer.

— Merci de me recevoir dans des délais aussi brefs, reprit-il.

— Pas de problème. Comme je vous l'ai dit, j'habite tout près. La plupart du temps, je travaille chez moi et dans un cas comme celui-là, c'est facile de venir.

Il se retourna et embrassa du regard tout ce qu'il voyait de la maison depuis l'entrée.

— Je vous fais visiter, lui lança-t-elle.

Ils commencèrent par le séjour et s'avancèrent vers les chambres à l'arrière. La maison était meublée, mais ne donnait pas l'impression d'être habitée. Aucun des signes qui trahissent une occupation quotidienne n'était visible. Il n'y avait pas de photos sur le manteau de la cheminée, aucune liste de courses maintenue sur le frigo par un aimant. Bosch se demanda si Vincent Harrick, le mari de Lexi Parks, avait déménagé.

Pour finir, Mitchell lui fit longer le couloir conduisant aux chambres. Ils commencèrent par entrer dans la pièce qui avait été transformée en bureau. Prenant l'air de s'intéresser à l'espace de rangement qu'elle offrait, Bosch ouvrit les portes en accordéon de la penderie pour vérifier. Celle-ci ne semblait pas avoir été dérangée depuis que les photos de scène de crime avaient été prises. Plus particulièrement, l'écrin de montre en cuir marron était toujours posé sur l'étagère du haut. Bosch s'éloigna en laissant les portes ouvertes au cas où il pourrait se séparer de Mitchell et vérifier ce qu'il y avait à l'intérieur.

Il faisait le tour de la pièce en jouant l'acheteur potentiel qui se fait une idée des lieux lorsqu'il arriva devant le diplôme encadré et accroché au mur près du bureau. Il fit semblant de s'intéresser au titre ainsi conféré à Alexandra Parks, mais scruta vraiment le badge de juré en essayant de voir si l'on y trouvait des identifiants.

Il s'approcha et se rendit soudain compte que ce badge n'était pas réel. Il s'agissait d'une photocopie dont on s'était servi pour plaisanter, ou pour une présentation professionnelle, et que Parks avait gardée comme souvenir. Au crayon qui avait pâli et que la photo de la scène de crime n'avait pas pu capturer, quelqu'un avait écrit en majuscules :

ALEXANDRA PARKS
JUGE ET JURÉ

Bosch ne savait pas trop à quoi avait servi ce badge, mais il l'écarta des pistes à explorer. Il se rendit également compte qu'il devait une excuse aux enquêteurs des services du shérif, Cornell et Schmidt, dont il avait mis en doute la compétence en analysant les photos de la scène de crime.

L'arrêt suivant fut pour la chambre d'amis et là, il repéra des signes de vie. Le lit était fait, mais un peu n'importe comment, lui sembla-t-il, comme à la hâte – une paire de sandales en plastique dépassait sous le sommier. Sur la commode, une brosse à cheveux et de la petite monnaie étaient posées dans une assiette. Il se dit que c'était probablement là que dormait Harrick, le meurtre ayant été commis dans la grande chambre.

Il vérifia aussi la taille de la penderie alors même que son contenu ne l'intéressait pas.

Ils revenaient dans le couloir lorsque Mitchell finit par lui parler de ce qui s'était passé dans la chambre du fond.

— Il faut que je vous dise quelque chose sur la pièce que nous allons voir maintenant, commença-t-elle. Il y a eu un crime et… une femme y est morte.

Ils entrèrent mais l'espace qu'il avait découvert sur les photos de scène de crime était entièrement vide. Tous les meubles en avaient été retirés et les deux portes de la penderie étaient ouvertes elles aussi sur du vide. Il fut déçu. Le but qu'il s'était donné en venant voir la scène de crime était de s'en imprégner, d'en visualiser et organiser tout l'espace dans sa tête. Ç'allait être bien difficile maintenant qu'il se tenait dans une pièce où il n'y avait plus rien.

— Vraiment ? renvoya-t-il à Mitchell. Un crime ? Que s'est-il passé ?

— Eh bien, la femme qui habitait ici était en train de dormir quand un type est entré et l'a tuée. Mais il a été pris et comme il est en prison, il n'y a plus à s'inquiéter.

Bosch remarqua l'odeur de peinture fraîche. Les éclaboussures de sang au plafond et sur le mur derrière le lit avaient été recouvertes.

— Il la connaissait ? demanda-t-il. Qui c'était ?

— Non, le hasard. Genre un membre de gang du centre-ville ou autre. Il n'empêche, nous comprenons bien que quelque chose d'aussi gratuit ait de quoi troubler. C'est pour ça que le prix du bien est ce qu'il est. Il serait contraire à notre déontologie de cacher ce qui est arrivé.

— Il y a longtemps ?

— Ça s'est passé cette année.

— Waouh, c'est récent. Vous la connaissiez ? Vu que vous êtes voisine, enfin...

— Oui. C'est moi qui leur ai vendu cette maison, à elle et à son mari, il y a quatre ans. Lexi était géniale et ce qui lui est arrivé est horrible. Absolument horrible. Ç'aurait pu être moi ! J'habite à une rue d'ici.

— C'est vrai que parler de violences gratuites ne rend pas forcément la chose plus acceptable.

— Ah ça non ! Mais je peux vous assurer que le quartier est sûr et qu'il l'a toujours été. Mes enfants jouent avec leurs copains sur la pelouse devant. Ce qui s'est passé ici est vraiment aberrant.

— Je comprends.

— Vous voulez voir la terrasse à l'arrière ? Il y a un abri barbecue que vous allez adorer !

— Tout à l'heure. J'aimerais connaître les dimensions des chambres. Pour voir si je pourrai y caser tout ce que j'ai.

Il gagna l'endroit où il savait que s'était trouvé le lit. En s'aidant des photos de la scène de crime qu'il avait encore en mémoire, il se tint précisément où était la victime, sur le côté droit du lit. Il parcourut la pièce des yeux et regarda ce que Lexi pouvait découvrir. Sur le mur d'en face, deux fenêtres permettaient de voir la haie et le jardin. Il ferma les yeux un instant, pour se concentrer.

— Monsieur Bosch, lui lança Mitchell, ça va?

Il rouvrit les yeux. Elle le dévisageait.

— Oui, bien sûr, répondit-il. Vous n'auriez pas un mètre, par hasard?

— Dans le coffre de ma voiture, ça se peut... mais ah, c'est vrai, je ne suis pas venue en voiture. Désolée. Mais j'ai les dimensions dans le listing. C'est dans la cuisine.

— Je m'en contenterai.

Elle se dirigea vers la porte et tendit la main pour lui faire signe de passer devant elle. Il emprunta à nouveau le couloir et repartit vers la cuisine. Arrivé devant la porte du bureau, il s'arrêta et la laissa entrer.

— Je voudrais juste jeter un dernier coup d'œil à cette pièce, dit-il. J'ai deux filles et si l'une a droit à un bureau plus grand que l'autre, c'est moi qui vais avoir des problèmes.

— Bien sûr, dit-elle. Je vais vous chercher le listing.

Pendant qu'elle continuait dans le couloir, il entra dans la pièce. Gagna vite la penderie ouverte et tendit la main vers l'écrin de la montre. Et se rendit brusquement compte qu'il aurait l'air d'un voleur si jamais Mitchell revenait et le surprenait. Il essaya de l'ouvrir rapidement, mais l'art qu'on avait déployé dans sa fabrication en faisait un véritable casse-tête. Il s'aperçut enfin que l'avant se tirait comme un tiroir.

Puis il entendit la voix de Mitchell dans la cuisine. Elle parlait à quelqu'un d'un ton excité. Il pensa qu'il s'agissait d'un coup de fil, mais les graves d'une voix d'homme qui lui répondait lui parvinrent aussitôt. Ils n'étaient plus tout seuls dans la maison.

L'écrin à peine ouvert, il détermina qu'il n'y avait pas de montre à l'intérieur. Il s'y trouvait bien un coussinet en velours marron sur lequel la poser quand on ne la portait pas, mais il était vide. La boîte contenait encore un petit manuel, ainsi qu'une enveloppe carrée barrée de cette inscription écrite au stylo :

Reçu. Ne regarde pas ! (À moins que tu veuilles la rapporter.)

Il se glissa vite l'écrin sous le bras, ouvrit l'enveloppe, en sortit le reçu et le déplia. La montre était une Audemars Piguet et avait été achetée dans une bijouterie de Sunset Boulevard du nom de Nelson Grant & Sons. Il s'agissait d'une Royal Oak Offshore d'une valeur de six mille trois cent vingt-deux dollars au moment de son achat, en décembre 2014. Le nom de l'acheteur indiqué sur le reçu était Vincent Harrick.

Bosch se dit que Harrick l'avait achetée comme cadeau de Noël à son épouse. Il se demanda brièvement comment un shérif adjoint pouvait faire l'acquisition d'une montre aussi chère, sa question n'allant pas pour autant jusqu'à nourrir un soupçon. Les gens font toutes sortes de concessions au nom de l'amour – les décisions financières n'étant souvent pas les moindres.

Il remit vite le reçu dans l'enveloppe et glissa celle-ci dans la boîte. La referma en enfonçant l'avant et entendit l'air s'en échapper dans un soupir. Puis il la reposa à sa place sur l'étagère et s'écarta. Il était au milieu de la pièce lorsque Mitchell y entra, le listing à la main.

— D'après ça, dit-elle, les deux chambres d'ami font quatre mètres vingt sur trois mètres soixante. Celle-ci donne l'impression d'être plus petite à cause des rayonnages derrière le bureau.

Bosch les regarda et acquiesça d'un hochement de tête.

— Oh, OK, dit-il. C'est logique.

Elle lui tendit le listing. Il l'étudia comme s'il l'intéressait vraiment.

— Vous voulez voir le barbecue tout de suite ? reprit Mitchell.

— Bien sûr. Mais… il y a quelqu'un ? Je vous ai entendue parler.

— C'était le propriétaire. Il pensait qu'on avait déjà fini, mais je lui ai expliqué qu'on avait commencé en retard.

— Oh mais, je peux partir si…

— Non, non, tout va bien. Ça ne lui pose pas de problème. Passons derrière.

Il traversa toute la maison à sa suite, jusqu'à la porte coulissante dans la cuisine. Harrick était invisible. Ils passèrent sur une terrasse en bois avec un abri en treillis couvert de vigne vierge et un barbecue encastré. Tout cela semblait en bon état, mais donnait l'impression de ne pas avoir été utilisé depuis longtemps. Le jardin après la terrasse était petit, mais intime. Une haie courait sur les côtés, puis tournait pour suivre la limite du bien à l'arrière et isolait complètement et le jardin et l'arrière de la demeure.

— Il doit y avoir juste assez de place pour un jacuzzi si ça vous intéresse, enchaîna Mitchell.

— Oui, mais je me demande bien comment on pourrait l'y installer. En abattant la haie, j'imagine.

— Non, non, ils le feraient passer par-dessus avec une grue. Ils font ça tout le temps.

Bosch entendit la porte en verre s'ouvrir dans son dos.

— Taylor ? lança un homme. Je peux vous voir une seconde ?

— Bien sûr, répondit Mitchell.

Bosch se retourna. Vincent Harrick se tenait dans l'encadrement de la porte. Bosch le salua d'un hochement de tête, qui lui fut rendu.

— Désolé, dit Harrick. Je ne la retiendrai pas longtemps.

— Ne vous inquiétez pas, dit Bosch.

Mitchell franchit la porte, Harrick la referma derrière elle afin que Bosch n'entende pas ce qu'ils disaient. Bosch sentit la sueur perler à son front : avait-il remis l'écrin de la montre au mauvais endroit ou alors… aurait-il, Dieu sait comment, été vu en train de le faire ?

Avant qu'il ait le temps de s'en inquiéter davantage, la porte coulissante se rouvrit et Mitchell repassa sur la terrasse.

— Alors ? Votre impression ? lui demanda-t-elle.

— C'est beau, répondit-il en hochant la tête. Très beau. Il va falloir que je réfléchisse et que j'en parle à mes filles.

Il avait prononcé ces mots en regardant dans la cuisine, mais Harrick n'y était plus.

— Je vous rappelle demain, conclut-il.

— Avertissez-moi si jamais elles voulaient se rendre compte par elles-mêmes, lui renvoya Mitchell avec entrain. Je ne suis qu'à une rue d'ici et je peux leur préparer une visite presque instantanément.

— Génial.

Il se dirigea vers la porte. Il avait toujours le listing à la main. Il le plia en deux dans le sens de la longueur, le glissa dans la poche intérieure de sa veste et hésita avant de réintégrer la maison.

— Vous pensez que je devrais faire le tour de façon à ne pas incommoder le propriétaire ? demanda-t-il.

— Oh, il est parti, lui répondit-elle. Quand je lui ai fait savoir que nous n'avions pas fini, il m'a dit qu'il allait filer acheter quelque chose au Gelson's du bout de la rue.

Elle s'approcha de lui et ouvrit la porte coulissante. Il entra et retraversa la maison pour regagner l'entrée. Puis il la remercia encore une fois et partit.

Il repassait sous l'arche découpée dans la haie et arrivait sur le trottoir lorsqu'il vit un type adossé à l'avant de sa Cherokee, de l'autre côté de la rue. C'était Harrick et il l'attendait, les bras croisés en travers de la poitrine.

Bosch traversa et se dirigea vers sa voiture sans trop savoir comment il allait jouer ce qui avait des chances de tourner rapidement au vinaigre.

— C'est bien Bosch, n'est-ce pas ? lui lança Harrick.

— C'est ça. Désolé d'avoir mis si longtemps à…

— Épargnez-moi les conneries.

Bosch s'arrêta devant lui. Harrick ne marchant pas dans son baratin, il n'y avait pas grand sens à continuer sur cette lancée. Bosch leva les mains comme pour dire : Vous m'avez bien eu.

— J'ai cru que vous étiez un enfoiré de journaliste, reprit Harrick. Avec le tas de ferraille que vous avez en guise de voiture, vous ne pouvez pas vous payer une maison comme ça. Alors, j'ai passé votre plaque à l'ordinateur, mais il y a un blocage LAPD dessus. J'ai donné deux ou trois coups de fil et j'ai compris. Flic en retraite. Et flic des Homicides, en plus. Alors, dites-moi, inspecteur Bosch, qu'est-ce que vous foutiez dans ma maison ?

Bosch savait que la situation pouvait dégénérer d'un instant à l'autre. Il agissait en tant qu'extension de l'équipe de Haller assurant la défense de Da'Quan Foster. Une plainte pour violation du code de déontologie portée devant un juge suite à l'arnaque à laquelle il venait de se livrer avec Taylor Mitchell pouvait revenir, et sérieusement, dans la figure de Haller. Il fallait sauver les meubles.

— Écoutez, dit-il, je vais être honnête avec vous. Quelqu'un qui a des raisons de croire que Da'Quan Foster est victime d'un coup monté et qu'il n'a pas tué votre femme m'a demandé de jeter un coup d'œil à son affaire.

Harrick plissa si fort le front que ses yeux disparurent, son teint rougeaud se faisant encore plus sombre.

— Qu'est-ce que c'est que ces conneries ? s'écria-t-il. Qui a des raisons de croire un truc pareil ?

— Ça, je ne peux pas vous le dire. Confidentialité des rapports client-avocat. J'ai accepté de m'occuper de son affaire et je voulais juste voir la scène de crime. Je m'excuse. Je ne m'attendais pas à ce que vous soyez là ni à devoir affronter cette situation. J'ai fait une erreur.

Avant que Harrick ne puisse réagir, Mitchell les appela de l'autre côté de la rue.

— Vous avez besoin de moi pour quoi que ce soit, messieurs ?

Bosch et Harrick se tournèrent tous les deux vers elle.

— Ne vous inquiétez pas, Taylor, lui renvoya Harrick. Merci.

Et il lui fit un grand signe de la main pour qu'elle continue de marcher. Elle n'était plus qu'à une maison du coin de la rue. Dès qu'elle y arriva, elle tourna à gauche et disparut.

— Les mains sur le capot de la voiture, reprit Harrick.

— Pardon ?

— Sur le capot. Prenez la position.

— Non. Il n'en est pas question.

— Vous voulez aller en prison ?

— Vous pouvez m'y conduire, mais je ne crois pas que j'y resterai longtemps. Je n'ai commis aucune infraction.

— À vous de choisir. Mettez les mains sur le capot, que je puisse voir si vous êtes armé. C'est ça, ou la prison.

Il sortit un portable de sa poche et se mit en devoir de passer un appel.

— Je ne suis pas armé, dit Bosch, et il fit un pas en avant, posa les mains sur le capot de la Cherokee et écarta les jambes.

Harrick le palpa rapidement, mais ne trouva aucune arme. Bosch n'aimait pas du tout le tour que ça prenait. Il fallait changer la donne.

— Qu'est-il arrivé à la montre de votre femme ? demanda-t-il.

— Vous dites ?

— La montre de votre femme, répéta Bosch calmement. Celle que vous lui avez donnée. L'Audemars Piguet... si ça se prononce bien comme ça. Elle ne l'avait pas au poignet et elle ne figure pas dans la liste des objets répertoriés sur la scène de crime. Et elle n'a pas non plus refait surface quand on a fouillé la maison, le studio et le van de Da'Quan Foster. Et elle n'est pas non plus dans son écrin. Bref, qu'est-ce qui lui est arrivé ?

Harrick fit un demi-pas en arrière en réfléchissant à ce que Bosch venait de lui dire. Bosch y vit un geste destiné à ouvrir l'espace entre eux, prélude potentiel à un coup de poing. Il s'arc-bouta pour le bloquer, mais Harrick parvint à contrôler sa fureur et le coup ne partit pas.

— Foutez le camp ! lui lança Harrick. Vous ne savez pas de quoi vous parlez ! Dégagez !

Bosch chercha ses clés de voiture dans sa poche et fit le tour de la Cherokee. Arrivé à la portière conducteur, il se tourna vers Harrick, qui n'avait toujours pas bougé.

— Que je travaille pour celui-ci ou celui-là n'a aucune importance du moment que j'essaie de découvrir la vérité, dit-il. Si ce n'est pas Foster qui l'a tuée, c'est quelqu'un d'autre. Et ce quelqu'un d'autre est toujours en liberté. Pensez-y.

Harrick hocha la tête.

— Vous vous prenez pour qui ? Batman, bordel de merde ? Vous ne savez pas de quoi vous parlez. La montre était cassée. Elle était en réparation. Rien à voir avec le reste.

— Peut-être, mais alors… où est-elle ? Vous l'avez récupérée ?

Harrick ouvrit la bouche pour dire quelque chose, marqua une pause et hocha de nouveau la tête.

— Je vous cause plus, dit-il.

Et il fit demi-tour, vérifia qu'il ne venait pas de voitures et traversa la rue pour regagner sa maison.

Bosch le regarda disparaître sous l'arche, monta dans sa Cherokee et s'éloigna. Et, furieux, donna un grand coup du plat de la main sur son volant. Son anonymat venait de prendre fin, et il le savait. Harrick, lui, ne savait pas pour qui il travaillait, mais il ne mettrait pas longtemps à le découvrir. Et une plainte s'ensuivrait peut-être. Dans un cas comme dans l'autre, il devait se préparer au déferlement de colère qui allait lui tomber dessus.

CHAPITRE 18

La Haven House était un motel vieillissant de un étage, avec des néons promettant le Wi-Fi et HBO gratuits. C'était le genre d'endroit qui devait déjà avoir l'air minable lorsqu'il avait ouvert dans les années 40, et qui n'avait fait que dégringoler depuis. Le genre de dernier abri avant que votre voiture ne devienne votre domicile principal. Bosch entra dans le parking en retrait de Santa Monica Boulevard et roula doucement. Le motel se trouvait dans ce qu'on appelle un *flag lot*[1]. Une ouverture étroite dans le boulevard conduisait à un bien immobilier plus large et plus important qui, à l'arrière, longeait d'autres commerces. Cela offrait au parking et aux chambres de motel une belle tranquillité. Il n'y avait donc rien d'étonnant à ce que ce soit devenu un lieu privilégié pour toutes sortes d'individus se livrant à des transactions sexuelles illicites.

Il vit une porte barrée du chiffre six et se gara sur l'emplacement juste devant. Et se rendit compte que c'était à peu de chose près ce qu'il faisait quand il travaillait une affaire non résolue : aller voir la scène de crime bien longtemps après que ledit crime avait été commis. Il appelait ça « chercher les fantômes ». Parce qu'à ses yeux, ancien ou pas, tout meurtre laisse une marque sur l'environnement.

1. Terrain en forme de drapeau.

Dans le cas présent, le meurtre ne remontait qu'à quelques mois, mais cela n'en faisait pas moins une affaire toujours non résolue.

Il descendit de voiture et regarda autour de lui. Il y avait quelques voitures garées dans le parking entouré d'un côté par l'arrière sans fenêtres des commerces de Santa Monica Boulevard et des deux autres par un immeuble d'appartements en L. Une ligne de grands cyprès faisait écran entre le parking et l'immeuble d'appartements. Le quatrième côté était bordé par une barrière en bois qui longeait la cour arrière d'une résidence privée.

Bosch pensa au rapport de Soto sur l'affaire James Allen. L'hypothèse de travail était qu'il avait été assassiné dans la chambre six et que son corps avait ensuite été transporté et balancé dans la ruelle en retrait d'El Centro Avenue. La question de savoir pourquoi le cadavre avait été déplacé mise à part, Bosch voyait bien maintenant que l'opération pouvait avoir été effectuée sans grand risque. En pleine nuit le parking aurait été désert et impossible à repérer du boulevard. Ce n'était pas le genre d'endroit où le client a envie d'être photographié.

Il revint sur ses pas, tourna au coin de la rue et regagna le bureau du motel. Il n'était pas ouvert. La porte était munie d'une étagère sous un guichet à fenêtre coulissante. Il y avait une sonnette à poussoir, Bosch l'actionna à trois rapides reprises du plat de la main. Il attendit et s'apprêtait à recommencer lorsqu'un Asiatique ouvrit la fenêtre à glissière et le regarda d'un œil larmoyant.

— J'ai besoin d'une chambre, lui dit Bosch. Je veux la six.

— Ouvert à 15 heures.

Soit quatre heures plus tard. Bosch se retourna vers le parking et y compta un total de six voitures, la sienne comprise. Il regarda l'employé.

— J'en ai besoin tout de suite, dit-il. Combien ?

— Ouvert à 15 heures, partir à midi. Règlement.

— Et si j'étais arrivé hier à 15 heures et m'en allais aujourd'hui à midi ?

L'employé le regarda. Bosch n'avait pas le look des clients habituels.

— Toi flic ?

Bosch hocha la tête.

— Non, pas flic. Je veux juste voir la six. Combien ? Je partirai à midi. Moins d'une heure.

— Quarante dollars.

— Marché conclu.

Bosch sortit son portefeuille.

— Soixante, dit l'employé.

Bosch leva les yeux de ses billets et, sans rien dire, lui fit comprendre qu'il emmerdait le mauvais type.

— Bon d'accord, quarante.

Bosch posa deux billets de vingt sur le comptoir. L'employé lui glissa une fiche de renseignements, mais ne lui demanda aucune pièce d'identité confirmant ce que Bosch y porta sans tarder.

Enfin il lui glissa une clé attachée à un bout de plastique en forme de diamant barré du chiffre six.

— Une heure, dit-il.

Bosch acquiesça d'un signe de tête et prit la clé.

— Vendu, dit-il.

Il regagna le coin du bâtiment et ouvrit la chambre avec sa clé. Entra et referma la porte derrière lui. Et resta là, debout, à s'imprégner de toute la pièce. La première chose qu'il remarqua fut la décoloration rectangulaire sur le mur, à l'endroit où la photo de Marilyn Monroe avait manifestement été accrochée. Elle n'y était plus, probablement saisie comme pièce à conviction.

Il tourna la tête et, à l'affût de tout ce qui pourrait y être anormal, examina lentement la chambre, ses rideaux miteux et son mobilier plus qu'usagé. Il enregistra tout dans sa mémoire. Il y avait longtemps que tout ce qui avait appartenu à James Allen avait disparu. La pièce n'était plus qu'une chose élimée avec du mobilier qui prenait de l'âge. Il était déprimant de penser que quelqu'un y avait vécu. Et encore plus de se dire que peut-être beaucoup y étaient morts.

Son portable bourdonna, c'était Haller.

— Oui.

— Où sommes-nous ?

— « Nous » ? Nous sommes dans une chambre qui est un vrai tas de merde, dans un motel où on loue à l'heure et c'est à Hollywood. C'est là que Da'Quan Foster prétend s'être trouvé au moment où Lexi Parks se faisait assassiner.

— Et... ?

— Et rien. Un gros rien de rien. Ç'aurait pu aider s'il avait gravé ses initiales sur la table de chevet ou réalisé un graffiti de gang sur le rideau de douche. Pour montrer qu'il était là, tu vois ?

— Non, je voulais seulement dire : « Et qu'est-ce que tu fais là ? »

— Mon boulot. Je couvre toutes les bases. Je m'imprègne, je réfléchis. Je cherche des fantômes.

Il parlait d'un ton saccadé. Cette interruption ne lui plaisait pas. Il était en plein milieu d'un processus fermement établi. Et il s'en voulait d'avoir à dire ce qu'il allait dire.

— Bon écoute, reprit-il. Il est possible que j'aie foiré.

— Comment ça ?

— Je me suis fait passer pour un acheteur et je suis entré chez la victime. Je voulais jeter un coup d'œil.

— Histoire de chercher des fantômes ? Qu'est-ce qui s'est passé ?

— Son mari, le shérif adjoint, est arrivé et a passé mes plaques d'immatriculation à l'ordinateur parce qu'il me prenait pour un journaliste ou un truc de ce genre. Au lieu de quoi, il a découvert que j'étais flic en retraite et que je travaillais sur l'affaire.

— C'est pas foirer, ça ! C'est merder sur toute la ligne ! Tu sais que si le mec dépose plainte, c'est à moi que s'en prend le juge ?

— Je sais. J'ai foiré... non, merdé sur toute la ligne. Je voulais juste voir...

— Ça, pour avoir merdé ! Mais y a plus rien à faire maintenant. C'est quoi, la suite ? Pourquoi t'es au motel ?

— Pour la même raison.

— Quoi, les fantômes ? Vraiment ?

— Quand j'enquête sur un meurtre, je veux être à l'endroit où ça s'est passé… ou a pu se passer.

Il y eut un silence avant que Haller ne réagisse.

— Bon, ben, je vais te laisser à ton boulot, dit-il.

— Je te rappelle plus tard.

Bosch mit fin à l'appel et continua de fixer la chambre jusqu'au moment où enfin il s'approcha du lit.

***

Une demi-heure plus tard, il quittait les lieux sans rien de plus que ce qu'il avait en y entrant. S'il y était jamais resté quoi que ce soit prouvant que Da'Quan Foster s'y trouvait la nuit où Lexi Parks avait été assassinée, tout avait été nettoyé par les légistes du LAPD. Revenu à sa voiture, Bosch se demanda s'il n'y avait pas autre chose qui aurait pu aider Foster et que les techniciens de scène de crime n'avaient pas emporté. James Allen était un prostitué, après tout. Et bon nombre d'entre eux tenaient leurs comptes. À l'heure du numérique, un petit carnet de prostitué aurait plutôt été un petit portable noir. Et après la conversation qu'elle avait eue avec Karim, Soto n'avait rien dit d'un portable qu'on aurait récupéré ou sur son corps ou dans la chambre six.

Il se détourna et regagna le guichet de la réception. Appuya de nouveau sur la sonnette, le même homme ouvrant alors la fenêtre à glissière. Bosch déposa la clé de la chambre sur le comptoir.

— Je m'en vais, dit-il. Vous n'aurez même pas à faire le lit.

— OK, très bon, merci.

Il commençait à refermer sa fenêtre lorsque Bosch la bloqua avec la main.

— Attendez une seconde, dit-il. Le type qui occupait la chambre en mars s'est fait assassiner, vous vous rappelez ?

— Personne fait tuer ici.

— Pas ici, non. Ou plutôt peut-être pas. Son corps a été retrouvé plus bas dans le boulevard, dans une ruelle en retrait. Mais il avait la chambre six et les flics sont venus enquêter. James Allen. Vous vous rappelez maintenant ?

— Non, pas ici.

— Si, ici. Écoutez, j'essaie juste de comprendre ce qui est arrivé à ses affaires. Ses biens. Les flics ont pris des trucs, je le sais. Mais… est-ce qu'ils ont tout pris ?

— Non, ses amis viennent. Ils prennent habits et choses.

— Ses « amis » ? Vous avez des noms ?

— Non, pas noms ici.

— Ils font la même chose que lui ? Ils descendent ici ?

— Des fois, ils restent.

— Il y en a en ce moment ?

— Non, pas maintenant. Personne ici.

Bosch sortit son carnet, y écrivit son nom et son numéro de téléphone, arracha la page et la lui tendit.

— Si un de ses amis revient, vous m'appelez et je vous paie.

— Combien vous payez ?

— Cinquante.

— Vous payez maintenant.

— Non, je vous paierai quand vous me direz qu'ils sont là.

Il tapota le comptoir du bout des doigts et se retourna vers le parking. Prit au coin du bâtiment et monta dans sa voiture. Puis, avant de démarrer, il rappela Haller, qui décrocha tout de suite.

— Faut qu'on cause.

— Ça, c'est pas mal, parce qu'il y a à peu près une demi-heure, c'est moi qui t'ai appelé et c'était assez clair que tu n'avais aucune envie de me parler.

— Ça, c'était avant. Maintenant, il faut qu'on cause de la suite. C'est toi qui mènes la danse et je ne veux rien faire qui puisse te créer des ennuis au tribunal.

— Tu veux dire… du genre se faire prendre dans la maison de la victime ?

— Je t'ai dit que c'était une erreur. Ça ne se reproduira pas. C'est pour ça que je t'appelle.

— T'as trouvé quelque chose ?

— Non, rien. Je dois encore vérifier des trucs dans la rue, mais pour l'instant, rien. C'est d'autre chose que je te parle. De la suite… que tu réussisses ton coup au tribunal ou que ce soit moi qui le réussisse ici.

— C'est bien mystérieux, tout ça. Où es-tu ? Je peux venir tout de suite.

— Santa Monica Boulevard, près de Gower Street. Faut que je voie un peu ce qui se passe dans cette rue.

— Je démarre. Tu es toujours dans ta Cherokee ? Celle qui d'après toi serait une bagnole de collection ?

— J'y suis, et c'en est une.

Bosch raccrocha et fit démarrer le moteur. Il roula jusqu'à l'entrée du parking de Santa Monica Boulevard et s'arrêta pour regarder à droite et à gauche les petits commerces en bordure de la quatre voies. Non loin de là se trouvaient quelques-uns des grands studios – le château d'eau de la Paramount se dressait derrière les magasins de la grande artère. Cela voulait dire qu'il y avait aussi aux alentours toutes sortes de sous-traitants qui vivaient des restes laissés par les monstres – magasins d'accessoires, de costumes, de location de caméras –, tout cela émaillé d'un vaste éventail de fast-food abominables. Il y avait une station de lavage auto et, de l'autre côté de la rue, à un demi-bloc de là, l'entrée du Hollywood Forever[1], l'ancien cimetière des stars.

1. « Hollywood à jamais ».

Bosch hocha la tête. Le cimetière était sa meilleure piste. Il savait que Rudolph Valentino y était enterré avec beaucoup d'autres pionniers et grands noms de Hollywood tels Douglas Fairbanks Junior, Cecil B. DeMille et John Huston. Bien des années plus tôt, il y avait travaillé sur un suicide. La victime, une femme, s'était allongée sur la tombe de Tyrone Power et tailladé les poignets. Avant de mourir, elle avait réussi à écrire son nom avec son sang sous celui gravé sur la dalle. En faisant les calculs, Bosch avait déterminé qu'elle n'était née que cinq ans après le décès de Power. Cette affaire semblait souligner ce que savent beaucoup d'inspecteurs travaillant sur les homicides – expliquer la folie est impossible.

Il savait aussi que dans toutes les villes du pays, le cimetière du coin attire une certaine catégorie d'individus bizarres. À Hollywood, cette attirance était démultipliée parce que les tombes s'ornaient de noms célèbres. Ce qui voulait dire dispositifs de sécurité. Et caméras de surveillance. La femme qui s'était tuée sur la tombe de Tyrone Power l'avait donc fait sous l'œil d'une caméra, le seul problème étant que personne ne regardait. Résultat, elle avait saigné à en mourir.

La circulation se faisant plus rare un bref instant, il prit à gauche en sortant du parking et descendit jusqu'au cimetière. Celui-ci était entouré par un mur de pierre de deux mètres cinquante de haut que seule brisait la route permettant d'y entrer et d'en sortir. Dès qu'il y pénétra, Bosch vit les caméras braquées sur elle, mais son bref coup d'œil ne lui permit pas de déterminer si elles étaient placées de façon à pouvoir aussi enregistrer ce qui se passait à un demi-bloc de là, dans Santa Monica Boulevard. Cela étant, il ne lui échappa pas qu'elles étaient installées dans les endroits manifestement publics, et servaient donc aussi bien de moyen d'enregistrement que de moyen de dissuasion. Elles avaient certes de l'intérêt, mais pas autant que celles qu'on ne voyait pas.

Il découvrit tout de suite après avoir franchi le mur un parking et un ensemble de bâtiments comprenant le bureau du cimetière, une chapelle et une salle d'exposition de cercueils et de pierres tombales. Offre « complète ». Plus loin s'étendait le cimetière divisé en carrés par diverses allées et d'autres parkings plus petits. S'élevant au-delà du mur du fond, il vit le château d'eau et les énormes plateaux de tournage des studios Paramount. Et les caméras sur le château d'eau.

Des voitures étaient garées dans divers carrés du cimetière et des piétons marchaient entre les tombes. Il y avait foule. Il vit aussi un bus de touristes avancer lentement à côté d'un des monuments les plus importants. Le véhicule était peint de couleurs criardes et avait le toit ouvert pour qu'on puisse tout voir en plein air des six rangées de sièges installées derrière le conducteur. Le bus était plein. Bosch abaissa sa vitre et entendit la voix amplifiée du guide partir en échos entre les mausolées et les rangées de tombes.

— Mickey Rooney est l'un des derniers grands de Hollywood à avoir rejoint les autres ici, à Hollywood Forever, lieu du repos éternel des étoiles...

Bosch remonta sa vitre et descendit de voiture. Se dirigea vers le bureau et appela Haller pour lui dire où il serait.

Le responsable de la sécurité du cimetière s'appelait Oscar Gascon. Ancien du LAPD, il y avait si longtemps qu'il avait pris sa retraite qu'il ne servirait à rien de s'échanger des noms pour voir qui connaissait qui. Bosch fut seulement heureux de faire le lien avec l'ancien flic et espéra que cela lui donnerait un avantage. Il alla droit au but.

— Je travaille sur une affaire, dit-il, et j'essaie d'établir l'alibi de quelqu'un qu'on accuse d'un crime.

— Quoi... ici ?

— Non, en fait, un peu plus bas dans la rue, à la Haven House.

— Ce taudis ? Ils devraient l'abattre, ce truc.

— C'est pas moi qui vous dirai le contraire.

— Bon alors, que vient faire notre HoFO dans l'histoire ?

Bosch mit un certain temps à traduire ce « HoFo » en Hollywood Forever. Ils se trouvaient dans le minuscule réduit de Gascon, assis de part et d'autre d'une petite table qui tenait lieu de bureau. Un tas de prospectus pour des statues et des pierres tombales posé dessus fit comprendre à Bosch que Gascon n'était pas seulement le chef de la sécurité du lieu. Il était aussi vendeur.

— Ça n'en fait pas vraiment partie, dit-il, mais vos caméras de surveillance m'intéressent et je me demandais si l'une d'entre elles peut filmer jusqu'à la Haven House, là-bas en bas.

Gascon siffla comme si Bosch venait de lui demander la lune et les étoiles dans un paquet-cadeau avec bolduc autour.

— De quel jour parlons-nous ?

— Du 9 février, répondit Bosch. Vous gardez les vidéos qui remontent aussi loin ?

Gascon fit oui de la tête et tapota l'écran d'une antiquité d'ordinateur posé sur une deuxième table à côté de lui.

— Oui, on sauvegarde sur le Cloud, dit-il. Les assurances nous font tout garder pendant un an. Mais bon… je ne sais pas. C'est quand même à une rue d'ici. Ça m'étonnerait que ce soit net à une distance pareille.

Et là, il s'arrêta et attendit. Bosch savait ce qu'il faisait. Il s'empara d'un des prospectus et y jeta un coup d'œil.

— Vous vendez ça aussi ? demanda-t-il.

— Oui, en extra.

— Et un de ces trucs-là rapporte combien… au vendeur que vous êtes ?

— Ça dépend de la pierre tombale. Je me suis fait mille dollars sur la statue de Johnny Ramone. Il a fallu la concevoir et faire une commande spéciale.

Bosch reposa le prospectus.

— Bon, je vais être franc… Mon employeur va venir me voir. Je suis sûr qu'il serait prêt à vous acheter une pierre tombale s'il y avait des choses dont on pourrait se servir dans l'enregistrement vidéo.

Les deux hommes s'étudièrent. L'idée de se faire de l'argent semblait beaucoup intéresser Gascon.

— Vous avez accès aux caméras de surveillance montées sur le château d'eau de la Paramount ? reprit Bosch. On dirait bien qu'elles sont dirigées de ce côté-là.

— Oui, elles sont à nous. On avait besoin d'une vision d'ensemble. On a un accord de participation avec eux. Eux aussi y ont accès.

Bosch hocha la tête.

— Alors, dit-il, on jette un œil à la vidéo ?

— Mais bien sûr, répondit Gascon. Pourquoi pas ? Tout est calme maintenant. Non parce que… c'est plutôt mort.

Bosch garda le silence.

— Vous pigez ?

Bosch acquiesça. Il était sûr que Gascon y allait de cette repartie chaque fois qu'il pouvait.

— Oui, oui, dit-il, je pige.

Gascon se tourna vers l'ordinateur et se mit au travail. Il pianotait sur le clavier lorsque, d'un ton bavard et l'air de ne pas y toucher, Bosch lui posa la question suivante :

— Vous saviez qu'il y avait eu un meurtre à la Haven House en mars dernier ?

— C'est pas impossible, répondit Gascon. Les flics qui sont venus ici ne savaient pas trop où ça s'était passé, mais ils étaient certains que le type qui s'est fait tuer y habitait. D'après eux, c'était un trans.

— Parce que eux aussi, ils sont venus voir les vidéos ?

— Oui, ils sont passés. Mais comme vous allez le découvrir, on ne voit pas grand-chose dans les enregistrements.

***

Bosch attendit Haller dans le parking. Il voulait lui parler avant de retourner au cimetière avec lui pour discuter avec Gascon et revoir les vidéos.

Lorsque la Lincoln arriva enfin, il vit que Haller était assis à l'arrière. Celui-ci descendit de voiture, mallette à la main.

— Tu as un chauffeur maintenant ? lui demanda Bosch.

— Fallait bien, lui renvoya Haller. Je me suis fait sucrer mon permis à cause du petit coup tordu que m'ont joué les flics l'autre soir. Pourquoi ce rendez-vous dans un cimetière ?

Bosch lui en montra toute l'étendue, jusqu'au mur du fond. Le château d'eau des studios de la Paramount était la structure qui se détachait le plus.

— Les caméras de surveillance, dit-il. Le cimetière a un accord de participation avec la Paramount. Je surveille tes arrières, tu surveilles les miens. Il y a une caméra sur le château d'eau. Ça couvre tout le cimetière et au-delà.

Ils se dirigèrent vers la porte du bureau.

— Ce mec-là, va falloir lui acheter une pierre tombale, reprit Bosch en chuchotant.

Haller pila.

— Quoi ?! s'écria-t-il.

— Pour qu'il coopère. Je n'ai plus le badge, tu sais ? Il vend des pierres tombales en douce et je lui ai dit que tu lui en achèterais une s'il coopérait.

— Et d'un, pourquoi est-ce que je voudrais d'une pierre tombale, hein ? Quel nom veux-tu que j'y mette ? Et de deux, et c'est plus important, on ne peut pas payer les témoins potentiels. Tu vois un peu de quoi ç'aurait l'air, au tribunal ?

— Lui on s'en fout. Sa vidéo, non.

— Sauf que je pourrais avoir besoin que ce soit lui qui la présente au procès. Pour authentifier ses déclarations. Tu vois ? Et je n'ai aucune envie que le procureur lui demande combien on l'a payé. Ça ferait mauvais effet devant des jurés.

— Écoute, si tu ne veux pas de pierre tombale, n'en achète pas, mais ce type va vouloir une compensation. Ce qu'il a est important. Ça change la donne.

Cinq minutes plus tard, Bosch et Haller se tenaient debout derrière un Gascon qui manipulait les commandes de la vidéo enregistrée par la caméra de la Paramount.

L'image étant en mode plan large, l'écran montrait tout le cimetière et, sur un côté, on voyait même Santa Monica Boulevard. Tout en haut dans le coin gauche, l'entrée du motel était aussi visible. Le cadre ne permettait pas de voir le bâtiment lui-même, pas plus que le parking à l'arrière, mais tout ce qui entrait dans le passage et en sortait était visible. Au bas de l'écran, une bande passante indiquait l'heure : 21 h 44, 9 février 2015.

— Bon, lança Haller, qu'est-ce que je suis en train de regarder ?

— Ça, dit Bosch en le lui montrant, c'est Santa Monica Boulevard avec… là… l'entrée de la Haven House… l'endroit où Da'Quan dit s'être trouvé le soir du 9.

— D'accord.

— La Haven House est bâtie sur un *flag lot.* Tu sais ce que c'est ?

— Oui.

— Bon, du coup, c'est le seul point d'entrée ou de sortie. On entre, on longe le bureau et le parking est derrière, devant les chambres. Très privé, tout ça.

— Compris.

— Bon et maintenant, regarde ce van. Allez-y, Oscar.

Gascon enclencha la vidéo, Bosch tendant le bras par-dessus son épaule pour montrer le véhicule blanc qui roulait vers l'est dans Santa Monica Boulevard, puis passait devant le cimetière.

— D'après les rapports que tu m'as donnés, reprit-il, le shérif a mis en fourrière et fouillé le Ford Econoline blanc modèle 1993 de Foster, mais n'y a trouvé aucun élément de preuve. Et ça, là, à l'écran, c'est un Ford Econoline blanc. Je le reconnais à ses phares. Pour l'instant, je ne sais pas de quelle année il est, mais il ne date pas d'hier. Et là, il arrive à la Haven House à 21 h 45, le 9 février.

— Bon, OK.

— Oscar ? On accélère.

Gascon mettant en avance rapide, ils virent les voitures foncer dans le boulevard, les minutes de la bande passante défilant à la vitesse des secondes jusqu'à ce que Gascon ralentisse à 23 h 40.

— Et maintenant, regarde bien, reprit Bosch.

À 23 h 43, le van reparut à l'image et attendit de prendre à gauche pour ressortir du parking. Pour finir, la circulation le lui permettant, il en émergea et repartit en sens inverse, soit vers l'est dans Santa Monica Boulevard.

— Si ton client venait de son studio, il a pris la 110 jusqu'à la 111 pour sortir à Santa Monica Boulevard. Soit vers l'ouest pour aller au motel et vers l'est pour en revenir.

— Les services du shérif ont-ils cet enregistrement ? demanda Haller.

— Pas encore.

— Il faut confirmer qu'il s'agit bien du van de Foster.

— Oscar, vous pouvez nous faire une copie ? Mickey, il va falloir demander à quelqu'un d'optimiser la vidéo pour se mettre au travail.

— J'ai quelqu'un, dit Haller.

— Ben, et moi ? lança Oscar sans lâcher l'écran des yeux.

— Quoi « et moi » ? dit Haller. M. Bosch a parlé un peu trop vite. Je n'ai aucune envie d'acheter une pierre tombale. Je ne vois pas trop ce que je pourrais en faire. Mais j'ai une clé USB sur mon porte-clés et si vous pouvez y transférer la vidéo, je vous paierai vos heures. Et bien.

Bosch acquiesça d'un hochement de tête. C'était la meilleure façon de procéder.

— OK, ça devrait marcher, dit Gascon.

Haller regarda Bosch en sortant son porte-clés.

— Je vais attendre dehors que vous ayez fini de parler pognon, dit Bosch.

CHAPITRE 19

Debout près d'une des pelouses du cimetière, Bosch regardait la tombe de Mel Blanc, l'artiste qui avait prêté sa voix dans plus de mille dessins animés. Sur la pierre était seulement gravée l'inscription : *That's all, Folks!* [1]

Il se retourna au moment où Haller revenait du bureau.

— C'est du solide, ça ! dit celui-ci.

— Combien tu l'as payé ?

— Deux cents dollars. Une affaire si c'était le client qui payait.

— T'aurais peut-être dû lui offrir un tableau.

— Gascon ne me paraît pas faire dans le mécénat.

Ils se mirent à déambuler dans le cimetière sans but plus précis que celui de rester parmi les tombes autant que faire se pouvait.

— D'après le rapport du légiste, l'heure du décès se situe entre 22 heures et minuit, dit Haller. Ils feront valoir que la fenêtre de tir est vague et que Foster avait encore tout le temps d'entrer à la dernière minute.

— Et les jurés sauront qu'ils tirent un peu trop sur la corde, dit Bosch. En plus de quoi, s'il était au pieu avec son giton pendant deux heures, on ne voit pas très bien ce qui aurait pu le pousser à sauter dans un van et se ruer à West Hollywood pour y violer et tuer Lexi Parks. Sans même parler du fait qu'il part

1. « C'est tout, les amis ! »

dans la mauvaise direction… il s'éloigne de West Hollywood… en sortant du parking.

— Je sais, je sais. J'envisage seulement tout ce que l'accusation pourrait avoir d'arguments contraires. Il y a des tas de voitures qui entrent et sortent de cet endroit dans cette vidéo. Ils diront qu'il aurait très bien pu sauter dans une autre voiture pour faire le coup.

Bosch ne le contredit pas. Il pensait avoir fait une découverte importante, mais l'excitation se dissipait déjà.

— Tout ce je dis, c'est qu'il faut s'attendre à tout, reprit Haller. Et je confirme que c'est toujours mieux d'avoir cette vidéo que de ne pas l'avoir.

Bosch acquiesça.

— Combien de temps faudra-t-il à ta nana pour l'analyser ?

— Je ne sais pas, mais je vais l'y coller tout de suite.

— Parfait.

Ils marchèrent encore un peu en silence. Bosch lisait les noms sur les tombes, mais n'y était pas vraiment.

— Bon alors, à quoi tu penses ? lui demanda Haller.

— Je pense à des tas de choses. Il y a beaucoup de possibilités, de scénarios. Il faut que je voie le dossier de James Allen.

Haller acquiesça.

— Ils ont passé toute la chambre au peigne fin, dit-il. Cheveux, poils, fibres, empreintes digitales, ils pourraient avoir des éléments de preuve qui nous mettent Da'Quan sur les lieux.

— C'est juste. Et avec le van dans la vidéo, on peut montrer que c'était bien ce jour-là… le 9 février.

— Vraiment excellent, ça. C'est pour ça que j'ai fait appel à toi, Harry.

— Non, je pense que tu as fait appel à moi parce que tu savais que je travaillerais pour rien.

— Tu dis des conneries. Tu seras payé. T'es un mécène, toi.

— C'est bien ce que je dis, c'est des conneries. Ton enquêteur aurait fini par arriver au même résultat.

— Peut-être.

— Bon alors, comment veux-tu qu'on procède ? Si tu vas au tribunal et demandes à avoir accès aux données de la médecine légale dans l'affaire Allen, tu montreras ton jeu à l'accusation. Ça te va, ça ?

— Ça ne me va jamais de montrer quoi que ce soit à l'accusation. Voyons voir ce que ma nénette de la vidéo va nous trouver sur le van avant de décider de la mesure suivante et d'en faire profiter tout le monde.

Bosch acquiesça.

— C'est toi qui vois, dit-il. De toute façon, je pense que c'est pas gagné… surtout pour les empreintes. Si Allen s'est fait tuer dans cette chambre, il se pourrait que l'assassin ait tout nettoyé. Il est même probable qu'il l'ait fait. S'il y avait eu des empreintes qui correspondent à celles de Foster dans cette chambre, ils seraient allés le voir à la prison du comté pour savoir ce qu'il savait d'Allen.

— Ou alors, ils ont commencé par voir avec le shérif et décidé de ne pas foutre les pieds dans ce merdier. Il n'y avait pas moyen que ce soit DQ vu qu'il était en prison.

— Voilà qui est parlé en vrai avocat de la défense ! Toujours chercher la conspiration.

— Ça pourrait t'aider de commencer à penser comme ça.

— Peut-être.

Cela sembla mettre un point final à la conversation, mais ils continuèrent de marcher. Ils passèrent devant un monument avec un ange agenouillé dessus. Il avait les ailes brisées et en dents de scie à force d'avoir été renversé… par des vandales ou des tremblements de terre.

Ce fut Bosch qui finit par reprendre la parole.

— Pour le moment, je peux essayer d'avoir ça par des voies détournées en jetant un coup d'œil au livre du meurtre d'Allen. Histoire de ne rien ébruiter.

— D'accord. Mais sois prudent.

— Il y a autre chose que tu devrais faire, à mon avis.

— Quoi ?

— La société qui te fait tes analyses d'ADN. Essaie de voir s'ils pourraient pas y retrouver des TP.

— C'est quoi ?

— Des traces de préservatif.

— Je ne te suis pas trop.

— S'il n'y a pas eu d'erreur scientifique et que ton labo confirme la correspondance avec la base de données de l'État, tu vas devoir expliquer comment l'ADN de Foster est arrivé sur la scène de crime, non ? Il faudra que tu expliques le coup tordu. Si ton client est innocent, comment son ADN lui a-t-il été pris et comment a-t-il été transporté ?

Haller s'immobilisa en réfléchissant à l'idée.

— Putain de merde ! s'écria-t-il. Je pourrais faire des trucs absolument géniaux avec ça au procès ! Ça me plaît vraiment beaucoup, Harry.

— Oui mais bon, ne t'emballe pas. Il manque des morceaux. Beaucoup, même. Mais j'y travaille.

— Et le labo du shérif ne vérifierait pas un truc pareil ?

— Non. Les labos du shérif et du LAPD sont dans le même bâtiment et je sais que ça ne fait partie du protocole d'analyse ADN ni pour l'un ni pour l'autre. Ça coûte beaucoup trop cher. Ça n'est donc fait que sur demande expresse et même là, c'est sous-traité. La seule fois que j'ai eu une affaire où il fallait chercher des TP, l'échantillon a été envoyé à un expert dans ce domaine et le labo était à San Diego. Le type s'appelait Blackledge. Mais aux dernières nouvelles, il a pris sa retraite.

— Beaucoup de types du secteur public qui prennent leur retraite finissent par travailler dans le privé.

— C'est peut-être ce qu'il fait.

Haller hocha la tête. Il flairait la piste et allait la suivre.

— Et maintenant, on fait quoi ? demanda-t-il. Tu vas aller voir la ruelle où Allen a été jeté ?

Bosch fit non de la tête. Il remarqua qu'un paon les suivait.

— Pas sans avoir vu les photos de scène de crime, dit-il. Inutile d'aller là-bas sans savoir où tout se trouvait. Mais ne t'inquiète pas, je travaille. Il y a encore des tas de choses à faire pour Lexi Parks.

— Je ne suis pas inquiet, lui renvoya Haller en regardant une plaque commémorative posée dans l'herbe à l'endroit où il s'était arrêté.

— T'as vu ça ? lança-t-il. Carl Switzer. Alfalfa dans *Les Petites Canailles*[1]. Je regardais les rediffusions quand j'étais petit.

— Oui, moi aussi.

Haller lui montra les dates du bout de sa chaussure cirée.

— Il est mort jeune. Trente et un ans.

— Il a été abattu lors d'une bagarre dans la Valley. Pour une histoire de chien.

Haller leva les yeux et regarda Bosch.

— Tu rigoles, hein ?

— Non, c'est bien ce qui s'est passé. Et personne n'a été inculpé… légitime défense.

— Non, ce que je voulais dire… comment tu sais ça ?

— C'est dans les registres des meurtres conservés au Police Administration Building. Je les lisais… quand j'attendais une affaire.

— Tu es en train de me dire que tu lisais ces registres et que tu te rappelles les détails d'un meurtre commis en 1959 ?

— Je ne me souviens pas de tous, mais de certains oui. Comme si on pouvait oublier quand il s'agit d'Alfalfa !

— Putain, Bosch, je suis pas sûr que tu sois vraiment fait pour la retraite.

— Bah, on verra.

Ils firent demi-tour et regagnèrent leurs voitures.

1. Petite série de films de Hal Roach dépeignant les aventures d'une bande d'enfants pauvres et farceurs.

CHAPITRE 20

Ellis et Long surveillaient le cimetière depuis une place de parking du côté nord de Santa Monica Boulevard. Long envoyait un SMS, mais Ellis continuait de regarder. Il avait les jumelles sur les genoux et, de temps à autre, les portait à ses yeux pour observer Bosch et Haller.

Ellis était fasciné par Bosch et par ce qu'il faisait. Les deux hommes s'étaient renseignés sur lui et avaient appris qu'il avait été une quasi-légende dans le service. Et maintenant… ça ? Il travaillait des affaires pour un enfoiré d'avocat de la défense ? Où était donc passée la loyauté ? Plus personne n'avait de boussole morale.

— Qu'est-ce qu'ils font, à ton avis ? demanda Long sans lâcher l'écran de son portable.

— Ils parlent de ce qu'ils ont trouvé au bureau.

— Et ça serait… ?

— Je dirais une vidéo. Il y a une caméra de surveillance sur le château d'eau de la Paramount.

Cela retint l'attention de Long qui leva les yeux de son écran.

— Merde ! dit-il. Tu crois qu'ils…

— Je ne sais pas. Il n'y aura pas moyen de savoir avant d'y aller et de poser les mêmes questions qu'eux. Mais ça, on peut pas. Alors on les surveille.

— Merde ! répéta Long. Ça ne me plaît vraiment pas, ce truc.

— Sans blague !

— Ils s'en vont.

— J'ai des yeux pour voir.

— On reste sur le peintre ?

C'était comme ça que Long appelait Bosch maintenant – à cause du peintre. Ce qui agaçait Ellis.

— Oui, on reste sur lui.

— J'te parie que je sais où il va, reprit Long.

— Ah oui ? Et où donc ?

— Dans la ruelle. C'est l'étape suivante la plus logique.

— Peut-être, mais ce type est différent.

— Quand va-t-on commencer à parler élimination ?

— Pas question. On a déjà éliminé le premier. On élimine un deuxième enquêteur sur la même affaire et ça n'aura plus l'air d'une coïncidence. Il faut qu'on trouve autre chose.

***

Long se trompait. Bosch sortit du cimetière et prit vers l'est dans Santa Monica Boulevard. Ellis avait tourné leur véhicule de surveillance dans le mauvais sens et dut faire demi-tour pour le filer.

Ils le suivirent dans Santa Monica Boulevard jusqu'au moment où il tourna dans Normandie Avenue, direction sud. La circulation était comme d'habitude infernale et ils ne dirent mot pendant vingt minutes – jusqu'à ce que Bosch tourne à droite dans Wilshire Boulevard et presque aussitôt entre dans le parking d'un bâtiment quelconque de Koreatown.

— Ben quoi ? s'écria Long.

— Il va aux Sciences du comportement, dit Ellis.

— Oui, mais... il est en retraite !

— Probablement pour des soins pour retraités. Il a tué des tas de gens... au fil des ans.

— Le champion en titre jusqu'à ce qu'il raccroche les gants.

— Officiellement au moins.

Ils sourirent tous les deux en même temps. Ellis dépassa la voiture de Bosch et s'arrêta le long d'un trottoir à stationnement interdit à un demi-bloc de là. Et se mit en devoir d'orienter les rétros pour surveiller la Cherokee.

— Tu veux que j'entre ? demanda Long.

— Non, reste tranquille. Ça ne sera pas long.

— Comment tu le sais ?

— Il n'a pas mis de pièces dans l'horodateur. C'est un citoyen lambda maintenant et faut qu'il crache au bassinet. Il est donc allé récupérer une ordonnance ou un truc comme ça.

— Pour du Viagra.

Ellis sentit vibrer son portable. Il jeta un coup d'œil à l'écran. C'était le lieutenant Gonzalez.

— C'est Gonzo, dit-il en faisant signe à Long de la fermer.

Il arrêta le moteur et répondit.

— Hé, lieute.

— Qu'est-ce que vous fabriquez, Ellis ?

— On surveille l'endroit suspect. Comme requis.

— Du nouveau ?

— Pas encore.

— Même pas sûr qu'elles soient chez elles ! Ça bosse pas dans la journée là-bas, dans la Valley ?

— Sais pas encore, lieute. La plainte précise « nuit et jour ». Je me disais que si on n'a pas bientôt signe de vie, on va inventer quelque chose et aller frapper à la porte.

— Écoutez, les mecs, j'ai pas envie que vous traîniez. Si c'est pas là, faut passer au truc suivant. On y consacre encore une journée et après, on leur fout la trouille, on les expédie à West Hollywood et on laisse le shérif s'en démerder.

— Oui, chef. Le plan est bon.

— Et tenez-moi au courant de temps en temps, Ellis. Je devrais pas avoir à vous chercher partout.

— Oui, chef. Absolument.

— Et dites à votre collègue qu'il s'efface son sourire satisfait de la tronche.

Gonzalez raccrocha. Ellis abaissa son portable, se tourna vers Long et constata qu'effectivement il souriait.

— Gonzalez t'a dans le collimateur, mec. Tu ferais bien de te méfier.

— Absolument.

Et Long éclata de rire tandis qu'Ellis hochait la tête. C'est alors qu'Ellis vit Bosch franchir les portes en verre du réduit à ascenseurs.

— Il ressort, dit-il.

Il regarda Bosch remonter dans sa voiture dans le rétroviseur intérieur.

— Il porte un dossier, dit-il. C'est pas une ordonnance.

— Quelle couleur ?

— Ordinaire.

— Ça veut dire quoi ?

— Chamois.

— C'est pas un dossier psycho. Ceux-là sont bleus.

Ellis regardait encore lorsque Bosch déboîta du trottoir, fit demi-tour dans Hill Street et repartit vers l'autoroute. Il mit le contact.

***

Après avoir suivi Bosch jusqu'à Woodrow Wilson Drive, ils détalèrent de peur d'être repérés. Ils n'avaient pas besoin de le suivre tout le temps dans la mesure où ils avaient collé un Lojack sous sa Cherokee la veille au soir. C'était Long qui s'était glissé sous la voiture avec un chariot de garagiste et y avait accroché le traqueur GPS. Il avait installé l'application sur son mobile pour être alerté si jamais la voiture bougeait.

Ils se disaient que Bosch resterait quelques heures chez lui et que cela leur permettrait de descendre au Crescent Arms, où ils étaient censés mener une autre surveillance.

***

Les « Bobbsey Twins » ou « Jumelles sautillantes », voilà comment Ellis et Long parlaient de l'objet de cette prétendue surveillance. C'est ainsi en effet que sautillaient, et à l'unisson, les têtes des deux jeunes femmes dans la vidéo qu'elles avaient mise sur le Net, celle où on les voyait pratiquer une fellation l'une à côté de l'autre. Actrices pornos, elles avaient emménagé dans un deux-pièces au Crescent Arms deux mois plus tôt. Avant ça, elles avaient posté toutes sortes de courtes vidéos sur des sites pornos gratuits. Cela leur avait servi à établir leur notoriété et à attirer des tas de spectateurs sur leur site Web avec fenêtres payantes qui donnaient à leurs fans la possibilité d'entrer en contact direct avec elles. Un dispositif de validation personnelle permettait d'écarter les demandes émanant des membres des forces de l'ordre à ce stade. Les invitations étant lancées, les fans les plus intrépides pouvaient enfin se payer une rencontre en face à face avec l'une ou l'autre actrice, ou les deux, avec tout ce qui s'ensuit de licence érotique. Certains clients venaient même du Japon pour s'ébattre avec elles. Les trois quarts d'entre eux ignoraient qu'ils étaient filmés en secret, et ce à partir du moment même où ils entraient dans l'appartement jusqu'à celui où ils le quittaient.

Le seul problème était que les affaires marchaient toujours du tonnerre, et qu'il y avait invariablement, et à toute heure du jour et de la nuit, bien trop d'allées et venues dans les lieux. Il suffisait de quelques jours pour que les autres locataires du complexe le remarquent. Et de quelques semaines pour qu'ils se plaignent auprès de la gérance, la question finissant par attirer l'attention du LAPD au bout de un mois. L'année précédente, les deux actrices – noms de scène : Ashley Juggs et Annie Minx[1] – avaient ainsi été obligées de déménager toutes les huit semaines en moyenne. Pour Ellis et Long, trouver de nouveaux locaux pour y installer ce petit commerce était devenu une tâche qui n'en finissait jamais. Et s'assurer d'être bien les seuls à gérer les plaintes qui arrivaient

1. Ashley Gros Nichons et Annie la Coquine.

à la brigade des Mœurs était tout aussi pénible. Mais l'opération était trop profitable pour qu'ils y mettent un terme.

Le Crescent Arms était un immeuble d'appartements de deux étages avec cour intérieure, allées et escaliers extérieurs. Lorsqu'ils arrivèrent au 2B, Ellis ouvrit la porte avec sa clé sans frapper. Une des deux jumelles était assise sur le canapé et regardait un programme de téléshopping sur un écran plat. Elle n'eut pas l'air surprise de voir les deux hommes. Elle continua de jeter des coups d'œil à l'émission, où un compte à rebours avait commencé, l'objet de la vente étant un mixer superpuissant qu'on pouvait payer en trois fois.

— Où est Ashley ? demanda Ellis.

— Ashley, c'est moi, répondit la jeune femme.

— Désolé. Où est Annie ?

— Dans sa chambre.

— Elle est avec un mec ? J'ai pas vu le nounours.

L'arrangement était qu'un petit ours en peluche devait être mis à la fenêtre près de la porte lorsque l'appartement était en « zone d'exclusion aérienne » à cause de la présence d'un client.

— Non, je crois qu'elle est juste en train de dormir.

— Bon, va la chercher.

— Au trot, précisa Long.

Ashley se leva du canapé. Elle ne portait qu'un tee-shirt sexy à peine assez long pour couvrir son sexe épilé. On y lisait l'inscription *Porn Star*, les lettres en étant étirées par ses seins d'une grosseur peu naturelle. Elle eut tôt fait de disparaître dans le couloir qui conduisait aux chambres à l'arrière. Ellis et Long gardèrent le silence en attendant. Ellis gagna la table Ikea posée devant le canapé et éteignit la télévision avec la télécommande. Puis il s'approcha de la penderie près de la porte d'entrée, la décadenassa et l'ouvrit, l'équipement de vidéosurveillance qui s'empilait sur une étagère en acier apparaissant à la vue. Un écran de neuf pouces était installé tout en haut. Il rembobina l'enregistrement et se repassa ce qui avait été filmé des dernières séances des jumelles. Leurs chambres étaient équipées de deux caméras miniatures – une montée dans le ventilateur au plafond et l'autre dans le faux thermostat installé sur le mur près de la porte. Deux caméras supplémentaires étaient cachées dans le séjour.

Ellis appuya sur *marche rapide* afin de se passer en vitesse toutes les scènes de baise. De temps à autre, il figeait l'image de façon à bien regarder le client. Il le faisait souvent lorsque celui-ci était encore habillé pour pouvoir estimer sa richesse, voire se faire une idée de sa profession, indices qui passaient par la fenêtre dès que le type était nu. Ellis avait besoin de voir le bonhomme tout habillé et sûr de lui. Il cherchait aussi son alliance, ou la marque qu'il avait au doigt à l'endroit où elle se trouvait encore quelques instants plus tôt.

Long arriva et regarda par-dessus son épaule, mais sans rien dire. Ellis fit défiler cinq enregistrements. Deux tête-à-tête pour chacune des jumelles et une partie à trois sur le canapé du living. Aucun des michetons ne lui fit l'effet d'être un bon candidat.

— Des trucs intéressants ? demanda Long.

— Pas vraiment, répondit Ellis.

Il remit l'appareil sur *enregistrement* et referma la porte au verrou. Lorsqu'il se retourna, Ashley et Annie étaient assises l'une à côté de l'autre sur le canapé. Annie portait une petite culotte rose néon et un soutien-gorge noir. On aurait dit que les deux femmes se partageaient les éléments d'une même tenue. Augmentation mammaire, bronzage à l'aérosol et blondes toutes les deux. Elles avaient les lèvres gonflées au-delà du naturel. Rien en elle ne semblant d'origine, elles commençaient à laisser certains clients sur leur faim depuis quelque temps. Les vidéos postées sur les sites pornos gratuits remontaient à cinq ans et avaient été filmées avant qu'elles ne se fassent prétendument améliorer le physique. En poster de nouvelles ne servirait à rien dans la mesure où dans le porno, cinq ans, c'est toute une vie. Ne peuvent jouer à ça que les femmes jeunes. Dans le cas présent, toute publicité honnête aurait été un désastre.

— Va falloir redéménager, reprit Ellis. Alors, demain matin vous sortez les valises et vous y collez vos trucs. On passera vous prendre à 14 heures.

— Où on va? demanda Annie d'un ton geignard.

— Près du Farmer's Market, à Beverly Hills. C'est grand, y a des tas d'apparts, peut-être qu'on pourra y rester plus longtemps cette fois. Y a un Starbucks où vous pourrez aller à pied.

Il marqua un temps d'arrêt pour voir si elles allaient se plaindre. Rien ne vint. Elles savaient à quoi s'en tenir.

— Bon alors, dit-il, c'est quoi, l'emploi du temps?

— On a un double à 22 heures ce soir, répondit Annie. C'est tout pour l'instant.

— Combien?

— Deux mille.

Ellis montra sa déception en gardant le silence. Le minimum pour un double était de trois mille.

— Bah, c'est mieux que rien, fit remarquer Long.

Ellis le fusilla du regard. Long venait de lui bousiller toutes ses chances d'en profiter pour faire la leçon aux filles.

— OK, on y va, dit-il seulement.

Il gagna la porte et s'apprêtait à l'ouvrir lorsqu'il se retourna et lança:

— Vous n'oubliez pas: demain à 14 heures.

CHAPITRE 21

Le docteur Hinojos avait glissé trois profils dans un dossier à l'intention de Bosch. Aucun n'avait été vraiment modifié. Les photos de scène de crime étaient retirées, et seuls les noms des victimes et des témoins étaient barrés au marqueur noir.

Le deuxième profil concernait l'affaire James Allen. Bosch en fut sûr et certain à cause de la date du meurtre et parce qu'il y était fait mention de la Haven House dans le résumé des faits. Il mit les deux autres dossiers de côté et se plongea aussitôt dans celui-là. Qu'ils émanent de l'unité des Sciences du comportement ou du FBI de Quantico, il y avait toujours des similitudes dans les profils sur lesquels il était tombé lorsqu'il était inspecteur. Il n'y avait qu'un nombre limité de manières de décrire un psychopathe et les envies irrépressibles d'un prédateur sexuel. Mais après avoir lu celui d'Allen, il éprouva le besoin de relire celui de l'assassin de Lexi Parks établi par le Bureau du shérif, soit avant que la correspondance entre l'ADN trouvé dans et sur le corps de la victime et celui de Da'Quan Foster ne soit découverte. Il y avait bien là des similitudes de base, mais les conclusions tirées sur les deux meurtriers différaient sensiblement.

Celles auxquelles on était arrivé dans l'affaire Parks faisaient de l'assassin un prédateur sexuel en formation qui, c'était vraisemblable, avait filé sa victime et très méticuleusement préparé son agression mortelle, mais ne l'avait menée que de manière désorganisée, au point de commettre plusieurs erreurs, dont celle, capitale, d'avoir laissé son ADN derrière lui. Au point culminant de son agression planifiée, il s'était senti assez coupable pour essayer de masquer psychologiquement son crime en plaçant un oreiller sur le visage de Parks. Cela montrait quelqu'un qui était passé, et sans doute pour la première fois, du délit sexuel mineur au meurtre.

Le profil de l'assassin de James Allen était différent. Étant donné les activités de la victime, il avait été conclu que le meurtre faisait suite à un dispositif prostitutionnel et n'avait pas pour mobile une envie psychosexuelle à caractère compulsif. Cela dit, comme dans le meurtre de Parks, certains éléments prouvaient que la culpabilité avait joué un rôle, mais cette fois par transfert – c'était la victime qui avait été accusée et punie pour les actes commis par le meurtrier. Le profil laissait entendre que l'assassin d'Allen était vraisemblablement un homosexuel qui cachait ses penchants sous des dehors hétéros. On avançait même qu'il était probablement marié et avait des enfants, toutes choses qu'il devait penser menacées par une liaison sexuelle avec Allen. Ce sentiment de menace s'était alors mué en une rage dirigée contre un Allen qui « exploitait les faiblesses du suspect ». Le tueur l'en accusait et avait voulu mettre fin à la menace contre sa famille en l'éliminant. Qu'il ait ensuite jeté son corps dans une ruelle soulignait qu'à ses yeux Allen n'était qu'un détritus. Qu'un déchet humain laissé là pour les éboueurs.

Il était aussi suggéré que l'assassin s'était déjà comporté ainsi par le passé. Certains détails du meurtre précédent, tels qu'Ali les avait mentionnés à Soto, faisaient bien partie du profil, mais avaient été réécrits. L'identité de la victime n'était pas donnée, mais le résumé des faits montrait aussi bien d'étranges similitudes que des différences marquées.

Les similitudes principales étaient que les victimes étaient toutes les deux des prostitués qu'on avait assassinés dans un endroit avant de les « exhiber », en gros, dans la même posture et au même endroit dans la ruelle. Les seules différences avaient à voir avec leur typologie. En dehors du fait que les deux hommes étaient des prostitués, l'un était petit et blanc et l'autre un Noir corpulent. On ajoutait que côté pénétration, leur rôle différait, Allen étant un « passif » alors que l'autre victime était de type « actif ». Ces rôles impliquant des bases de clientèles différentes, on avait donc affaire à des assassins eux aussi différents.

Dans la première affaire, les enquêteurs n'avaient pas trouvé la scène de crime. La victime partageait un appartement à East Hollywood, mais ce n'était pas là qu'elle avait été tuée, ce qui sous-entendait un lieu de rendez-vous inconnu avec son assassin alors que dans l'affaire Allen, tout indiquait qu'il avait été tué dans sa chambre de motel, son corps étant ensuite emporté, puis jeté dans une ruelle.

La profileuse – le docteur Hinojos – concluait que les deux meurtres étaient l'œuvre de deux suspects différents. Elle posait encore que l'assassin d'Allen aurait pu avoir connaissance du premier meurtre par les médias ou la rumeur publique, voire par des sources au sein des forces de l'ordre, et tenté d'en copier certains aspects afin d'égarer les enquêteurs.

Le profil relevait plusieurs autres différences à prendre en considération. Aucune trace d'ADN n'avait été recueillie sur le cadavre d'Allen, l'autopsie ne révélant par ailleurs aucun élément de preuve indiquant qu'il y aurait eu agression sexuelle ou rapport sexuel consenti. Cela semblait suggérer que la rage assassine avait explosé avant le rapport. Le profil excluait également toute idée laissant entendre que le rapport sexuel aurait eu lieu bien avant et que l'assassin serait revenu à la chambre de motel pour tuer Allen. Qu'il se soit servi du fil de fer du cadre photo pour étrangler la victime indiquait que l'assassin n'était pas venu avec l'idée de commettre un crime, mais que le meurtre faisait suite à une décision du type coup de tête prise alors qu'il se trouvait dans la chambre. Qu'Allen ait alors été à la salle de bains, n'ait pas fait attention ou en ait été empêché pour une raison ou pour une autre, c'était à ce moment-là que l'assassin avait ôté le fil de fer du cadre et s'en était servi pour l'étrangler.

Bosch remit les deux profilages dans le dossier que lui avait donné Hinojos. Il se leva et se mit à faire les cent pas dans le séjour en réfléchissant à ce qu'il savait et venait de lire. L'heure était venue de reprendre les deux meurtres et d'avancer des théories claires.

Deux meurtres, deux assassins différents, les profilages suggérant deux sortes de mobiles psychologiques eux aussi différents. Da'Quan Foster était accusé du meurtre de Lexi Parks, mais le profilage de médecine légale effectué avant la découverte de la correspondance ADN ne lui ressemblait ni du point de vue psychologique ni au niveau des éléments de preuve. En attendant, l'ironie de l'affaire était bien que certains aspects de sa vie correspondaient au profil de l'affaire James Allen – affaire pour laquelle il avait un alibi en béton, à savoir qu'il était en prison au moment des faits.

Bosch cessa de faire les cent pas et s'arrêta devant la baie vitrée pour regarder le canyon, mais ne vit que son reflet dans la vitre. Il hocha la tête en pensant à la piste compliquée qu'il venait de dessiner en comparant les deux affaires. Allen était l'alibi de Foster dans le meurtre de Parks, mais avec la mort d'Allen, c'était une bonne partie de la défense de Foster qui s'effondrait.

Sans parler de l'ADN. Si au moment où Parks se faisait assassiner, Foster était bien avec Allen, comme il l'avait reconnu à contrecœur et comme la vidéo du cimetière Hollywood Forever tendait à le confirmer, c'était que cet ADN avait été déposé sur le corps de Parks dans le but d'égarer les enquêteurs, voire de faire porter le chapeau à Foster.

Bosch s'éloigna de la baie vitrée et se remit à tourner en rond dans la pièce. Il sentait l'énergie monter en lui. Il avait l'impression de toucher de près quelque chose, mais ne savait pas trop de quoi il s'agissait. Il était encore trop loin du but et avait besoin d'entrer plus à fond dans l'affaire, mais malgré tout, il se rapprochait du but. Pour lui, c'était Lexi Parks qui détenait la clé des deux affaires. Pourquoi avait-elle été tuée? S'il pouvait répondre à la question, tout se dénouerait, il le savait.

***

Les détails qui ne s'expliquent pas et restent en suspens l'agaçaient toujours. De même que les questions sans réponse. Elles empoisonnent l'existence de tous les inspecteurs des Homicides. Parfois importantes, parfois minimes, elles rappellent le caillou qui s'est glissé dans la chaussure. Comme la montre qui manquait à l'appel : l'explication de l'époux ne faisait que répondre à une question par une autre interrogation. Pourquoi Lexi Parks ne l'avait-elle pas portée à réparer dans son écrin ? Pourquoi s'était-elle contentée de laisser une montre aussi chère chez le bijoutier ?

La logique lui échappait, et Bosch ne pouvait se résoudre à laisser l'indice de la montre de côté.

L'affaire Allen l'inquiétait elle aussi, tout autant que le besoin qu'il avait d'avancer. Dès qu'une affaire commence à faire du surplace, lui rendre son élan est souvent difficile. Cela tient même parfois de la voiture qu'on essaie de faire repartir alors que la batterie est morte.

Il appela Soto sur son portable.

— Tu es encore au PAB ? lui demanda-t-il.

— Eh oui. Je m'apprêtais à déplacer l'aimant rouge.

Il se souvint du tableau que le capitaine avait fait installer dans la salle de la brigade. Tout inspecteur se préparant à rentrer chez lui après sa journée de travail devait faire glisser un aimant rouge dans la case « fin de service ». Voilà le petit gadget idiot que le capitaine avait trouvé pour se donner l'impression de tout contrôler. Il se pouvait même qu'il en ait découvert l'idée dans un manuel de management. Lorsqu'il était encore dans la police, Bosch se faisait toujours un devoir d'ignorer ses aimants. Il se sentait toujours de service.

— Et ce petit verre ? On dit ce soir ? reprit-il.

— Ce soir ? Euh…

— J'ai envie de te demander ce que tu as vu dans le dossier Allen.

— Euh, ben… oui, je devrais pouvoir. À quelle heure ?

— Où et quand, c'est toi qui décides.

— Vraiment ? Tu acceptes de venir dans mes territoires ? lui demanda-t-elle, l'air impressionnée.

— Tes territoires seront les miens. Tu me dis où et quand.

— Bon alors, que dirais-tu de 20 heures ? Je serai à mon annexe de Boyle Heights.

— À savoir ?

— À l'Eastside Luv dans la 1re Rue, à deux blocs du commissariat de Hollenbeck.

Bosch entendit la porte de l'auvent à voitures s'ouvrir de la cuisine et comprit que sa fille était rentrée. Il était tellement absorbé par sa conversation téléphonique qu'il ne l'avait pas entendue se garer.

— OK d'accord, j'y serai, dit-il.

— Cool, lui renvoya Soto. À tout à l'heure.

Il raccrocha. Il entendit Maddie marquer un arrêt au frigo avant d'émerger de la cuisine, une bouteille de jus de fruits à la main et un sac à dos par-dessus l'épaule.

— Bonjour, papa.

— Bonjour, Mads.

— Qu'est-ce que tu faisais ?

— J'étais au téléphone. Comment se sont passés les cours ?

— Bien.

— Des devoirs ?

— Des tonnes.

— Écoute, je vais devoir partir pour deux ou trois heures dans pas longtemps. Ça te va de te préparer à dîner ou de commander quelque chose ?

— Pas de problème.

— Et tu vas manger quelque chose, hein ?

— Oui, c'est promis.

— OK.

Il lui en fut reconnaissant – de cela et du fait que, pour l'instant, elle n'avait toujours rien dit sur ce qu'il faisait pour défendre le client de Mickey Haller.

— Avec qui tu vas passer la soirée ? reprit-elle. Virginia ?

— Non, je vais seulement boire un coup avec mon ancienne coéquipière.

— Laquelle ?

— Lucia.

— OK, cool.

— Je devrais peut-être te dire un truc à propos de Virginia… On n'est plus ensemble.

— C'est vrai ? Qu'est-ce qui s'est passé ?

— Euh, hmm, je ne sais pas, on ne se voyait plus vraiment beaucoup et…

— Elle t'a largué.

Il détestait ce mot.

— Ce n'est pas aussi simple. On a parlé de ça l'autre soir au dîner et on a simplement disons… décidé de laisser du temps pour l'instant.

— Elle t'a viré.

— Euh, oui, faut croire.

— Ça va ?

— Oui, ça va. J'avais vu venir le coup. Ça me soulage un peu.

— Si tu le dis… Va falloir que je me mette au travail.

— Oui, ça va. Sûr.

— Bon d'accord. Je suis désolée, papa.

— Ne le sois pas. Je ne le suis pas, moi.

— OK.

Il fut content de mettre un terme à cette conversation embarrassante. Elle se tourna vers le couloir : elle disparaissait toujours dans sa chambre pour faire ses devoirs. Puis il se rappela autre chose.

— Ah oui, dit-il. Regarde un peu ça.

Il gagna la table pour y prendre le dossier contenant les deux profilages.

— Tu te souviens du docteur Hinojos ? Je l'ai rencontrée par hasard aujourd'hui et je lui ai demandé si elle n'aurait pas des profilages d'affaires qu'elle pourrait me passer pour que je te les montre. Je lui ai dit que tu voulais faire de la psycho, que tu te dirigeais vers ça… enfin, le profilage…

— Papa, je ne veux pas que tu le dises à tout le monde !

Le ton qu'elle avait pris laissait entendre qu'il l'avait profondément humiliée.

— Comment ça ? demanda-t-il sans comprendre en quoi il avait fait un faux pas. Je croyais que c'était ce que tu voulais faire…

— Oui, c'est bien ce que je veux faire, mais t'as pas besoin d'aller le crier sur les toits.

— Pourquoi ? C'est un secret ? Je ne…

— Ce n'est pas un secret, mais je n'ai pas envie que tout le monde soit au courant de mes affaires.

— Eh bien mais, ce n'est pas exactement à tout le monde que j'en ai parlé. C'est à une profileuse qui pourrait beaucoup t'aider plus tard.

— Si tu veux…

Il lui tendit le dossier. Il avait renoncé à comprendre sa façon de penser et à essayer d'identifier ce qui la stressait. Il se trompait à chaque coup, disait toujours ce qu'il ne fallait pas, fêtait ses réussites au mauvais moment ou la complimentait à tort.

Elle prit le dossier sans le remercier et se dirigea vers le couloir menant à sa chambre. Son sac à dos était énorme. À l'ère des iPads, des ordinateurs portables et de toutes sortes d'engins électroniques, elle transportait toujours tout un tas de livres où qu'elle aille.

Encore un truc qu'il ne comprenait pas.

— Pourquoi as-tu parlé avec Hinojos ? lui lança-t-elle sans se retourner. C'est pour l'assassin que t'essaies de faire libérer ?

Il la regarda s'éloigner. Il ne lui répondit pas et elle ne s'arrêta pas pour avoir sa réponse.

CHAPITRE 22

L'Eastside Luv était un bar du coin avec, à l'extérieur, une peinture murale où l'on voyait un vieux mariachi à rouflaquettes blanches et chapeau à large bord. Bosch était passé devant des centaines de fois en voiture au fil des ans, mais ne s'y était jamais arrêté. C'était un lieu haut de gamme où traînaient les Chicanos branchés qui, une rue après l'autre, réinventaient le quartier de Boyle Heights.

Le bar – la pièce maîtresse de l'établissement – était bondé, tous se serrant autour sur deux ou trois rangs. La plupart des buveurs se retournèrent pour regarder Bosch lorsqu'il franchit la porte d'entrée. Los Lobos hurlaient dans les haut-parleurs, l'air qu'ils chantaient parlant d'une méchante pluie qui dégringolait. Bosch scruta l'endroit et trouva Soto assise toute seule à une table dans un coin au fond de la salle. Il s'approcha et tira la chaise en face d'elle.

— Je ne te voyais pas en Chipster[1], lui lança-t-il. Je me disais que tu étais plus du style Las Palomas.

Bar suivant dans la rue, le Las Palomas faisait plus « classes laborieuses » avec éclairage cru et boissons plus musclées. Bosch y était passé plus d'une fois pour y cueillir des suspects.

Sa remarque la fit rire.

1. Chicano branché.

— J'y finis parfois, dit-elle, mais pas si souvent.

Elle avait déjà commandé deux bières Modelo, ils trinquèrent.

— Merci d'avoir accepté de me voir, hurla-t-il au moment même où la musique s'arrêtait.

Cela lui valut d'être une deuxième fois l'objet de l'attention générale, ce qui les fit rire tous les deux.

Soto avait l'air d'aller bien. Elle avait dénoué ses cheveux et portait une chemise noire sans manches et un jean délavé. Ses bras à la peau lisse et brune laissaient voir les tatouages qu'elle n'avait pas le droit de montrer au travail. Sur la face intérieure de son avant-bras gauche, une liste de noms rappelait les amis qu'elle avait perdus à l'époque où elle grandissait à Westlake, une série de mots espagnols écrits avec des lettres ressemblant à du fil de fer barbelé formant un tatouage qui faisait tout le tour de son biceps droit.

— Pas facile de se garer dans le coin, reprit-il. Je n'ai pas vu ta voiture derrière.

— Je ne suis pas venue en voiture. J'ai pris un Uber. Une arrestation pour conduite en état d'ivresse me ferait virer de la brigade et me ramènerait à la patrouille.

Ils portèrent un toast pour fêter ça et burent encore un coup.

— Uber, dit-il... c'est le truc des taxis, non ? demanda-t-il.

— Oui, c'est une application, Harry, dit-elle. Tu devrais essayer.

— Absolument. C'est quoi, une application ?

Elle sourit. Elle savait bien qu'il savait ce que c'était, mais aussi que jamais il n'essaierait Uber – ou toute autre application, quelle qu'elle soit.

— Bon alors, tu avais des questions, c'est ça ?

— Oui, j'en ai juste quelques-unes de plus sur...

— C'est même pas la peine. Tu n'as qu'à lire ça.

Elle prit un sac rouge sur le siège vide à côté d'elle, le posa sur la table, l'ouvrit et en sortit un gros classeur bleu. Il y reconnut bien un livre du meurtre du LAPD, mais fut incapable de comprendre comment il était possible qu'elle l'ait entre les mains et pourquoi.

— C'est le dossier de l'affaire Allen ? lui demanda-t-il.

— Oui. Je l'ai disons... emprunté à Ali sur son bureau quand il est rentré chez lui.

Il en resta sans voix. L'infraction était bien pire que celle qui lui avait valu d'être suspendu, puis chassé de la police.

— Lucia, dit-il, tu ne peux pas faire ça ! Je n'ai aucune envie que tu fasses quelque chose qui risque de bousiller ta carrière pour me rendre service ! C'est bien pire qu'une arrestation pour conduite en état d'ivresse !

— Harry, lui renvoya-t-elle, détends-toi. Ali n'en saura jamais rien. Tu peux y jeter un coup d'œil tout de suite et je le rapporterai à l'unité tout à l'heure. Sans compter que c'est lui qui a enfreint le règlement. Le soir, le dossier est censé être dans l'armoire fermée à clé.

— Ce n'est pas lui qui m'intéresse, Lucia. Tu vas te ramener là-bas avec quelques bières dans le nez et reposer le dossier comme ça sur son bureau ?

— Ben oui, pourquoi pas ?

— Tu prends un risque énorme, Lucia. Je ne veux pas avoir à me le reprocher si jamais ça dérapait. Tu en as déjà assez fait pour moi comme ça. J'allais juste te poser quelques questions de suivi.

Elle hocha la tête comme le faisait toujours sa fille lorsqu'il lui parlait d'un ton sévère. Soto avait dix ans de plus que Maddie, mais c'était parfois difficile à voir. Elle venait de faire un truc vraiment fou.

— Écoute, Harry, reprit-elle, l'année dernière tu as pris de grands risques pour m'aider quand nous étions en binôme. Je te dois bien ça et je suis contente de pouvoir le faire. Alors, on arrête d'en parler et tu cherches ce dont tu as besoin. Je te fais confiance. Je sais que tu travailles pour un avocat, mais je te crois quand tu dis chercher la vérité, quel que soit le prix à payer.

Ce fut au tour de Bosch de hocher la tête. Il tendit le bras en travers de la table et tira lentement le classeur à lui. La musique avait repris de plus belle – cette fois c'était une chanson en espagnol avec déchaînement de cuivres en arrière-plan.

— Et si on allait s'asseoir dans ma voiture ? dit-il. C'est tellement bruyant ici que je n'arrive plus à penser correctement.

Elle sourit et hocha la tête.

— Ah le vieillard ! dit-elle. Allons-y.

Il tira une dernière goulée de sa bière et se leva.

CHAPITRE 23

Il commença par les photos de la scène de crime, à défaut d'avoir été appelé pour les premières constatations, d'avoir pu tout observer en détail et enquêté sur les lieux mêmes du meurtre.

Le corps de James Allen avait été retrouvé dans une ruelle, habillé et adossé au mur arrière d'un atelier de mécanique automobile et de vente de voitures près du croisement de Santa Monica Boulevard et d'El Centro Avenue. La ruelle ressemblait à toutes celles d'une ville aux infrastructures en ruines dans un État aux infrastructures elles aussi en ruines. Elle se réduisait à un patchwork d'asphalte réparé par endroits et de gravier répandu sur du béton tombant en lambeaux après plusieurs décennies de vieillissement.

Les instantanés pris à l'endroit où le corps avait été découvert montraient que cette partie de la ruelle était bien cachée par le garage d'un côté et par l'arrière d'un immeuble d'appartements de l'autre. Les seules fenêtres d'où l'on aurait pu la voir étaient celles des salle de bains en verre dépoli des appartements. À moins d'une quinzaine de mètres de là en venant de l'avenue, la ruelle s'élargissait pour former un grand parking à l'arrière d'un building en brique de quatre étages. La première impression qu'il eut fut que l'assassin qui y avait abandonné le corps d'Allen non seulement la connaissait, mais qu'en plus il savait qu'il pourrait le faire derrière l'atelier de mécanique automobile sans être vu. Il se pouvait même qu'il ait su que le corps serait découvert dès le lendemain matin, au moment où des ouvriers et employés de l'immeuble entreraient dans la ruelle pour rejoindre leur parking.

Il passa ensuite à l'examen des gros plans du corps. La victime était habillée d'un short de course gris et d'une chemise à col rose. Pas de chaussures, mais ses pieds étaient couverts du genre de petites socquettes que mettent les femmes pour ne pas avoir d'ampoules lorsqu'elles ne portent pas de bas ou de chaussettes. Sur sa tête se trouvait une calotte en Nylon comme on en porte sous une perruque. Le col de la chemise cachait le fil de fer torsadé autour de son cou. Ce fil avait été tiré si fort qu'il avait cisaillé la peau. Il n'y avait guère de sang, le cœur ayant cessé de battre peu de temps après que le fil de fer avait fait son œuvre.

Ses jambes glabres s'étalaient dans la ruelle et il avait les mains posées sur les genoux, les photos ne montrant ni ongles cassés ni traces de sang. Bosch se demanda si, Dieu sait comment, Allen avait été empêché de se débattre lorsque le fil de fer s'était resserré autour de son cou.

— Qu'est-ce qu'il y a ? demanda Soto.

Assise sur le siège passager à côté de lui, elle avait gardé le silence tout le temps qu'il épluchait les photos. Elle avait sorti sa bière du bar en cachette et la sirotait en le regardant étudier les clichés.

— Comment ça ? lui renvoya-t-il.

— Ce n'est pas la première fois que je te vois examiner un dossier de meurtre. Je sais très bien quand tu découvres quelque chose qui ne colle pas.

Il acquiesça d'un signe de tête.

— Eh bien, dit-il, il n'y a pas de blessures aux mains. Pas de sang, pas d'ongles cassés. On me passe un fil de fer autour du cou, moi, j'y porte les mains pour essayer d'empêcher ça, non ?

— Et ça te dit quoi ?

— Ou bien qu'il n'était pas conscient lorsqu'on l'a étranglé ou que quelqu'un ou quelque chose l'empêchait de bouger les mains. Et comme il n'y pas de marques de lien autour des poignets...

Il n'alla pas plus loin.

— Quoi ? Pas de traces de lien, ça veut dire quoi ?

— Qu'ils étaient peut-être deux.

— Quoi ? Deux assassins ?

— Un pour le tenir et lui immobiliser les mains et l'autre pour tirer sur le fil. Et ce n'est pas tout.

— Je n'ai pas l'impression que Karim et Stotter s'en soient aperçus, dit-elle. Quoi d'autre ?

Il haussa les épaules.

— Ses pieds. Il n'a pas de chaussures, mais il porte des socquettes de protection.

— Ça s'appelle des « protège-pieds ».

— OK, si tu veux, des protège-pieds. Je ne vois aucune abrasion sur les jambes ou ailleurs, comme il y en a sur un corps qu'on a traîné par terre.

Elle se pencha par-dessus la console centrale pour regarder de plus près le cliché qu'il examinait.

— D'accord, dit-elle.

— Le corps est adossé au mur, reprit-il. On peut penser qu'il a été sorti d'une voiture pour être posé à cet endroit. Et qu'il a été porté. Le bonhomme n'est pas grand. C'est quasi sûr qu'un type seul aurait pu le faire, mais quand même... Un seul type pour le porter de la voiture jusqu'à cet endroit ? Je ne sais pas. Ça fait réfléchir, Lucia.

Elle se contenta de hocher la tête après s'être redressée sur son siège et avoir bu une autre gorgée de bière.

Les photos étaient rangées dans des pochettes en plastique perforées que l'on pouvait insérer dans le classeur. Bosch passa d'un cliché à l'autre pour confirmer ses déclarations. Puis il sortit son portable de sa poche et prit une photo de l'un d'entre eux – un plan moyen où l'on voyait le corps de la victime complètement avachi contre le mur arrière de l'atelier couvert de graffitis.

— Harry, non, ça, tu peux pas.

Il comprit ce qu'elle voulait dire. Si la photo d'un cliché de scène de crime faisait son apparition au tribunal ou ailleurs, il serait évident qu'il avait eu accès au livre du meurtre. Ce qui pourrait déclencher une enquête qui remonterait jusqu'à Soto.

— Je sais, dit-il. Je la prends juste pour localiser le corps adossé au mur. Pour être sûr quand j'irai faire un tour dans la ruelle. Je veux savoir exactement où ça s'est passé, et ce graffiti m'aidera. Dès que j'y serai allé et que j'aurai tout regardé, je détruirai le cliché. Ça te va?

— Bon, d'accord.

Il passa au jeu de photos suivant. Elles avaient été prises dans la chambre six de la Haven House. Au moment où la pièce était encore pleine d'affaires appartenant à James Allen. Il y avait des vêtements dans la penderie et plusieurs paires de chaussures, dont certaines à hauts talons, sur le plancher. Deux perruques – une blonde et une brune – étaient posées sur des porte-postiches installés sur la commode. La chambre comportait aussi plusieurs bougies – sur la commode, sur les deux tables de nuit et sur l'étagère au-dessus de la tête de lit. Sur cette dernière il y avait encore une grande boîte en plastique transparent à moitié pleine de capotes anglaises. Marque de la boîte: Rainbow Pride[1]. D'après l'étiquette, elle pouvait contenir trois cents capotes lubrifiées de six couleurs différentes. Bosch sortit son carnet et y nota ces détails pour les passer à Haller. Il se rendit compte que la remarque de Soto la veille était exacte: la boîte de capotes était bien semblable aux boîtes de bonbons qu'il se rappelait avoir vues dans des salles d'attente de médecins et près des caisses des commerces de proximité.

1. « Fierté Arc-en-ciel ».

Il chercha un téléphone portable dans la pièce, mais n'en trouva aucun. Il savait qu'il y en avait forcément un quelque part : lors de son interrogatoire à la prison du comté, Da'Quan Foster lui avait dit avoir appelé Allen pour le retrouver le soir où Lexi Parks avait été assassinée.

Il passa ensuite à la cinquième partie du classeur, celle qui, il le savait, répertoriait les objets aux scellés. Il étudia les listes que les enquêteurs en avaient dressées sur les deux scènes de crime – dans la ruelle et dans la chambre du motel. Aucune ne mentionnait la présence d'un quelconque portable.

Conclusion : l'assassin s'était emparé de celui d'Allen parce qu'on y trouvait la trace de leur prise de contact.

Bosch feuilleta rapidement le reste du dossier pour voir si Karim et Stotter avaient fait une demande de saisie des relevés du téléphone. Rien de ce côté-là non plus : ils n'en avaient ni rédigé ni soumis aucune, Bosch en venant à se demander si Allen s'était servi d'un appareil légal appartenant à quelqu'un d'autre ou d'un jetable pour lequel il serait impossible de se procurer les relevés d'appels sans avoir ou l'appareil ou son numéro et son fournisseur d'accès.

Il nota de repasser voir Da'Quan Foster et de lui demander le numéro qu'il avait appelé. Ce serait un bon début pour remonter tous les appels d'Allen.

— Je m'excuse, dit-il.

— De quoi ? lui renvoya Soto.

— Je suis sûr que tu n'avais pas prévu de passer ta soirée assise dans ma voiture.

— Ça ne me gêne pas. Ça ne déménage pas vraiment au bar avant un bon moment. Parce que après, les gens se mettent à danser sur le comptoir et commencent à enlever leurs vêtements.

— Ben voyons.

— Je ne plaisante pas !

— Vraiment ? Alors je vais me dépêcher pour que tu n'en rates pas une miette.

— Ça serait peut-être plutôt toi qui devrais rester pour ne rien rater. Histoire de te lâcher un peu, Harry.

Il lui jeta un bref coup d'œil et se remit au travail. C'était le compte rendu d'autopsie qu'il cherchait.

— Parce que tu me trouves un peu rigide, c'est ça ? demanda-t-il.

— Eh bien, avec moi... Je crois que tu as toujours cru que j'étais trop fragile pour ce travail. Au fond, j'en suis sûre, tu penses que c'est un boulot d'hommes.

— Non, ce n'est pas vrai. Pendant longtemps ma fille a voulu faire ce que tu fais. Ce que moi, je faisais, et je ne l'en ai jamais dissuadée.

— Sauf que maintenant, elle veut être profileuse, c'est bien ça ?

— Je crois, oui, mais on ne sait jamais.

— Tu as dû lui faire passer le même message qu'à moi : « Tu n'es pas faite pour ça. »

— Oui, ben, peut-être que je suis vieux jeu. Je dois détester l'idée que les femmes voient les horreurs que commettent les hommes. Enfin... quelque chose comme ça.

Il trouva le rapport d'autopsie. Il en avait lu des centaines en son temps. Il en connaissait par cœur la forme et elle n'avait guère changé ces quarante dernières années. Il en feuilleta rapidement les pages jusqu'au moment où il tomba sur celle des mesures du corps. Il n'avait pas besoin de connaître les conclusions du légiste. Il voulait seulement savoir combien pesait la victime.

— Là, voilà, dit-il. Ce mec pesait dans les soixante-cinq kilos. Ça n'est pas beaucoup, mais pour moi, un type de soixante-cinq kilos, son assassin le traîne par terre. Il ne le porte pas.

— Je vais le dire à Ali et à Mike.

— Non, tu ne peux pas. Cette conversation n'a jamais eu lieu.

— Ah oui, c'est vrai.

Il consulta sa montre. Cela faisait déjà une heure qu'ils étaient dans la voiture. Il n'aurait rien aimé de plus qu'en passer encore quelques-unes à étudier le dossier. Il lui restait d'autres rapports à étudier pour le premier meurtre, celui où la victime avait été laissée dans la même ruelle, mais il savait qu'il allait devoir libérer Soto dans peu de temps. Elle avait déjà fait plus que le nécessaire pour un ancien coéquipier. Surtout pour un ancien coéquipier qui n'était même plus dans la police.

— Je jette juste un petit coup d'œil au reste et je te laisse filer, dit-il.

— Ne t'inquiète pas, Harry. Tu sais que quand tu es sorti de la salle des inspecteurs, je me suis dit que je n'aurais plus jamais la chance de te voir travailler. Ça me plaît, ce qu'on fait là. Avec toi, j'apprends des trucs.

— Quoi ? Rien qu'à rester assise là, à me regarder lire un livre du meurtre ?

— Oui. J'apprends ce qui est important à tes yeux, comment tu relies ceci à cela, comment tu arrives à tes conclusions. Tu te rappelles le jour où tu m'as dit qu'en général toutes les réponses se trouvent dans le dossier ? Que c'est juste qu'on ne les voit pas ?

— Oui, je m'en souviens, dit-il en hochant la tête.

Il avait à présent le long rapport d'arrestations de James Allen sous les yeux. Il comptait six pages. Il en fit rapidement le tour parce qu'elles se répétaient, parlaient des arrestations pour vagabondage et racolage, en plus de quelques interpellations pour possession de drogue, et cela sur les sept années précédentes. Il n'y avait là rien que de très habituel dans les antécédents d'un prostitué. Plusieurs de ces mises en état d'arrestation avaient été suspendues ou n'avaient donné lieu à aucune poursuite, Allen étant alors en cure de désintoxication ou en traitement pour travailleurs du sexe avant le procès. Dès que ce cycle avait pris fin, ses arrestations s'étaient soldées par des condamnations et du temps passé en prison. Mais jamais dans un pénitencier d'État, toujours dans des prisons de comté et pour de courts séjours. Un mois par-ci, quarante-cinq jours par-là, la prison cessant d'être dissuasive pour se transformer en véritable porte tambour – soit la triste norme pour un récidiviste de la prostitution.

La seule chose inhabituelle dans le passé d'Allen concernait sa dernière arrestation... pour vagabondage avec intention de se prostituer. Ce qui retint l'attention de Bosch fut que cette arrestation s'était produite quatorze mois avant son décès et avait donné lieu à un *nolle prosequi* – ce qui voulait dire qu'aucune charge n'avait été retenue contre lui. Allen avait été relâché, tout simplement.

— Minute, minute, dit Bosch.

Il repassa au début du dossier et relut le compte rendu du crime, puis le premier résumé qu'en avaient fait Karim et Stotter.

— Qu'est-ce qu'il y a ? demanda Soto.

— Ce type n'avait pas été arrêté depuis plus d'un an, lui répondit Bosch en continuant de lire.

— Et alors ?

— C'était comme s'il campait dans Santa Monica Boule...

— Et alors ?

Il revint au casier, tourna le dossier pour qu'elle puisse voir et commença à en feuilleter les pages.

— Ce type se fait arrêter trois ou quatre fois par an pendant cinq ans et puis plus rien pendant les quatorze derniers mois avant qu'il se fasse tuer ? Moi, ça me fait penser qu'il avait un ange gardien.

— Quelqu'un du LAPD qui veillait sur lui ?

— Oui, Allen travaillait pour quelqu'un. Sauf qu'il n'y a rien dans le dossier pour laisser entendre que ç'aurait été un indic. Pas de numéro d'informateur confidentiel, rien.

Gérer un informateur impliquait de suivre certains protocoles, y compris lorsque ledit informateur se faisait assassiner. Cela étant, il n'y avait rien dans le livre du meurtre pouvant laisser penser que James Allen en aurait été un.

— Et s'il avait eu de la chance et avait évité l'arrestation cette année-là ? lança Soto. Non, parce que l'année dernière, le nombre des arrestations a beaucoup baissé et dans tous les domaines. Après toutes ces fusillades avec des flics et ce qui s'est passé à

Ferguson et à Baltimore, les flics en tenue s'en tiennent au minimum requis. Plus personne ne fait de zèle.

— Fais seulement les calculs, lui renvoya-t-il. Ces quatorze mois remontent à bien avant les événements de Baltimore et de Ferguson.

Il hocha la tête. Il venait de relever un total de dix-sept arrestations en cinq ans, puis plus rien pendant plus d'un an.

— Je pense qu'il travaillait pour quelqu'un, répéta-t-il. Et en cachette.

Faire travailler un indic sans que celui-ci soit enregistré auprès d'un superviseur et son nom porté à la banque de données du CI Tracking System constituait une violation du règlement de la police. Mais Bosch savait que cela se pratiquait couramment. Le temps aidant, on finissait par trouver des indics, qu'on plaçait souvent dans des situations où ils devaient faire leurs preuves. Il n'empêche : quatorze mois pour savoir si Allen allait faire un bon indic semblait un peu long.

Stotter et Karim ayant sorti tous les procès-verbaux d'arrestations, Bosch se mit à les feuilleter. Les noms des officiers qui avaient procédé à ces arrestations ne figuraient pas dans les résumés, au contraire de leurs numéros d'unité. Il remarqua qu'un de ces derniers était le même dans trois des cinq dernières arrestations d'Allen avant sa période d'inactivité de quatorze mois. Il s'agissait de l'unité 6-Victor-55. Le chiffre 6 désignait la division de Hollywood et « Victor » la brigade des Mœurs, le 55 indiquant qu'il s'agissait d'un tandem d'inspecteurs en plongée. Bosch nota ces renseignements dans son carnet, puis les recopia à la page suivante. Qu'il déchira et tendit à Soto.

— Ce sont probablement les deux types qui le faisaient bosser, lui dit-il. La prochaine fois que tu as accès à l'ordi central, vois un peu si tu ne pourrais pas m'avoir leurs noms par les Mœurs de Hollywood. J'aimerais bien leur parler.

Elle regarda le nombre, puis plia la feuille et la glissa dans la poche de son jean.

— Pas de problème, dit-elle.

Bosch referma le livre du meurtre et le lui rendit. Elle le remit dans son sac rouge.

— Tu es bien sûre de pouvoir retourner là-bas sans que ça fasse de vagues ? lui demanda-t-il.

— Ils n'en sauront jamais rien.

— Parfait. Et encore une fois merci, Lucia. Ça va beaucoup m'aider.

— Avec plaisir… On y retourne et on se paie une autre bière ?

Il réfléchit un instant.

— Non, dit-il enfin en hochant la tête, ce truc commence à me parler. Vaudrait mieux que je lâche pas.

— Le grand élan, c'est ça ?

— Oui, c'est revenu… et c'est grâce à toi.

— Très bien, Harry. Vas-y et fais attention à toi.

— Toi aussi.

Elle ouvrit la portière et descendit. Bosch démarra, mais ne bougea pas avant de l'avoir vue franchir la porte arrière du bar sans encombre.

CHAPITRE 24

Bosch entra dans la ruelle en retrait d'El Centro Avenue et consulta sa montre. 22 h 40. Il était, il le savait, juste dans les temps. C'était à peu près à ce moment-là que, d'après les estimations, James Allen avait été assassiné et laissé adossé au mur à l'arrière de l'atelier de mécanique automobile le soir du 21 mars. L'heure du décès avait certes été estimée entre 22 heures et 1 heure du matin, mais il était sûr d'avoir les mêmes conditions climatiques que le soir du meurtre : à L.A., les températures nocturnes ne changent guère entre les mois de mars et de mai. Sans compter qu'il s'intéressait aussi à la lumière ambiante et à ses sources et voulait se faire une idée et de la portée des sons dans la ruelle et de tout autre facteur qui aurait pu entrer en ligne de compte le soir où le cadavre de James Allen y avait été abandonné.

Il dépassa l'atelier et s'arrêta dans le parking, complètement désert, derrière l'immeuble d'appartements. Il coupa le moteur, sortit une lampe torche de la boîte à gants et descendit de sa Jeep.

En revenant vers le garage, il marqua un arrêt pour photographier la ruelle et la scène de crime en plan large avec son téléphone. Puis il s'avança vers le mur de l'atelier. À sa grande déception, il découvrit que le graffiti avait été recouvert d'une couche de peinture depuis le soir du meurtre. Il n'y avait pour l'instant qu'un tag sur la peinture fraîche – un serpent en forme de 18, soit la signature même du célèbre gang de la 18e Rue du quartier de Rampart qui avait fait des émules dans toute la ville, y compris à Hollywood.

Il sortit le cliché du mur qu'il avait photographié dans le livre du meurtre et, en comparant un bout de l'asphalte craquelé avec ce qu'il avait sous les yeux, il fut néanmoins en mesure de localiser l'endroit précis où le corps de James Allen avait été redressé.

Il s'en approcha, s'adossa au mur et parcourut la ruelle des yeux dans les deux sens avant de lever la tête pour regarder l'immeuble d'appartements en face de lui. L'une des petites fenêtres de salle de bains du premier était allumée et juste entrouverte. Il s'en voulut : il était si soucieux de ne pas priver Soto de sa soirée qu'il n'avait pas pris le temps qu'il fallait – du moins celui qu'elle lui aurait accordé – pour parcourir toutes les parties du livre du meurtre. Il n'avait en particulier pas vu de rapport sur l'enquête de voisinage qui avait suivi la découverte du corps et il était maintenant là à regarder une fenêtre éclairée et ouverte d'où, ce n'était pas impossible, on pouvait avoir vue sur la scène de crime. La personne qui résidait dans cet appartement avait-elle été interrogée par la police ? C'était probable, mais il n'en était pas sûr.

Il envisagea d'appeler Soto pour lui demander d'aller voir dans le livre du meurtre, mais décida qu'il lui avait déjà demandé bien trop de choses. Chaque fois qu'il l'appelait pour la solliciter, il la mettait en danger d'être accusée de fréquenter l'ennemi. Il repensa à la pancarte qu'il avait l'habitude d'accrocher à la cloison de son box lorsqu'il portait encore l'écusson de la police : *Lève-toi le cul et va frapper aux portes.*

Il s'écarta du mur, quitta la ruelle et passa dans El Centro Avenue. L'immeuble d'appartements était une espèce de machin en stuc rose construit à la va-vite et à peu de frais pendant le boom des années 80. Il ne comptait que peu d'ornements, à moins d'y inclure les filigranes du portail d'entrée. Il dut faire un pas en arrière pour essayer de voir à quel appartement appartenait la salle de bains éclairée et d'en déduire le numéro.

La liste des appartements affichée près de l'Interphone n'en indiquait que huit – de 101 à 104 et de 201 à 204. Il décida de commencer par les 2 et appela le 203. Il décrocha l'appareil, fit ce qu'on lui demandait, mais son appel resta sans réponse. Il essaya le 204 et, cette fois, quelqu'un décrocha.

— *¿ Qué ?*

— *Holà*, lança-t-il de façon hésitante. *Policia. Abierto por favor.*

Il se rendit compte qu'il n'avait que son espagnol de policier à sa disposition. Il ne savait pas comment dire qu'il n'était que détective privé.

L'individu à l'autre bout du fil – une femme – lui dit quelque chose bien trop rapidement pour qu'il comprenne. Il lui renvoya le même ordre d'un ton plus sévère.

— *Policia. Abierto.*

La serrure de la porte en métal se mettant à bourdonner, il ouvrit et entra. Il y avait des escaliers des deux côtés du bâtiment. Il prit celui de droite et se retrouva dans un passage conduisant à deux portes d'appartements donnant sur la ruelle à l'arrière. Bien que ce soit la locataire du 204 qui lui avait ouvert le portail, il put confirmer que l'appartement avec la salle de bains à la fenêtre ouverte et éclairée était le 203. Il alla frapper à sa porte. Il attendait qu'on lui ouvre lorsque celle du 204 s'entrebâilla et qu'une vieille femme y passa la tête pour le regarder. Il frappa encore, plus fort, à celle du 203, mais finit par rejoindre la vieille femme.

— Vous parlez anglais ? lui demanda-t-il.

— *Poquito*, lui répondit-elle.

— Le meurtre dans la ruelle ? Il y a deux mois ? *El asasinato* ?

— *Sí.*

— Vous avez entendu… vu quelque chose ? continua-t-il en lui montrant ses oreilles et ses yeux.

— Oh non. Eux très calmes. J'entends rien.

— « Ils » ?

— *Los matadores.*

Il mit deux doigts en l'air.

— *Matadores*... deux?

La vieille femme haussa les épaules.

— Je sais pas.

— Pourquoi avez-vous dit « ils »?

Elle lui montra la porte à laquelle il venait de frapper.

— Elle dit.

Il regarda la porte, puis se retourna vers la vieille femme.

— Où est-elle?

— Maintenant elle travaille.

— Vous savez où?

Elle serra les bras comme pour bercer un enfant.

— Babysitteur? Elle s'occupe d'enfants?

— *Sí, sí, sí.*

— Vous savez à quelle heure elle rentre?

Elle le regarda et il vit qu'elle n'avait pas compris.

— Euh... *finito*?

Il fit courir deux de ses doigts dans la paume de sa main, puis lui montra la porte du 203. Elle hocha la tête. Ou bien elle ne savait pas, ou bien elle n'avait toujours pas compris. Ce fut à son tour de hocher la tête. Il ne pouvait rien faire de mieux pour l'instant.

— *Gracias*, dit-il.

Il regagna l'escalier et redescendit. Il arrivait au portail lorsqu'il entendit quelqu'un l'appeler dans son dos.

— Hé, *policia*!

Il se retourna. Debout dans le renfoncement près de la porte éclairée de l'appartement 103, l'homme, un Latino, fumait une cigarette. Bosch fit demi-tour et le rejoignit.

— Z'êtes de la police?

De près, Bosch vit qu'il était âgé d'une trentaine d'années et plutôt costaud. Il portait un tee-shirt blanc si souvent passé à la Javel qu'il en brillait à la lumière. Pas de tatouages visibles, Bosch se dit qu'il n'appartenait pas à un gang.

— Détective privé. Je travaille sur le meurtre dans la ruelle… en mars dernier. Vous savez des choses ?

— Juste qu'une espèce de pédé s'est fait trancher la gorge, enfin… une merde de ce genre.

— Vous étiez chez vous ce soir-là ?

— Bien sûr.

— Vous avez vu quelque chose ?

— Nan, mec, j'ai vu que dalle. J'étais au lit.

— Entendu des trucs alors ?

— Ben oui, j'les ai entendus, mais comme j'pensais pas que c'était grave, je me suis pas levé pour regarder.

— Qu'est-ce que vous avez entendu ?

— Je les ai entendus jeter le mec dehors.

— Ça a fait quoi, comme bruit ?

— Ben, j'ai entendu un coffre, vous savez bien… comme un coffre qui se ferme. Ça venait de la ruelle.

— Un coffre.

— Ouais, un coffre. Vous savez bien comment qu'on peut faire la différence entre une portière et un coffre qu'on ferme, non ? Ben là, c'était un coffre.

— Et un bruit de portière, vous en avez entendu un ?

— Oui, ça aussi. J'ai commencé par entendre le coffre, et après les portières.

— Plusieurs ?

— Oui, deux.

— Vous êtes sûr d'avoir entendu deux portières se fermer ?

Il haussa les épaules.

— J'entends des tas de trucs dans cette ruelle. Toute la nuit des fois.

— Bon. Vous l'avez dit à la police ?

— Non.

— Pourquoi ?

— Je sais pas. Un jour, les flics m'ont laissé une carte de visite sous la porte pour me demander de les appeler, mais j'ai jamais eu le temps. C'est que je suis occupé, si vous voyez ce que je veux dire.

— C'est d'une carte de visite professionnelle que vous parlez ? Vous l'avez encore ?

— Oui, elle est sur la porte de mon frigo. Je pourrais encore les appeler, mais vu que je vous parle à vous… pas vrai ?

— Voilà. Et je pourrais la voir, cette carte ? J'aimerais bien voir le nom dessus.

— Pas de problème. Attendez une seconde.

L'homme ouvrit et entra chez lui. Par sa porte entrouverte, Bosch découvrit un séjour chichement meublé. Il y avait un crucifix accroché au mur et un canapé qui disparaissait sous des couvertures mexicaines. On n'avait pas mégoté sur la télévision à grand écran plat, elle aussi accrochée au mur. Il y passait un match de foot retransmis de quelque part.

L'homme ressortit de la cuisine, referma la porte de l'appartement derrière lui et tendit à Bosch une carte de visite professionnelle standard du LAPD au nom d'Edward Montez. Avec au dos une note manuscrite en deux langues. *Appelez, s'il vous plaît* y était écrit.

Bosch ne connaissait Montez que de nom. Son collègue et lui avaient dû être chargés de l'enquête de voisinage par Stotter et Karim. S'il s'était contenté de laisser des cartes de visite à droite et à gauche sans jamais repasser, Montez avait fait du bien mauvais travail. Dans les quartiers habités par des minorités, peu de gens ayant envie de se retrouver témoins dans des affaires criminelles, les enquêteurs concentrent surtout leurs efforts sur les témoins non humains – à savoir les caméras de surveillance.

— Vous n'avez jamais parlé à la police de ce qui s'est passé ce soir-là ? reprit Bosch.

— Non, mec. Ce soir-là, personne n'est venu et comme je travaille de jour… C'est à ce moment-là que les flics ont laissé leur carte.

— Savez-vous si quelqu'un de l'immeuble leur a parlé ?

— Oui, Mme Jiminez. Elle habite au-dessus. Mais elle a rien vu et elle entend pas grand-chose.

— Qu'avez-vous entendu d'autre, à part le bruit du coffre et des portières qui claquent ?

— Rien, mec, c'est tout.

— Vous n'avez pas regardé par une fenêtre pour voir de quoi il s'agissait ?

– Non, mec, j'étais fatigué. J'avais pas envie de me lever. Et en plus...

— En plus quoi ?

— En plus que quand on fout son nez dans ce genre de trucs, on peut avoir des problèmes.

— Vous voulez dire avec les gangs ?

— Voilà, c'est ça.

Bosch acquiesça d'un signe de tête. Le gang de la 18e Rue n'ayant pas la réputation d'être pour la coexistence pacifique avec les gens du quartier qu'il contrôlait, il ne pouvait pas vraiment douter de quelqu'un qui ne s'était pas précipité à la fenêtre pour aller voir ce qui se passait dans la ruelle.

— Vous rappelez-vous quelle heure il était quand vous avez entendu claquer le coffre et les portières ?

— Pas vraiment, non... plus maintenant. Mais c'était sûrement le soir du meurtre parce que le lendemain matin, y avait plein de flics partout dans la rue. Je les ai vus en partant au boulot.

— Où travaillez-vous ?

— À l'aéroport de LAX.

— À la TSA[1] ?

Il éclata de rire comme si Bosch en avait lâché une bien bonne.

— Non, mec, je suis bagagiste. Pour Delta.

Bosch acquiesça.

— OK, dit-il, et vous vous appelez comment ?

— Ricardo.

1. Transportation Security Administration.

— Nom de famille ?
— Vous n'êtes pas flic, dites.
— Je l'ai été.
— Vous... l'avez été ? Qu'est-ce que ça veut dire ?
— Je ne sais pas trop.
— Juste Ricardo alors, d'accord ?
— OK, d'accord. Merci, Ricardo.

Ricardo laissa tomber sa cigarette sur le ciment, l'écrasa avec sa chaussure et l'expédia dans une plate-bande à côté.

— Bonsoir, monsieur-j'ai-été-flic.
— C'est ça, bonsoir.

Bosch repassa par le portail et s'arrêta pour regarder la liste des locataires. Il constata qu'il y avait effectivement une Mme Jiminez au 203 et que le nom R. Benitez apparaissait juste avant le numéro 103. Il reprit le chemin de la ruelle où l'attendait sa voiture.

***

Dès qu'il fut derrière le volant, il mit la clé dans le contact, mais ne démarra pas. Il resta assis là un moment, à regarder par le pare-brise l'endroit où le cadavre de James Allen avait été laissé, et repensa à ce que Ricardo Benitez venait de lui dire. Il entendit claquer un coffre, puis deux portières. Il se représenta une voiture en train d'entrer dans la ruelle, tous feux éteints. Deux types en descendent en laissant leurs portières ouvertes et se dirigent vers le coffre. Ils en sortent le cadavre, l'adossent au mur et regagnent la voiture. Le premier referme le coffre en faisant le tour du véhicule. Puis les deux hommes y montent, referment leurs portières et la voiture démarre. Tout ça en quoi... ? Trente secondes maximum ?

Il hocha la tête.

Deux personnes.

Il mit le contact et démarra.

CHAPITRE 25

Il y avait un rai de lumière sous la porte de sa fille lorsqu'il arriva chez lui. Il s'immobilisa dans le couloir, hésita un instant, puis frappa doucement. Il s'attendait à ce qu'elle ne lui réponde pas – en général, elle avait ses écouteurs dans les oreilles avec de la musique –, mais il eut une surprise.

— Tu peux entrer, lui lança-t-elle.

Il ouvrit et entra. Elle s'était glissée sous les couvertures, son ordinateur portable ouvert devant elle. Et ses écouteurs dans les oreilles.

— Je viens de rentrer, dit-il.

Elle ôta ses oreillettes.

— Je sais.

— Et tu fais quoi ?

— Musique.

Il s'approcha et s'assit au bord du lit en essayant de ne pas lui montrer combien ses réponses laconiques le frustraient.

— Quelle musique ?

— Death Cab.

— C'est le titre du morceau ou le nom du groupe ?

— Le groupe, c'est Death Cab for Cutie et l'air que j'aime, c'est *Black Sun.*

— Ça doit réchauffer le cœur.

— L'air est génial, papa. Ça me fait penser à toi.

— Comment ça ?

— Je sais pas. Mais c'est vrai.

— Tu as jeté un coup d'œil à ces profilages ?

— Oui.

— Et... ?

— Eh bien, pour commencer, ils sont sacrément répétitifs. Comme si on pouvait appliquer les mêmes trucs à toutes les affaires alors qu'elles sont différentes et que ce n'est pas le même genre de meurtre.

— C'est que... ce n'est pas une science exacte.

— Et ça veut dire quoi ? lui renvoya-t-elle en croisant les bras.

— Je ne sais pas... que les profileurs essaient de couvrir toutes les bases. De façon à être couvert de ce côté-là quand quelqu'un se fait attraper.

— Papa, je peux te poser une question ? Le profil d'un assassin ou d'une scène de crime t'a-t-il déjà aidé à résoudre une affaire ? Dis-moi la vérité.

Il dut réfléchir un instant parce qu'en fait il n'y avait pas de réponse évidente.

— Bien, dit-elle, ça répond à ma question.

— Non, attends ! s'écria-t-il. Je réfléchissais, c'est tout. Je n'ai jamais été confronté à une affaire où on m'aurait donné un profil tellement juste que ça m'aurait conduit droit à l'assassin. Mais ça m'a aidé bien des fois. Ta mère...

Elle attendit, mais il n'alla pas plus loin.

— Ma mère quoi ?

— Non. J'allais juste te dire que ce n'était pas vraiment une profileuse, mais que c'est quand même la meilleure que j'aie jamais connue. Elle savait juger les gens. Je crois que ce qu'elle avait vécu lui faisait comprendre des choses. Elle sentait toujours bien ce que dit une scène de crime et les mobiles du meurtrier. Je lui montrais des photos de mes affaires et elle me disait ce que ça lui évoquait.

— Elle ne m'en a jamais parlé.

— C'est que... tu étais jeune, tu sais ? Elle ne devait pas vouloir parler de meurtres avec toi.

Il garda le silence un instant en se rendant compte que cela faisait bien longtemps qu'il n'avait pas pensé à Eleanor Wish. Il se sentit mal à l'aise.

— Elle avait une théorie bien à elle, tu sais ? reprit-il. Elle disait toujours que dans tous les meurtres, on peut ramener le mobile à la honte.

— La honte et rien d'autre ?

— Oui, rien que la honte. On couvre sa honte en trouvant toute sorte de moyens de le faire. Je ne sais pas, je trouve ça drôlement futé.

Elle acquiesça d'un hochement de tête.

— Elle me manque, dit-elle.

Il hocha la tête à son tour.

— Oui, dit-il. Je comprends. Et ça ne changera probablement jamais.

— Je me demande comment ça serait si, tu vois... si elle était toujours là. Comme quand il faut que je décide des trucs... si seulement elle pouvait être là.

— Tu peux toujours me parler. Tu le sais, dis ?

— Pas pour les trucs de filles.

— Oui, c'est vrai.

Il ne savait pas trop quoi dire. Il était heureux qu'elle s'ouvre un peu pour la première fois depuis longtemps, mais il ne se sentait pas vraiment en mesure de profiter de ce moment. Cela ne faisait que souligner ses échecs de père.

— C'est pour l'école ? demanda-t-il. Y a quelque chose qui t'inquiète ?

— Non, l'école, c'est l'école. C'est juste que toutes les filles racontent comment leurs mères sont bêtes, ou veulent tout contrôler, tout diriger pour la cérémonie de remise des diplômes, l'entrée à l'université, tout, quoi. Et moi, y a des fois où j'aimerais bien connaître ça, tu sais ? Une mère qui me dise des trucs.

Il hocha de nouveau la tête.

— Et c'est moi qui te dis ça ! reprit-elle. Alors que tu n'as pas eu de mère… ni de père non plus.

— C'est pas tout à fait pareil, dit-il. Pour moi, une fille a vraiment besoin d'une mère.

— Oui, ben… pas de bol.

Il se pencha vers elle et l'embrassa sur le haut du crâne. Et pour la première fois depuis longtemps, il ne sentit aucune résistance de sa part. Il se leva et vit son grand sac marin gris posé par terre, tout emballé, prêt pour le voyage. Il se rendit compte que c'était le lendemain qu'elle allait quitter l'école et partir en camping.

— Merde ! dit-il.

— Quoi ?

— J'ai oublié que c'était demain que tu partais. Je n'aurais pas dû sortir.

— Pas de problème. Je n'avais pas fini de préparer mon sac. Et je ne pars que trois nuits.

Il se rassit sur le lit.

— Je m'excuse, dit-il.

— Ne t'excuse pas.

— J'espère que tu vas bien t'amuser là-bas.

— J'en doute.

— Essaie quand même, d'accord ?

— D'accord.

— Et envoie-moi des textos.

— Ils disent que ça passe mal là-bas.

— Bon, mais si ça passe, fais-moi savoir que tout va bien.

Il se pencha de nouveau vers elle et l'embrassa encore une fois sur le haut du crâne, en faisant bien attention à ne pas respirer pour qu'elle ne sente pas la bière sur son haleine.

Il se leva et se dirigea vers la porte.

— Je t'aime fort, ma fille, dit-il. On se retrouve demain avant que tu t'en ailles.

— Moi aussi, je t'aime fort, papa.

Il sentit que c'était pensé.

CHAPITRE 26

Le lendemain matin, elle lui permit, mais à contrecœur, d'amener son sac marin jusqu'à son coffre. Puis elle partit pour l'école et son expédition camping obligatoire après lui avoir dit qu'un car passerait prendre tout le monde pour gagner la montagne.

Il la regarda descendre la rue au volant de sa voiture et se sentit triste de ne pas l'avoir chez lui les trois soirs suivants. Il rentra, se fit du café et, une tasse à la main, s'installa à la table de la salle-à-manger-espace-de-travail. Et fit ce qu'il faisait toujours lorsqu'il portait encore le badge : il reprit le livre du meurtre.

Pour lui, il s'agissait d'un outil en constante mutation. Dans le cas présent, c'est vrai, il n'en avait qu'une copie et ne pourrait rien y ajouter suite à ses propres recherches. Quel que soit le nombre de fois où il le consulterait, total des pages ou mots employés, rien n'y changerait. Mais cela n'avait aucune importance. C'était le sens des choses qui changeait au fur et à mesure que progressait l'enquête. Le fait était qu'il en savait maintenant nettement plus que lorsqu'il avait parcouru le dossier du meurtre de Lexi Parks. Et cela signifiait que beaucoup de choses pourraient prendre une autre tournure lorsqu'il les ferait passer au tamis de sa connaissance grandissante de l'affaire.

Il relut tous les documents en repartant de zéro et arriva enfin aux relevés de téléphone. Les enquêteurs les avaient tous analysés – appels personnels et professionnels – jusqu'à trois mois avant l'assassinat de la dame. Puis ils s'étaient lancés dans l'identification et l'interrogatoire des individus impliqués dans ces conversations avec Lexi Parks lorsque les résultats de l'analyse ADN leur étaient revenus du labo et avaient fait apparaître un lien entre Da'Quan Foster et la scène de crime. Tout avait alors pris un autre tour, Bosch ayant l'impression qu'on avait abandonné l'idée d'éplucher les appels dès que Foster était devenu le suspect principal – le seul, en fait – de leur enquête. Cela étant, l'essentiel du travail d'analyse des appels avait quand même été fait, les trois quarts des numéros répertoriés dans le récapitulatif final donnant lieu à une remarque d'une ou deux phrases ou étant écartés et marqués « PS » – « pas soupçonnable », en abrégé.

Ce récapitulatif, Bosch l'avait déjà consulté, mais cette fois, alors qu'il le passait à nouveau en revue, un nom se prit dans ses filtres. Quatre jours avant son assassinat, Alexandra Parks avait téléphoné à la bijouterie Nelson Grant & Sons, cet appel ayant droit à un « PS » des enquêteurs.

Parce qu'il semblait avoir un rapport évident avec la montre cassée, ce coup de fil n'avait pas éveillé les soupçons des enquêteurs du shérif. Sauf que cet objet avait déjà attiré l'attention de Bosch à cause de son écrin vide posé sur l'étagère de la victime. Il se demanda donc si Parks avait effectivement téléphoné au magasin pour savoir si sa montre avait été réparée. Il reprit le reste des appels de la liste, s'intéressa à ceux donnés de chez elle et s'aperçut que c'était le seul à avoir été passé à la bijouterie.

Le récapitulatif des appels passés depuis son bureau était, lui, incomplet. Les mois précédant sa mort ayant vu Parks téléphoner des centaines de fois de cet endroit, la tâche avait certes de quoi intimider. Cornell et Schmidt avaient dû être heureux de ne plus avoir à s'en occuper dès que la correspondance ADN avait été établie et que Da'Quan Foster s'était retrouvé au cœur même de l'affaire. À ce moment-là, tout ce qu'il leur restait à faire s'était réduit à vérifier les listes d'appels pour voir s'il y avait eu un contact entre la victime et le suspect et, comme il n'y en avait pas, ils avaient mis fin à cette tâche. Dans le genre œillères, c'était assez subtil. Ils tenaient leur bonhomme, à savoir Foster, il n'y avait donc plus aucun besoin de se taper des centaines d'appels et de vérifications de numéros n'ayant aucun rapport direct avec le suspect.

Bosch ouvrit son ordinateur et lança une recherche sur la bijouterie Nelson Grant & Sons. À l'aide de Google Maps, il la localisa dans Sunset Boulevard – c'était dans le quartier des boutiques haut de gamme de Sunset Plaza – et apprit que le magasin ouvrait tous les matins à 10 heures.

Il décida d'y passer dès l'ouverture, soit d'ici à une petite heure. Il consulta leur site Web et découvrit qu'en plus de vendre toutes sortes de bijoux Nelson Grant & Sons s'occupait aussi de gestion de patrimoine. Mais pas moyen de trouver une quelconque référence aux montres Audemars Piguet.

Toujours via Google, il consulta le site du fabricant et trouva plusieurs revendeurs agréés en ligne. Il cliqua sur l'un d'eux et tout un choix de ces montres suisses apparut. Il rétrécit le champ de ses recherches, se concentra sur le modèle Royal Oak Offshore et apprit qu'elle valait quatorze mille dollars.

Il poussa un sifflement. L'écart entre ce que Harrick avait payé pour le même modèle un an plus tôt et son actuel prix de vente au détail frisait les huit mille dollars.

Il repassa sur le site du fabricant et cliqua sur la liste officielle des concessionnaires Audemars Piguet. Il n'y en avait que trois assurant la vente et le service après-vente dans tous les États-Unis, le plus près de Los Angeles étant à Las Vegas. Bosch trouva deux numéros pour le service après-vente, puis reprit la liste des appels du livre du meurtre. 702 étant le préfixe de Las Vegas, débusquer des correspondances fut aussi facile que rapide : il y avait là deux appels ayant un lien avec le service après-vente. Le jeudi 5 février

– soit le jour même où Lexi Parks avait appelé la bijouterie Nelson Grant & Sons –, un appel y avait été passé de son bureau. Il avait duré six minutes. Et, quatre heures plus tard, le service après-vente avait rappelé le bureau de Lexi Parks, la conversation durant deux minutes.

Bosch se dit que tous ces coups de fil avaient un rapport avec la réparation de la montre. Il avait déjà sorti son portable et se préparait à appeler le premier numéro lorsqu'il décida d'attendre un peu. Il avait besoin de plus amples renseignements pour ne pas appeler au hasard.

Sur le rabat de la couverture du dossier, il dressa la chronologie des coups de fil passés et reçus par Lexi Parks. Le premier ayant été donné au service après-vente de Las Vegas, il supposa qu'elle avait demandé à y faire réparer sa montre.

Sauf que, à peine quatorze minutes plus tard, elle appelait aussi Nelson Grant & Sons, soit la bijouterie où son mari l'avait achetée, l'échange ne durant que soixante-dix-sept secondes.

Et quatre heures plus tard, quelqu'un du service après-vente de Las Vegas la rappelait à son bureau, la conversation durant cette fois deux minutes et deux secondes.

Bosch n'avait aucune idée de ce que tout cela pouvait bien vouloir dire, ni même si cela avait un rapport quelconque avec le meurtre qui devait se produire quatre jours plus tard. Mais cela constituait une anomalie dans l'affaire et laisser filer sans avoir compris de quoi il retournait était hors de question. La montre ne figurait même pas dans les recherches entreprises par les enquêteurs du shérif. Ils ne voyaient rien depuis trop longtemps. C'était donc à lui de voir. Il décida de commencer par la bijouterie où le mari de la victime avait acheté la montre en bénéficiant d'un rabais plus qu'important. Après quoi, il irait se renseigner du côté du service après-vente.

Il rassembla tous les rapports en un tas qu'il égalisa et posa son ordinateur dessus. De retour à la cuisine, il se versa une nouvelle dose de café dans son mug de voyage et attrapa ses clés. Il allait franchir la porte pour passer de la cuisine à son auvent à voitures lorsqu'il entendit sonner le carillon de la porte de devant. Il reposa son café sur le comptoir et alla ouvrir.

Un homme et une femme se tenaient devant lui. L'un et l'autre en costume, ils étaient plutôt trapus, et l'homme portait une cravate. Pas un sourire et le regard était si froid qu'il reconnut en eux des flics avant même qu'ils ne se présentent.

— Monsieur Bosch ? demanda l'homme.

— C'est bien moi. Vous désirez ?

— Nous sommes enquêteurs au service du shérif. Je m'appelle Cornell et je vous présente l'inspectrice Schmidt. Nous aimerions vous parler si vous avez un moment.

— Bien sûr. J'ai un peu de temps.

Bosch ne faisant rien pour les inviter à entrer, il y eut un bref instant de gêne.

— Vous voulez faire ça ici ? Sur le pas de la porte ? reprit Cornell.

— Ce serait tout aussi bien. J'imagine que ça ira vite, non ? C'est pour hier, quand je suis passé à la maison, n'est-ce pas ?

— Travaillez-vous pour la défense dans l'affaire Parks ?

— Oui.

— Vous avez la licence obligatoire ?

— Je l'avais il y a une douzaine d'années de ça, mais elle n'est plus valide. J'en ai donc demandé le renouvellement et, en attendant, je travaille pour le compte d'un détective privé qui, lui, en a une en règle. J'ai une lettre d'embauche qu'il m'a signée et où tout cela est expliqué. Je travaille de façon parfaitement légale.

— Pouvons-nous jeter un coup d'œil à cette lettre, monsieur Bosch ?

— Naturellement. Je reviens tout de suite.

Il referma la porte et les laissa en plan. Puis il alla chercher la lettre de Haller et revint avec. Schmidt, qui n'avait toujours rien dit, la lui prit et la lut tandis que son collègue faisait la leçon à Bosch.

— C'est pas cool, ce que vous avez fait hier, lui lança Cornell.

— Et c'était quoi ?

— Vous le savez parfaitement. Vous vous êtes fait passer pour quelqu'un d'autre afin d'avoir accès à une scène de crime.

— Je ne vois pas de quoi vous voulez parler. Je suis allé visiter une maison qui était à vendre. Je songe à vendre celle-ci. J'ai une fille qui va passer quatre ans en fac et me servir de ce capital pour payer ses études ne sera pas du luxe.

— Écoutez, Bosch, je ne vais pas y aller par quatre chemins. Vous franchissez la ligne jaune encore une fois et ça ne restera pas sans conséquences. Cette fois-ci, je vous fais une fleur. On a vérifié et oui, vous étiez en règle. Autrefois. Plus maintenant.

— Allez vous faire foutre, Cornell. J'ai eu un aperçu de votre boulot dans cette affaire et c'est faiblard.

Schmidt lui rendait déjà sa lettre lorsque Cornell la lui arracha des mains avant même que Bosch puisse la reprendre.

— Tenez, dit-il, voilà ce que j'en pense, de votre lettre !

Et il glissa une main dans la veste de son costume, la passa à l'arrière de son pantalon et fit mine de s'essuyer le cul avec avant de la rendre à Bosch. Bosch ne la lui reprit pas.

— Mignon, dit-il. Classieux et futé, ça.

Puis il recula d'un pas de façon à pouvoir leur fermer la porte au nez. Cornell fit une boule de la lettre avec ses deux mains et la jeta sur Bosch au moment même où celui-ci refermait la porte. La lettre rebondit sur son torse et tomba par terre.

Bosch resta à écouter Cornell et Schmidt s'éloigner. Il se sentit rougir d'humiliation. S'ils avaient effectivement vérifié, tout le LAPD savait maintenant qu'il était passé de l'autre côté, celui des ténèbres. Peu leur importerait que pour lui, il y avait de fortes chances que le type qu'on accusait du meurtre de Lexi Parks soit innocent. Tout se résumerait au fait qu'il était, lui, Harry Bosch, devenu enquêteur pour un avocat de la défense.

Il appuya la tête contre la porte. Une semaine plus tôt, il était inspecteur du LAPD en retraite et voilà qu'il semblait avoir une tout autre identité. Il entendit la voiture des flics déboîter du trottoir. La tête toujours contre la porte, il attendit qu'ils soient partis, puis il s'en fut à son tour.

CHAPITRE 27

Bosch se gara devant la bijouterie Nelson Grant & Sons avant même qu'elle n'ouvre, vit s'allumer les lumières, puis, à 10 h 5, un jeune Asiatique arriva du fond du magasin et se baissa pour ouvrir la porte en verre. Une fois dehors, il installa un panneau pliant *Gestion de patrimoine* sur le trottoir et réintégra le magasin. Bosch but sa dernière gorgée de café et descendit de sa Cherokee. C'était le milieu de la matinée, la circulation était dense dans Sunset Boulevard, mais les trottoirs et les boutiques de Sunset Plaza étaient déserts. Ce haut lieu du shopping et de la restauration étant essentiellement fréquenté par des Européens, les affaires ne démarraient généralement pas avant l'heure du déjeuner.

Il n'y avait apparemment personne dans la boutique lorsque Bosch y entra et, ce faisant, déclencha le tintement sourd d'un carillon quelque part au fond de l'établissement. Quelques instants plus tard, l'homme qu'il avait vu sortit d'une pièce à l'arrière, la bouche pleine et la mâchoire en mouvement. Il prit place derrière la partie centrale des vitrines d'exposition du comptoir en U et leva un doigt en l'air pour lui demander de patienter une seconde. Il finit par avaler ce qu'il avait dans la bouche, sourit et demanda à Bosch ce qu'il désirait.

Bosch s'approcha du comptoir et se planta juste en face de lui.

— Est-ce que vous vendez des montres Audemars Piguet ? lui demanda-t-il.

— Audemars Piguet, répéta l'homme en prononçant ces mots d'une manière très différente de la sienne. Nous ne sommes pas concessionnaires de cette marque. Mais nous en vendons de temps en temps, à la faveur d'une vente de biens successoraux. Nous en avons eu deux l'année dernière, mais elles ont été vendues. Ce sont des pièces de collection et elles partent vite quand nous en avons.

— Ce sont donc des montres d'occasion.

— Nous préférons parler de montres successorales.

— Bien entendu. Des montres « successorales »... Vous savez, maintenant que vous me dites ça, je crois que c'est l'année dernière que je suis passé et vous en aviez une. Une montre de femme, vous voyez ? C'était quoi ? En décembre ?

— Euh, oui, je crois. C'est la dernière que nous ayons eue.

— Une Royal Oak, non ?

— Une Royal Oak Offshore, en fait. Vous êtes collectionneur, monsieur ?

— Collectionneur, moi ? Oui, d'une certaine façon. Et donc, j'ai un ami, Vincent Harrick, vous le connaissez... ? C'est bien lui qui a acheté cette Audemars en décembre dernier, n'est-ce pas ?

L'homme eut soudain l'air tout à la fois perdu et soupçonneux.

— Je ne suis pas autorisé à parler de nos clients, monsieur. Y a-t-il une montre que nous avons ici que je pourrais vous faire voir ? demanda-t-il en lui montrant tout le haut du comptoir en verre d'un geste de la main.

Bosch le regarda sans répondre. Quelque chose n'allait pas. Dès qu'il avait mentionné Harrick et parlé de la montre achetée en décembre, le bonhomme avait paru nerveux et jeté un coup d'œil furtif à la porte de la salle du fond derrière lui.

Bosch décida de pousser un rien les feux, histoire de jauger ses réactions.

— Et donc, qui est mort ? demanda-t-il.

— Mais de quoi parlez-vous ? lui renvoya l'homme d'une voix déjà presque suraiguë.

— Pour qu'il y ait vente de « biens successoraux », il faut que quelqu'un soit mort, vous ne trouvez pas ?

— Non, ce n'est pas toujours le cas. Il y a toujours des gens qui, pour x ou y raison, décident de vendre leur collection de bijoux. Leurs montres. Et c'est considéré comme des biens de succession.

Sur quoi il se tourna légèrement et regarda de nouveau du côté de la porte du fond.

— C'est M. Grant qui est là-bas ? lui demanda Bosch.

— Qui ?

— Nelson Grant. Il est là-bas ?

— Il n'y a pas de Nelson Grant, monsieur. C'est juste un nom sur un panneau. C'est mon père qui l'a inventé quand il a ouvert le magasin. C'est que les gens auraient du mal à prononcer notre nom.

— Votre père est-il là-bas derrière ?

— Non, il n'y a personne là-bas derrière et il y a longtemps que mon père a pris sa retraite. Je dirige la maison avec mon frère. De quoi s'agit-il exactement, monsieur ?

— D'un meurtre. Comment vous appelez-vous, monsieur ?

— Je n'ai pas à vous donner mon nom. Et je vais devoir vous demander de partir tout de suite à moins que vous ne vouliez procéder à un achat.

— Vraiment ? lui renvoya Bosch en souriant.

— Oui, vraiment. Je vous en prie, partez.

Bosch vit un réceptacle à cartes de visite professionnelles posé sur la vitrine à sa droite. Il s'en approcha sans se presser et prit la carte du dessus. Deux noms y étaient portés. Les deux frères. Il les lut à haute voix.

— Peter et Paul Nguyen. C'est comme ça que ça se prononce ? Comme dans « nuit-hein » ?

— Oui, mais je vous prie de partir. Maintenant.

— Ça, je comprends pourquoi le papa a choisi Grant. Et vous, c'est Peter ou c'est Paul ?

— Pourquoi avez-vous besoin de savoir ça ?

— Eh bien mais… parce que je mène une enquête.

Il sortit son portefeuille et lui montra sa carte du LAPD. Il la leva bien haut et la tint serrée entre deux doigts, l'index stratégiquement posé sur les mots *en retraite*. Il s'était entraîné en se regardant dans la glace posée sur la commode de sa chambre.

— Bon, d'accord, et un badge, hein ? lui renvoya le jeune homme. Vous n'avez pas de badge ?

— Je n'en ai pas besoin pour vous poser quelques questions simples… si vous êtes d'accord pour coopérer.

— Tout ce que vous voudrez pourvu qu'on en finisse au plus vite.

— Bien. Et donc, vous, c'est quoi ? Peter ou Paul ?

— Peter.

— OK, Peter, et si vous regardiez ça ?

Bosch ouvrit les archives photographiques de son portable, fit vite monter la photo de Lexi Parks qu'il avait trouvée dans un des articles du *Los Angeles Times* consacrés à son assassinat, et la lui montra.

— Reconnaissez-vous cette femme ? lui demanda-t-il. Est-elle venue dans ce magasin au début de cette année ?

Nguyen hocha la tête comme s'il était complètement perdu.

— Vous avez une idée du nombre de personnes qui sont passées ici depuis le début de l'année ? dit-il. Et en plus, je ne suis même pas là tout le temps. Mon frère et moi avons des employés. Il est impossible de répondre à votre question.

— Elle a été assassinée.

— J'en suis désolé, mais cela n'a rien à voir avec ce magasin.

— Elle a téléphoné ici quatre jours avant d'être tuée. En février dernier.

L'homme donna l'impression de se figer, sa bouche dessinant un O alors qu'il se rappelait quelque chose.

— Quoi ? lui lança Bosch.

— Maintenant ça me revient. Les services du shérif nous ont appelés pour ça. Une inspectrice. Elle nous a posé des questions sur cette femme qui a été tuée et sur le coup de fil.

— S'appelait-elle Schmidt ? Que lui avez-vous dit ?

— Je ne me rappelle pas son nom. J'ai dû vérifier avec mon frère pour savoir qui était de service ici le jour en question. Il m'a dit que la femme qui avait appelé voulait savoir comment elle pouvait faire réparer sa montre et il lui a dit d'aller voir la marque sur le Net et de contacter les gens qu'il fallait. Nous ne réparons pas les montres. Nous ne faisons qu'en vendre, strictement.

Bosch le dévisagea. Ou bien il mentait ou bien c'était son frère qui lui avait menti. Le coup de fil était arrivé au magasin après que Lexi Parks avait appelé le service après-vente Audemars Piguet de Las Vegas. Il était donc peu probable qu'elle ait téléphoné pour savoir comment faire réparer sa montre. Elle avait appelé pour une autre raison et cette raison, ce type et son frère la cachaient.

— Où est votre frère ? reprit Bosch. Je vais avoir besoin de lui parler.

— Il est en vacances.

— Jusqu'à quand ?

— Jusqu'à ce qu'il revienne. Écoutez, nous n'avons rien fait de mal. C'est Paul qui a décroché et il lui a dit ce qu'il fallait faire.

— Ça, c'est un mensonge, Peter, et nous le savons tous les deux. Et dès que j'aurai compris pourquoi vous mentez, je reviendrai vous voir. Enfin… à moins que vous vouliez vous épargner pas mal d'ennuis et que vous me disiez tout tout de suite.

Nguyen le regarda, mais garda le silence. Bosch essaya autre chose.

— Et s'il faut que j'y mêle votre père, je n'hésiterai pas.

— Mon père est mort. Et quand il est mort, cette affaire ne valait plus rien. C'est mon frère et moi qui avons tout remonté.

Et d'un grand geste du bras, il lui montra les vitrines d'exposition avec tous les bijoux qui y brillaient. C'est alors qu'un autre client franchit la porte et s'approcha nonchalamment de celles de droite. Il portait un chapeau à large bord et se pencha pour mieux voir les pièces exposées.

Bosch lui jeta un bref coup d'œil, puis revint sur Nguyen.

— J'ai un client, lui dit celui-ci. Vaudrait mieux partir maintenant.

Bosch glissa une main dans sa poche pour en sortir une carte de visite. Elle était vieille et remontait à l'époque où il travaillait encore pour le LAPD. Il y avait effacé le numéro de l'unité des Affaires non résolues et l'avait remplacé par son portable. Il y avait aussi gribouillé les mots « en retraite », mais de manière quasi illisible au cas où elle tomberait dans de mauvaises mains et où quelqu'un voudrait s'en servir contre lui.

Il la posa sur le comptoir, devant Nguyen.

— Réfléchissez, reprit-il. Faites en sorte que votre frère m'appelle avant qu'il ne soit trop tard.

Et il regagna sa voiture. Il n'avait recueilli aucun renseignement fiable dans ce magasin, mais il avait le sentiment d'avoir beaucoup agacé quelqu'un et, qui sait, d'avoir réveillé quelque chose de potentiellement plus important : le doute. Il approchait du nœud du problème, il le sentait. De l'endroit où Lexi Parks avait marché sur un fil-piège qui avait entraîné sa mort.

Il s'assit au volant, mais ne mit pas le contact et réfléchit à la suite. Il prit son mug de café, puis se rappela qu'il l'avait fini. Pour la première fois il se rendit compte à quel point il était libre de suivre son instinct et de jeter ses filets où bon lui semblait. Son instinct, il en avait certes fait usage lorsqu'il était dans la police, mais il y avait toujours un lieutenant, parfois un capitaine, à qui rendre des comptes et dont quêter l'approbation. Il y avait des règles de procédure et des règles d'établissement de la preuve. Il y avait le collègue et la division du travail. Il y avait le budget et le fait que, tout le temps et sans que jamais cela ne perde en intensité, chacun des actes qu'il accomplissait, chaque mot qu'il écrivait, tout était analysé, voire retourné contre lui.

Il n'avait maintenant plus aucun de ces fardeaux à porter et là, pour la première fois, il le comprit et sentit tout ce que cela changeait pour lui. Sa petite voix lui dit que la montre dont il ne pouvait même pas prononcer correctement le nom était au cœur du problème. Nguyen s'était conduit de manière si fuyante à la bijouterie – alors que c'était son territoire et sa zone de confort – que la piste ne pouvait pas être ignorée. Il envisagea d'attendre le départ du client pour retourner au magasin et y pousser encore un peu Nguyen dans ses retranchements, ou de rester là pour voir si le frère allait se pointer. Mais il finit par décider de profiter de la liberté qu'il avait de suivre son instinct sans avoir à obtenir d'autorisation ou une quelconque approbation.

Il mit le contact et déboîta du trottoir.

CHAPITRE 28

Long remonta dans la voiture et regarda Sunset Boulevard.

— Où est-il passé ? demanda-t-il.

— Probable qu'il est rentré chez lui. Qu'est-ce que dit Nguyen ?

— Bosch a posé des questions sur la montre et sur les appels de Parks. Nguyen a joué les innocents en disant que c'était son frère qui gérait ça. Mais il est clair que Bosch va revenir. Ça commence à devenir sérieux, collègue. Il se rapproche.

Ellis réfléchit. Il n'avait toujours pas mis le contact.

— Quoi d'autre ? demanda-t-il.

— Il dit que c'est tout. Je lui foutais la trouille. S'il y avait eu plus, il aurait lâché.

Ellis tendit la main vers la clé de contact, mais s'arrêta.

— Et où il est, son frère, bordel ?

— Il dit ne pas savoir. Il pense qu'il est au Mexique.

— Qu'as-tu entendu quand tu es entré ?

— Seulement la fin. Bosch ne marchait pas dans ce que lui racontait Nguyen, ça, c'est sûr. Je crois qu'on devrait arrêter. Complètement. Ce n'est pas une mesure de précaution comme avec le motard. Il touche au but.

— Il faudrait attendre que les frères soient ensemble. Cette histoire de Mexico, c'est du bidon.

— Ce que je me disais… Tu veux attendre ?

Ellis ne répondant pas, le silence se fit dans l'habitacle. Mais Long finit par insister.

— Bon alors, quand ?

— Regarde ton portable. Où Bosch est-il parti ?

— Tu n'as pas dit qu'il rentrait probablement chez lui ?

— Si, mais vérifie quand même.

Long ouvrit l'application de son portable. Il lui fallut quelques instants pour localiser Bosch.

— En fait, il descend La Cienega Boulevard vers la I-10.

— Ce qui veut dire qu'il pourrait aller n'importe où.

Ellis mit le contact et démarra la voiture.

— Bon, qu'est-ce qu'on fait ? demanda Long. On l'élimine et ça met fin au problème ?

— C'est pas aussi facile, répondit Ellis en hochant la tête. Il a des amis. Et s'il perd un deuxième enquêteur dans cette affaire, Haller va se poser des questions et on n'a pas besoin de ça.

Il jeta un coup d'œil dans son rétroviseur et s'apprêtait à déboîter du trottoir lorsque Long lui lança :

— Y a un moment où on n'aura plus le choix.

— Peut-être, lui répondit Ellis. Mais on n'y est pas encore.

C'est alors qu'il vit une silhouette familière traverser Sunset Boulevard et ajouta :

— Tout vient à point à qui sait attendre. Voilà le frangin.

— Où ça ?

— Derrière nous. Il va au magasin. Je savais bien que c'était un mensonge.

Ellis coupa le moteur. Que les deux frères soient ensemble changeait tout.

CHAPITRE 29

De Sunset Boulevard, Bosch prit La Cienega plein sud, direction la I-10. Il s'arrêta pour faire le plein et dut presque aussitôt, et péniblement, se frayer un chemin vers l'est et les tours de verre et de pierre du centre-ville. Il ne sortit des encombrements qu'après l'avoir dépassé et gagna la I-15, où la voie jusqu'à Las Vegas fut enfin libre. Il avait décidé de suivre la piste de la montre physiquement plutôt que par téléphone. Badge ou pas, il savait que la meilleure façon d'obtenir des renseignements est d'aller les chercher en personne. Il est bien plus facile de raccrocher un téléphone que de fermer la porte au nez de quelqu'un.

Sans compter qu'il avait besoin de réfléchir et de mettre tout à plat, et il savait que les grands espaces du désert l'aideraient à s'ouvrir l'esprit à toutes les nuances et possibilités de l'enquête. C'est pour ça qu'il préférait toujours prendre la voiture plutôt que l'avion pour rejoindre La Mecque du jeu en plein cœur du Nevada.

Arrivé à mi-chemin, il décida d'appeler Haller. Il ne l'avait ni vu ni n'avait eu de ses nouvelles depuis leur balade entre les tombes. Son appel passant sur la boîte vocale, Bosch l'informa qu'il était en route pour Vegas et avait le temps de bavarder.

Vingt minutes plus tard, Haller le rappela. Il sortait d'une audience ayant trait à une autre affaire.

— Las Vegas ? dit-il. Qu'est-ce qu'il y a à Las Vegas ?

— Je n'en suis pas très sûr. C'est juste une idée. Tu seras le premier averti si ça ne mène à rien.

— Tu ne pouvais pas appeler là-bas ? Ça fait quatre heures de route, quand même !

— On peut toujours appeler… à condition de savoir qui. Mais parfois, ton intuition te dit de prendre le volant.

— Très zen, ça, Harry.

— Non, ça serait plutôt « Homicides-principe de base ».

Il traversait déjà Primm, à la frontière du Nevada. Il arriverait à destination dans une heure.

— Bon alors, *quid* de la vidéo du cimetière ? reprit-il.

— J'ai un pro qui y travaille aujourd'hui même. Tout ce que j'en tirerai sera pour toi.

— OK.

— Ton petit pas de deux à la maison du meurtre vient de faire des vagues. Les shérifs se sont plaints au district attorney, qui s'est plaint au juge. Je dois passer le voir en son cabinet aujourd'hui même pour m'expliquer.

— Merde. Je suis vraiment désolé. Tu veux que je vienne ? Je fais demi-tour et…

— Non, je ne veux surtout pas de toi dans le coin. En fait même, je suis très content que tu sois à Vegas. Ça va me servir d'excuse et je vais m'en sortir. Je connais ce juge. C'est un ancien avocat de la défense, il aura pitié de moi. Je lui dirai qu'il n'y a plus moyen d'avoir des enquêteurs à la hauteur.

Bosch sourit. Il était sûr que Haller souriait lui aussi.

— C'est ça. Dis-lui que je ne savais pas ce que je faisais, que pour moi, tout ça, c'est nouveau.

— Absolument.

Ils ne parlèrent plus de l'affaire et passèrent à leurs filles et à leur cérémonie de remise des diplômes. Haller suggéra de leur faire un cadeau commun – une croisière le long de la côte ouest du Canada jusqu'en Alaska, où elles pourraient faire du traîneau dans les glaciers afin de mieux se connaître avant de devenir colocataires à Chapman à l'automne. Bosch se sentit dépassé – il n'avait même pas pensé à faire un cadeau à sa fille. Il ne s'était pas rendu compte que c'était nécessaire.

Il finit par être d'accord avec l'idée de la croisière et Haller l'informa qu'il s'en occuperait. Il avait une agence de voyage avec laquelle il travaillait. Ils se dirent au revoir, Bosch retrouvant le fil de ses pensées sur l'affaire et se préparant pour son arrivée à destination.

***

Cela faisait longtemps qu'il n'était pas venu à Las Vegas pour une affaire et une fois encore il découvrit de nouveaux casinos, de nouveaux sens interdits et de nouvelles mecques du shopping : la ville s'était complètement redéfinie. Le service après-vente d'Audemars Piguet se trouvait dans un nouveau centre commercial du Strip. Il faisait partie d'un énorme complexe en verre de casinos, d'hôtels, de bâtiments commerciaux et de structures résidentielles qui écrasait tout alentour. Et tout cela s'était construit depuis la dernière fois qu'il était venu. Il fit deux fois le tour de l'ensemble – cela lui prit un quart d'heure à cause de la circulation – avant de trouver l'entrée d'un parking. Et, quelques instants plus tard, il se retrouva en train de marcher dans un centre commercial truffé des magasins les plus chics qu'il ait jamais vus, même à Rodeo Drive, en plein Beverly Hills.

Le magasin Audemars Piguet n'était qu'une seule et même vitrine en bois et verre où chaque montre avait droit à un piédestal. Un garde tout ce qu'il y a de plus spécialiste de la sécurité avec son oreillette style service secret se tenait à l'entrée. Il portait un costume plus beau que tout ce que Bosch avait jamais possédé. Assise à un bureau, une femme qui donnait l'impression de s'être habillée pour une soirée à l'opéra lui souhaita la bienvenue avec un sourire plein de sincérité. Elle était trop intelligente pour le juger à son jean et à sa veste de sport en velours. Les flambeurs de

Vegas choisissent souvent de cacher leur richesse sous des dehors fripés. Bosch avait au moins ça pour lui. Il se sentit tout heureux que la manche de sa veste soit assez longue pour que personne ne remarque la Timex qu'il portait au poignet droit.

— Il y a une autre entrée pour le service après-vente ? demanda-t-il.

— Non, le service après-vente est ici même dans notre salle d'exposition, lui répondit gaiement la femme. Vous venez reprendre une montre ?

— Pas exactement. Je me demandais... Y a-t-il un responsable du service après-vente à qui je pourrais parler ? J'aurais besoin de lui poser des questions sur une montre qui est arrivée ici pour réparation au début de l'année.

La femme plissa le front, ses sourcils dessinant des angles de 45 degrés.

— Je vais vous chercher M. Gerard, dit-elle.

Elle se leva et disparut dans un couloir derrière son poste. Bosch attendit en examinant les modèles exposés et en sentant le regard du garde sur sa nuque.

— Monsieur ?

Bosch se retourna et découvrit un homme debout près d'un des comptoirs. Costume, cravate, grande barbe – peut-être pour rattraper ce qui lui manquait de cheveux sur le crâne – et lunettes équipées d'une loupe amovible sur le verre droit.

— Vous désirez ?

— Oui, j'aimerais vous interroger sur une montre qui, je crois, vous a été envoyée en réparation au début de l'année.

— Je ne suis pas très sûr de comprendre. Vous êtes le propriétaire de cette montre ?

Il parlait avec un accent que Bosch n'arrivait pas vraiment à identifier. Européen, assurément. Peut-être suisse, ou allemand.

— Non, cette montre ne m'appartient pas. Je suis enquêteur à Los Angeles et j'essaie de la localiser et d'en savoir un peu plus sur elle.

— La requête est plutôt inhabituelle. Vous êtes de la police ?

— Je viens de prendre ma retraite du LAPD et l'on m'a demandé de m'occuper de cette affaire. Où il y a eu meurtre.

À ces mots, le visage de l'homme ne fut plus que soupçons.

— « Où il y a eu meurtre », répéta-t-il.

— Oui, j'étais inspecteur aux Homicides. Si cela vous inquiète de me parler, je peux vous donner les noms et les numéros d'inspecteurs du LAPD qui pourront vérifier et se porter garants de mon identité.

— Vous voulez bien me montrer vos papiers ?

— Bien sûr.

Bosch prit son portefeuille et en sortit sa carte du LAPD. Cette fois, il n'eut pas besoin d'essayer de cacher qu'il était en retraite.

— De quelle montre parlez-vous ? reprit l'homme en lui rendant sa carte.

— Vous êtes M. Gerard ?

— Oui, Bertrand Gerard. Je suis chef des ventes et du service après-vente de ce magasin. Qui est la personne qui a été assassinée ?

— Une certaine Alexandra Parks. Ça s'est passé en février. Avez-vous entendu parler de cette affaire à Las Vegas ?

L'homme hocha la tête comme s'il ne savait pas trop ce qu'il venait d'entendre. Bosch n'eut pas l'impression que le nom de Lexi Parks lui disait quelque chose.

— L'affaire est très importante à Los Angeles, reprit Bosch, mais il se peut que cette dame se soit servie du nom de son mari pour tout ce qui concerne cette montre. Son époux se nomme Harrick.

Bosch eut enfin droit à une réaction. Pas du genre alerte générale, mais on reconnaissait, c'était clair.

— Vous connaissez cette dame ?

— Je reconnais le nom, répondit Gerard. Mais je ne savais pas ce qui est arrivé. Son téléphone a été coupé et comme la propriétaire d'origine ne voulait plus sa montre... Bref, nous l'avons toujours ici.

Bosch marqua une pause. Gerard venait de lui révéler quelque chose qu'il ignorait ou n'avait toujours pas compris. Il voulait que le bonhomme continue de parler, mais redoutait le faux pas qui risquait de mettre fin à sa coopération.

— La « propriétaire d'origine » ? répéta-t-il pour voir. Pourquoi ne voulait-elle plus récupérer sa montre ?

— Enfin, techniquement parlant, ce n'était pas une femme, dit Gerard. L'acheteur était un homme, mais il en avait fait l'acquisition pour sa femme. Qui vous a demandé de vous occuper de cette affaire ?

Le faux pas était là. Bosch regarda autour de lui. Il devait changer d'approche.

— Monsieur Gerard, avez-vous un bureau ou un endroit où nous pourrions parler en privé ?

Ce fut à Gerard de marquer une pause – il fallait décider jusqu'où il était prêt à se laisser embarquer dans l'affaire.

— Oui, dit-il enfin. Si vous voulez bien me suivre...

Gerard adressa un signe au garde – tout allait bien –, conduisit Bosch jusqu'à la porte derrière les vitrines et le fit passer devant lui.

Il avait un petit bureau en retrait d'une arrière-salle plus grande et équipée d'un établi avec une étagère pleine de petits outils. Contre le mur du fond se dressait un coffre-fort qui allait du sol au plafond et abritait probablement tout le stock du magasin. Il n'y avait personne dans cette arrière-salle. Avec la loupe attachée à ses lunettes, cela disait clairement que Gerard dirigeait l'affaire, en plus d'être le technicien qui réparait et réglait les montres.

Il s'assit derrière un bureau parfaitement propre et feuilleta un agenda type « en un coup d'œil ». Il remonta en arrière jusqu'au moment où il trouva un nom ou une note, puis il ouvrit un tiroir et en sortit un dossier contenant une montre enfermée dans une enveloppe matelassée. Il déclipsa l'enveloppe, en ôta la montre, la posa soigneusement sur son bureau et ouvrit le dossier.

— Cette montre nous a été envoyée pour réparation par Alexandra Harrick, dit-il. Elle nous l'a expédiée de West Hollywood, Californie, mais ça, vous le savez déjà.

— Oui, dit Bosch.

Gerard s'étant mis à parler, Bosch se tut autant qu'il était possible de le faire par peur de mentionner quelque chose qui le freinerait dans ses révélations.

— Notre site Web précise la manière dont il faut procéder pour faire nettoyer ou réparer une montre, reprit Gerard.

— Qu'avait-elle de défectueux ? demanda Bosch en regrettant aussitôt d'avoir parlé.

Gerard s'empara de la montre et en fit le tour du cadran avec son doigt.

— Le verre était fissuré, dit-il. Aucune explication ne nous a été fournie. Mais il s'agissait d'une réparation simple. Le seul problème était d'avoir le verre. J'ai dû le commander en Suisse, ce qui a pris une dizaine de jours.

Il leva les yeux de la montre et regarda Bosch : il attendait que celui-ci lui pose une autre question. Bosch venait de briser le rythme de la conversation et devait absolument essayer de le relancer.

— Quand la montre vous a-t-elle été envoyée ? demanda-t-il.

Gerard consulta les notes consignées au dossier.

— Reçue le 2 février, lut-il. Expédiée par Federal Express.

Bosch nota la date – une semaine avant l'assassinat d'Alexandra Parks.

— C'est à ce moment-là que nous l'avons reçue, enchaîna Gerard, et nous notons tout. Cela dit, je n'ai ouvert l'écrin pour examiner son contenu que trois jours plus tard… soit le 5.

— Que s'est-il passé alors ?

— Eh bien, toutes nos pièces sont enregistrées à l'achat. En cas de revente, elles peuvent être réenregistrées par le nouvel acquéreur, ce qui lui permet de bénéficier de notre service après-vente. Ce qui s'est produit, c'est que cette montre n'avait pas été enregistrée sous le nom de Harrick. Elle était toujours au nom du premier acheteur.

— C'était pour un cadeau, fit remarquer Bosch. Elle a été achetée d'occasion, lors d'une vente de patrimoine.

— Le problème, c'est qu'il se trouve que cette montre, je la connaissais déjà. Parce que c'est moi qui l'ai vendue à son premier propriétaire.

Sur quoi il se tut, Bosch ne sachant pas trop quoi lui demander ensuite. Quoi qu'elle cache, l'histoire de cette montre laissait Gerard assez perplexe, voire l'agaçait d'une manière qu'il ne disait toujours pas. Et Bosch avait besoin qu'il le fasse.

— C'est donc vous qui l'avez vendue en premier et vous ne saviez pas qu'elle avait été revendue ?

— Exactement.

— À qui l'avez-vous vendue en premier ?

— Ça, je ne peux pas vous le dire. Nous avons une politique de confidentialité qui ne nous permet pas de révéler le nom de nos clients. Les gens qui achètent ces montres s'attendent à cette confidentialité, et l'obtiennent à cent pour cent.

— Bien, mais qu'avez-vous fait ensuite ?

— Ce premier acquéreur m'avait acheté deux montres en trois ans. C'était un collectionneur et il les avait achetées pour lui et pour sa femme. Et, pour autant que je le sache, il les avait toujours toutes les deux, sauf que là, cette montre m'arrivait de quelqu'un d'autre. J'ai donc pris l'initiative d'appeler le premier acquéreur chez lui pour vérifier que ce nouvel achat était légal.

Gerard s'était mis à raconter son histoire en s'arrêtant régulièrement afin que Bosch le pousse à poursuivre. C'était le signe qu'il répugnait à parler, Bosch le savait d'expérience. Cela arrivait souvent à des gens qui, totalement innocents ou n'ayant rien à y voir, se voient poser des questions sur un assassinat.

— Que vous a-t-il dit ?

— Ce n'est pas à lui que j'ai parlé en premier. C'est sa femme qui a décroché. Je lui ai demandé de me passer son mari, mais il n'était pas là.

— C'est donc à elle que vous avez parlé.

— Je ne me sentais pas de l'alarmer inutilement. Je me suis présenté et lui ai dit que j'appelais pour voir s'ils étaient toujours contents de leurs montres et si je pouvais faire plus pour eux. Nous offrons un nettoyage gratuit à nos clients. Ils n'ont que les frais de port et d'assurance à régler.

— C'était astucieux. Que vous a-t-elle répondu ?

— Elle m'a répondu que les deux montres qu'ils m'avaient achetées avaient été volées.

— « Volées » ? répéta Bosch.

— Oui, ils ont été cambriolés. Elle était à Paris et elle n'emportait jamais sa montre en voyage de peur qu'on la lui dérobe. La montre était donc chez elle, avec son mari qui était resté aux États-Unis parce qu'il avait du travail. Un jour, quelqu'un est entré chez eux par effraction pendant qu'il était sorti et tous leurs bijoux ont disparu.

— Vous a-t-elle dit à quel moment ça s'est passé ?

— À peine quelques mois plus tôt. Mais elle ne m'a pas donné de date précise.

— Habitent-ils ici, à Las Vegas ?

Gerard hésita, puis décida qu'il pouvait lui révéler leur lieu de résidence sans trahir la politique de confidentialité de son établissement.

— Ils habitent à Beverly Hills, dit-il.

— Bien. Avez-vous informé cette dame que vous aviez sa montre au magasin ?

Gerard hésita de nouveau et Bosch commença à comprendre le pourquoi de son embarras.

— Pas exactement, répondit Gerard. C'est au mari que je voulais parler, voyez-vous ? Techniquement parlant, mon client, c'était lui. J'ai donc demandé à sa femme de lui dire de m'appeler.

Et je l'ai informée que j'avais peut-être localisé une de leurs montres.

— C'est comme ça que vous avez formulé la chose ?

— Oui. Je ne lui ai pas dit que je l'avais en ma possession.

— Et le mari vous a appelé ?

— Oui, l'après-midi même. Pour me raconter une histoire totalement différente. Il m'a dit que les montres n'avaient pas du tout été volées. Ça, c'était ce qu'il avait raconté à sa femme parce que en fait il les avait vendues avec tous leurs bijoux sans qu'elle le sache. Il était inquiet et gêné, mais il a fini par reconnaître qu'il avait eu des problèmes de liquidités et avait dû les vendre pour régler des dettes de jeu dont il ne voulait pas que sa femme ait connaissance.

— C'est donc pour ça qu'il avait inventé l'histoire du cambriolage ?

— Exactement.

— Vous saviez que c'était un flambeur ?

— Je ne le connaissais ni d'Ève ni d'Adam, mais bon... Il habite à Beverly Hills et ici, c'est Las Vegas. Comme il payait toujours ses achats en liquide, je pensais bien que s'il venait ici, ça n'était pas que pour y acheter des montres.

— Comment gagne-t-il sa vie ?

— Il est médecin, mais dans quel domaine, je ne sais pas.

Bosch réfléchit. Si cette histoire était vraie, cette piste inexplorée était maintenant close et n'avait apparemment rien à voir avec l'assassinat de Parks. Ce n'était qu'un bizarre à-côté qui lui avait fait perdre son temps. Il se demanda si sa déception se voyait.

— Vous a-t-il dit où il a vendu ces montres, ou à qui ?

— Non. Je ne le lui ai pas demandé. Nous n'avons pas beaucoup parlé. Il voulait juste être sûr que je sache que les renseignements que m'avait donnés sa femme étaient faux. Il m'a demandé si j'avais appelé la police et je lui ai répondu que non. Que je voulais d'abord en parler avec lui.

Bosch acquiesça d'un hochement de tête et le regarda. Gerard avait toujours l'air mal à l'aise, comme si l'histoire qu'il racontait ne le libérait pas complètement de ce qui le chagrinait.

— Y a-t-il autre chose, monsieur Gerard ? lui demanda-t-il.

— Autre chose ?

— Oui, plus que cette histoire. Avez-vous laissé quelque chose de côté ?

— Euh, non, c'est tout ce qu'il m'a dit.

— Mais... avez-vous appelé la police ?

— Non, bien sûr que non. Je ne lui ai pas menti sur ce point.

— Et Mme Harrick ? Lui avez-vous parlé de tout ça ?

Gerard détourna les yeux et regarda ses mains sur le bureau, Bosch comprenant aussitôt qu'il pensait à quelque chose.

— Vous lui avez parlé, répéta-t-il.

Gerard se tut.

— Lui avez-vous dit qu'à votre avis sa montre avait été achetée de façon frauduleuse ?

Gerard acquiesça sans lever la tête.

— Il se trouve qu'elle a appelé entre le moment où je venais de parler à l'épouse du premier acquéreur et celui où lui... le médecin... m'a rappelé. Mme Harrick voulait savoir si sa montre avait été réparée. Je lui ai donc dit que nous l'avions reçue et que je venais de commander le verre. Puis je lui ai demandé où la montre avait été achetée. Elle m'a donné le nom d'une bijouterie de Los Angeles et m'a appris qu'elle faisait partie d'une vente de patrimoine.

— Nelson Grant & Sons ?

— Je ne me rappelle pas le nom du magasin.

— Que lui avez-vous répondu ?

— J'ai été honnête. Je lui ai répondu que la réparation serait rapide dès réception du verre, mais que je n'étais pas certain de pouvoir la faire parce qu'il y avait des doutes sur le propriétaire de la montre.

— Quelle a été sa réaction ?

— Eh bien, elle a été un peu choquée. Elle m'a dit que l'achat était légal, que c'était son mari qui l'avait acquise et qu'il était de la police. Elle a ajouté qu'elle n'aurait jamais acheté de la marchandise volée, qu'elle pourrait y perdre et son travail et sa réputation, et elle s'est beaucoup fâchée contre moi de sous-entendre une chose pareille. J'ai essayé de la calmer. Je me suis excusé, je lui ai dit que j'attendais de plus amples renseignements et l'ai priée de me rappeler un ou deux jours plus tard, quand j'en saurais plus.

Gerard finit par regarder Bosch. Il avait les yeux pleins de regret d'avoir passé cet appel.

— Et c'est là que le médecin vous a rappelé, reprit Bosch.

— Oui, il m'a rappelé, m'a raconté son histoire et m'a dit qu'il avait revendu la montre.

Il hocha la tête en se rappelant la pagaille qu'il avait semée.

— Avez-vous rappelé Mme Harrick pour le lui dire ?

— Oui, je l'ai fait, et bien sûr elle a été très en colère, mais je ne pouvais rien y faire. Il y a des gens qu'on ne peut pas apaiser. Je le sais bien, je suis vendeur au détail.

Bosch acquiesça. Tout cela lui faisait l'effet d'une impasse. Il lui montra la montre sur son bureau et lui posa sa dernière question.

— Pourquoi avez-vous toujours cette montre ?

Gerard la prit et la regarda. À ce moment précis, Bosch remarqua un petit gribouillage sur un Post-it jaune attaché au dossier. Il n'eut aucun mal à y lire un nom, même si celui-ci était à l'envers. *Docteur Schubert.* Y figurait aussi un numéro de téléphone avec l'indicatif 310, zone qui englobe Beverly Hills.

— Elle ne m'a pas fourni de moyen de paiement pour la réparation, dit Gerard. Quand le verre est arrivé, je l'ai installé et j'ai essayé de la contacter au numéro qu'elle m'avait donné pour l'envoi, mais la ligne avait été coupée. J'ai donc gardé la montre et attendu qu'elle me rappelle. Et après, honnêtement, j'ai oublié. J'avais d'autres choses à faire et j'ai oublié. Et voilà que vous me dites que cette dame est morte… assassinée.

Bosch acquiesça. Parks avait donc noté son numéro de portable sur l'emballage de la montre qu'elle avait envoyée. Et lorsque Gerard l'avait appelée, Harrick avait déjà résilié la ligne après la mort de sa femme.

— Tout cela est terrible, reprit Gerard.

— Terrible, en effet.

Gerard hocha la tête, reposa la montre sur le bureau et, timidement, demanda : « Cette montre est la raison de sa mort ? » comme s'il redoutait la réponse à sa question.

— Je ne crois pas, lui répondit Bosch.

Gerard reprit la montre et la remit dans l'enveloppe matelassée. C'est alors que Bosch remarqua quelque chose au dos de l'Audemars.

— Permettez que je la regarde un instant ?

Gerard la lui tendit. Harry la retourna et y lut cette inscription :

Vince et Lexi
Pour toujours plus un jour

Il remballa la montre et la reposa sur le bureau.

— Encore une question et je vous lâche, dit-il.

— Allez-y, je vous en prie.

— Pourquoi pensez-vous qu'elle vous l'a envoyée comme ça... dans cette enveloppe matelassée ? Comment se fait-il qu'elle ne vous l'ait pas expédiée dans son écrin ?

Gerard haussa les épaules.

— Pourquoi ? Il y en avait un ?

Bosch acquiesça.

— Oui, dans sa penderie. Avec le reçu du magasin où son mari l'avait achetée. L'écrin était toujours là, mais elle ne vous a pas envoyé la montre dedans.

Gerard haussa de nouveau les épaules.

— Trop encombrant ? suggéra-t-il. Il était peut-être plus facile de l'emballer et de l'envoyer dans une enveloppe Federal Express. Je me rappelle que c'est comme ça que nous l'avons reçue. Il n'y a rien d'inhabituel à ce que nos clients nous envoient leurs bijoux de cette façon.

Des raisons, il aurait pu y en avoir beaucoup, Bosch le savait. La seule personne qui connaissait la vraie étant morte, la question resterait sans réponse.

— Et le prix ? Le mari l'a achetée d'occasion pour six mille dollars. C'était une bonne affaire ?

Gerard fronça les sourcils.

— Nos pièces nous viennent du monde entier, dit-il. Elles gardent leur valeur, certains modèles en acquérant même encore plus avec le temps. Oui, c'était une bonne affaire. Une très bonne affaire même. Le genre d'affaire qui pousse à la vente immédiate.

Bosch acquiesça.

— Merci, monsieur Gerard.

CHAPITRE 30

Le saxo ténor de Kamasi Washington montait des haut-parleurs, le désert brûlé de soleil filait des deux côtés de l'autoroute, et Bosch, lui, réfléchissait à l'affaire en roulant vers Los Angeles.

Il adorait ces moments de solitude où il pouvait se concentrer et penser à un dossier. Il divisait toujours ses pensées en trois domaines à la logique bien distincte : ce qu'il savait, ce qu'il pouvait supposer et ce qu'il voulait savoir. C'était toujours ce dernier domaine qui était le plus étendu.

En surface, ce voyage à Las Vegas pour étudier la piste de la montre manquante avait tout l'air d'un échec. La montre était retrouvée et les explications données par Bertrand Gerard semblaient plausibles. Cela dit, Bosch n'était toujours pas vraiment prêt à l'oublier dans son enquête. L'appel que Parks avait passé à Nelson Grant & Sons le chagrinait toujours pour la simple et bonne raison que Peter Nguyen s'était montré évasif et peu coopératif. Harry décida de réessayer avec lui – et son frère, si c'était possible – et de parler avec le docteur Schubert afin de comparer sa version des faits avec celle de Gerard. Simple stratégie d'élimination des fausses pistes afin de couvrir toutes les bases.

Il quittait le Strip de Las Vegas et s'engageait sur la grand-route lorsqu'il repensa à la victime. Alexandra Parks était une figure publique. Au nombre de ses devoirs se trouvait celui de gérer la protection des consommateurs de West Hollywood. Il aurait donc été fort embarrassant, voire menaçant pour son poste, qu'elle porte une montre volée. Bosch se demanda ce qu'elle avait fait entre le moment où Gerard lui avait laissé entendre que c'était peut-être ce qu'elle était en train de faire et celui où il l'avait rappelée pour lui dire qu'il s'agissait d'une fausse alerte. Il savait qu'elle avait téléphoné à Nelson Grant & Sons, mais... qui d'autre avait-elle appelé ? Son mari le shérif adjoint, l'homme qui lui avait fait cadeau de la montre ?

Il décida de jeter un deuxième coup d'œil au relevé des appels consigné au livre du meurtre dès qu'il arriverait à Los Angeles. Il avait encore du travail à faire avant de pouvoir affirmer que la montre n'avait aucune importance dans l'affaire.

Il retraversait lentement Primm, le dernier endroit où flamber avant la frontière de l'État de Californie, lorsqu'il reçut un appel. Il vit s'inscrire la mention *Correspondant inconnu* sur l'écran de son portable, mais prit l'appel : il était plus que probable que ce soit un flic.

— Harry, dis-moi que c'est pas vrai !

— Qui est à l'appareil ?

— Tim Marcia. On raconte partout que t'es passé de l'autre côté.

Marcia avait travaillé avec lui à l'unité des Affaires non résolues. Il se battait toujours pour la bonne cause et s'il était quelqu'un qui méritait une explication, c'était bien lui.

— Pour un temps seulement. Et c'est pour les services du shérif, pas pour le LAPD.

— C'est-à-dire que... je ne suis pas certain que ça change grand-chose pour les mecs d'ici. Mais moi, ça me va. Surtout le côté « pour un temps seulement ».

— Merci, Tim. Bon alors, qui est-ce qui répand la rumeur ?

— Ce que j'ai entendu dire, c'est que les services du shérif te reniflaient. Quelqu'un de chez eux a passé un coup de fil au capitaine, qui a été plus qu'heureux de raconter que tu travaillais pour l'autre côté.

— Ça ne m'étonne pas. Écoute, je te l'ai dit, c'est temporaire. Et ceci pour que ce soit bien clair : il est tout à fait possible que le shérif ait merdé et arrêté le mauvais mec.

— Je suis avec toi. Mais fais profil bas, frangin.

— OK, pas de problème.

Bosch raccrocha et se remettait à réfléchir à l'affaire lorsqu'il fut interrompu par un deuxième appel, lui aussi d'un *Correspondant inconnu*. Il le prit, mais ne reconnut pas la voix du type.

— Kim à l'appareil.

— Quoi de neuf, Kim ?

Il n'arrivait toujours pas à voir qui il pouvait bien connaître sous ce nom.

— J'ai numéro téléphone d'ami mort, reprit Kim.

Bosch comprit enfin qu'il avait affaire au gérant de la Haven House.

— C'est super, dit-il. Mais je suis sur l'autoroute et je ne peux pas écrire. Je peux vous rappeler dès que possible ?

— Vous payez numéro. Cinquante dollars.

Bosch se rappela le pactole qu'il lui avait proposé pour le mettre en relation avec n'importe quel ami ou associé de James Allen.

— D'accord, je vous dois cinquante dollars.

— Vous me payer maintenant d'abord.

— OK, OK. Je ne suis pas à L.A. Dès que j'arrive, je viens vous voir, d'accord ?

— Vous payez moi, je donne numéro.

— Marché conclu.

Une autre heure passant, il se rendit compte qu'il n'avait fait le plein que de café et d'adrénaline toute la journée durant et qu'il allait devoir s'arrêter pour manger. Il prit la sortie Route 66 jusqu'à Victorville et se commanda un hamburger dans un boui-boui au bord de la route.

Le hamburger lui fut servi entre deux tranches de pain au levain. Cela faisait l'affaire, il reprit vite le chemin de la I-15. Il s'était arrêté chez un routier à l'entrée de l'autoroute et faisait le plein de la Cherokee lorsque son mobile bourdonnant, il vit qu'il s'agissait encore une fois d'un *Correspondant inconnu*. Il décrocha et ne reconnut pas la voix de celui qui l'insultait.

— Espèce de trou-du-cul ! Tu te remets encore une fois contre moi dans une affaire et je te botte les fesses !

— À qui ai-je l'honneur ?

— À ta putain de conscience ! Tu sais que tu es en train de trahir des tas de gens ici. Tu...

— Va te faire foutre !

Il raccrocha. Il savait que tous ses frères et sœurs en uniforme bleu n'allaient pas se montrer aussi compréhensifs que Tim Marcia et Lucia Soto. Il finit de faire le plein et, longue habitude, fit le tour de la Cherokee pour vérifier les pneus. Puis il reprit la route.

Cinq minutes ne s'étaient pas écoulées depuis qu'il avait retrouvé l'autoroute lorsque son portable bourdonna encore avec un nouvel appel d'un énième correspondant anonyme. Il décida qu'il n'avait besoin ni de cette contrariété ni de ces interruptions. Il ne répondit pas et fut surpris lorsque la sonnerie de la messagerie se fit entendre. Laisser la trace d'une menace n'était pas très futé. Curieux, il se demanda qui pouvait bien commettre cette bêtise et se passa le message.

— Dick Sutton des services du shérif. Harry Bosch, j'ai besoin que tu m'appelles dès que tu recevras ce message. On a un problème et c'est urgent.

Sutton avait laissé son numéro et, juste avant de raccrocher, l'avait une fois encore pressé de le rappeler rapidement.

Bosch ne s'exécuta pas tout de suite. D'abord réfléchir. Dick Sutton, il le connaissait. Il avait travaillé avec lui dans des opérations spéciales interagences du maintien de l'ordre et s'ils ne s'étaient pas rapprochés plus que cela, Bosch s'était quand même fait une bonne opinion du bonhomme. Originaire de l'Oklahoma, Sutton parlait simplement et ne jouait pas à de petits jeux. C'était un enquêteur chevronné de l'unité des Homicides du bureau du shérif et Bosch se demanda s'il ne s'occupait pas – mais comment ? – de l'affaire Lexi Parks.

Il écouta encore une fois le message pour se mettre son numéro en tête, puis il rappela. Sutton décrocha aussitôt.

— Harry Bosch à l'appareil.

— Ah bien, Harry. Où es-tu ?

— Sur la quinze, de retour de Las Vegas.

— Tu étais à Las Vegas ?

— C'est ça. Qu'est-ce qu'il y a ?

— Harry, on aurait besoin que tu viennes nous parler. Tu es encore loin ?

— À deux heures de chez vous maximum, mais ça dépendra de la circulation. De quoi avez-vous besoin que je vous parle ?

— Il y a eu un double homicide à West Hollywood. Aujourd'hui. Deux types qui gèrent une bijouterie de Sunset Plaza. La Nelson Grant & Sons. Tu connais ?

— Tu sais bien que oui, Dick. Vous y avez retrouvé ma carte de visite professionnelle, c'est ça ?

— Euh oui, c'est ça. Quand y es-tu passé ?

— Ce matin. Dès que l'un des deux frères a ouvert.

S'ensuivit une longue pause avant que Sutton ne réponde.

— Eh bien, tu as eu de la chance, Harry.

— C'est-à-dire… ?

— Je te dis tout ça dès que tu es là. Tu viens tout de suite, d'accord ?

— Pas de problème. Mais dis-moi, Dick. Je fais partie des suspects ?

— Oh allons, Harry ! Toi et moi, ça remonte à loin. Non, tu ne fais pas partie des suspects. On a besoin de ton aide. On n'a rien pour ce truc et toute aide sera la bienvenue.

— Tu es sur les lieux ?

— J'y reste encore un peu, mais je ne vais pas tarder à filer au poste de West Hollywood pour aller parler à des gens.

Cela voulait dire, et Bosch le savait, que d'autres individus avaient été amenés au poste pour interrogatoire.

— Tu sais où c'est, dis ? reprit Sutton.

— Dans San Vincente Boulevard, non ?

— C'est ça.

— Je t'y retrouve.

Bosch raccrocha, puis repensa à Sutton lui affirmant qu'il ne faisait pas partie des suspects. Cela allait à l'encontre de ce qu'il lui avait dit plus tôt, à savoir qu'ils n'avaient rien dans l'enquête. La règle veut en effet que, lorsqu'on fait chou blanc dans une affaire, tout le monde soit suspect.

Bosch aimait bien Sutton et le respectait. Cela étant, il ne devait pas oublier la situation dans laquelle il se trouvait. Il était de l'autre côté de la barrière maintenant, le prétendu « côté des ténèbres », et Sutton ne pouvait pas ne pas le voir autrement qu'avant, lorsque, tous les deux enquêteurs aux Homicides, ils travaillaient dans des agences de maintien de l'ordre différentes.

Bosch décida d'appeler Mickey Haller pour lui rapporter ce qui était en train de se produire. Personne ne décrochant, il laissa un message.

— C'est moi, Bosch, dit-il. À 19 heures ce soir, je vais avoir besoin que tu me retrouves devant le poste des services du shérif de West Hollywood. Je dois y retrouver un inspecteur des Homicides, un certain Dick Sutton, et il se pourrait que j'aie besoin d'un avocat.

Il était sur le point de raccrocher mais ajouta :

— Et Haller, fais très attention. Je ne sais pas ce qui se passe mais… fais gaffe à tes arrières.

CHAPITRE 31

Haller attendait Bosch sur les marches du poste de police de San Vincente Boulevard, près du Pacific Design Center. Avant d'entrer, Bosch le mit au courant de ce qu'il savait et de ce qu'il pensait qu'il allait se produire. Haller lui promit de l'aider à ne pas faire de faux pas, mais lui rappela qu'il devait aussi penser à ce qui servirait le mieux son client avant de répondre.

— N'oublie pas que tu ne portes plus le badge, lui lança-t-il au moment d'ouvrir la porte du poste de police.

Dick Sutton attendait Bosch au bureau des inspecteurs et reconnut aussitôt le célèbre avocat de la défense et ancien candidat au poste de district attorney qu'était Haller.

— Oh allons ! Nous sommes de vieux copains, Harry ! s'écria-t-il. Amener un avocat de la défense ? Non, vraiment ! Comme s'il y avait besoin de ce genre de mesures extrêmes !

— Je ne vois pas que se protéger juridiquement soit une mesure « extrême », lui renvoya Haller.

— Je suis désolé, Dick, dit Bosch, mais j'ai un enfant et pas d'épouse, et je veux être sûr de pouvoir rentrer chez moi ce soir.

Il ne jugea pas utile de mentionner que cet enfant était parti à Big Bear pour trois nuits d'affilée.

— Oui, bon, mais moi, j'ai un double homicide et je pense que tu pourrais bien être le seul homme qui puisse m'aider à y voir clair, dit Sutton. Passons à la salle de réunion et jouons cartes sur table.

Il escorta Bosch et Haller jusqu'à une grande salle de réunion équipée d'une table ovale assez grande pour que tout le conseil d'administration d'une société de moyenne importance puisse y prendre place. Ne pas coller Bosch dans une salle d'interrogatoire ordinaire était plutôt habile. Ç'aurait vite gelé la situation. Au lieu de ça, Sutton essayait de lui faire croire qu'il était partie prenante de l'enquête plutôt que son objet.

Déjà assis à l'attendre se trouvaient Cornell et Schmidt, les deux inspecteurs dont Bosch avait fait la connaissance dans la matinée, plus un autre homme qu'il ne reconnut pas, mais supposa être le binôme de Sutton.

— Je crois savoir que tu connais déjà les inspecteurs Cornell et Schmidt, lança ce dernier. Je te présente donc Gil Contreras, l'homme qui me supporte.

Puis il présenta Bosch et son avocat aux visiteurs en les montrant du doigt. Un léger grognement accueillit ce mot d'« avocat », Haller tentant d'y mettre fin en levant les mains en l'air comme s'il se rendait.

— Je ne suis ici que pour protéger mon client et faciliter un échange de renseignements qui, je l'espère, sera bénéfique pour tout le monde, dit-il.

Bosch et lui tirèrent des chaises et s'installèrent l'un à côté de l'autre à la table. Sutton, lui, en fit le tour et s'assit à côté de son binôme, soit juste en face de Bosch.

— Y aurait pas un peu conflit d'intérêts ? lança Schmidt.

Haller croisa calmement les mains sur la table et se pencha en avant de façon à la voir.

— Comment ça, inspectrice ? demanda-t-il.

— C'est votre enquêteur dans l'affaire Parks et maintenant vous nous dites que c'est aussi votre client ?

— Non, je ne vois pas, lui renvoya Haller. Mais si vous voulez qu'on ajourne cette réunion jusqu'à ce que je puisse trouver à

M. Bosch un avocat qui réussisse votre test de conflit d'intérêts, nous pouvons. Ça ne pose aucun problème.

— Il n'en est pas question, l'interrompit Sutton. Nous voulons seulement parler entre amis.

Et il jeta un regard à Schmidt pour lui signifier de se tenir tranquille.

— Bien et donc, par où commençons-nous ? demanda Haller.

Sutton hocha la tête, apparemment tout heureux d'éviter l'impasse dans laquelle Schmidt venait de se jeter par erreur, et ouvrit un dossier posé sur la table devant lui. Bosch repéra un certain nombre de notes écrites sur un bout de papier attaché à gauche de la chemise. À droite se trouvait une pochette en plastique transparent destinée à protéger les documents ayant valeur de pièces à conviction dans une enquête.

— Commençons donc par ceci, dit-il.

Il prit la pochette et la fit glisser en travers de la table, jusqu'à un endroit où Bosch et Haller pouvaient la voir. Elle contenait ce que Bosch pensa être la carte de visite professionnelle qu'il avait laissée à Peter Nguyen dans sa bijouterie le matin même.

— C'est bien ta carte, Harry ? demanda-t-il.

— C'en a tout l'air.

Haller posa aussitôt la main sur le bras de Bosch pour l'empêcher de répondre aux questions avant qu'il ait approuvé ses réponses. Bosch avait certes fait appel à lui, mais seulement pour qu'il ait le tableau général. Il n'avait aucune envie de se lancer dans des petits jeux pour le plaisir. Il s'était déjà trouvé en face de ce genre d'individus, et c'était bien la dernière personne qu'il avait envie d'être.

— Peux-tu nous dire à qui tu l'as donnée ? reprit Sutton.

— Bien, nous allons sortir, dit vite Haller. Juste une petite minute.

— Il ne s'agit que de questions de base, insista Sutton, de la protestation dans la voix.

— Juste une petite consultation, dit Haller.

Il se leva et Bosch le suivit à contrecœur, très gêné de se conduire comme il avait vu tant de suspects le faire avec leurs avocats durant toutes ses années d'inspecteur des Homicides.

Ils passèrent dans le couloir, et Haller referma vite la porte. Ce fut Bosch qui parla le premier.

— Écoute, je dois leur dire ce que je sais. Ça pourrait même aider Foster. Je ne t'ai pas demandé de venir pour que tu élèves des objections contre tout ce que…

— Ce n'est pas Foster qui m'inquiète, dit Haller. Si tu crois qu'ils ne s'intéressent pas à toi dans ce truc, c'est que tu n'es pas aussi malin que je le pensais, Harry.

— Ils n'ont rien. Et quand on n'a rien, tout le monde est suspect et je le comprends. Ils verront vite que je ne suis pas leur homme.

Et il se tourna vers la porte.

— Et donc, pourquoi je suis là, hein ? lui assena Haller.

La main sur le bouton de la porte, Bosch marqua une pause, puis se tourna vers lui.

— Ne t'inquiète pas. Je vais avoir besoin de toi. Mais pas avant qu'on en ait fini avec ces trucs de base, dit-il.

— Laisse-moi juste essayer un truc dès que nous entrons. Juste un petit truc vite fait. Et laisse-moi parler le premier.

— Pour dire quoi ?

— Tu verras.

Bosch fronça les sourcils, mais ouvrit la porte, et ils regagnèrent leurs sièges.

— Madame et messieurs les inspecteurs, dit Haller, faisons en sorte que tout le monde joue fair-play. Que l'échange des renseignements soit juste.

— Nous ne sommes pas là pour échanger des renseignements sur un double homicide, déclara Sutton. Nous posons des questions et Harry y répond. C'est comme ça que ça marche.

— Et si nous vous posions une question chaque fois que vous nous en posez une ? insista Haller. Tenez, celle-ci par exemple : que font Cornell et Schmidt dans cette salle ? Ce double homicide sur lequel vous enquêtez a-t-il un lien avec l'affaire Parks ?

Sutton eut l'air agacé, et Bosch savait pourquoi : le seul et unique avocat présent dans la salle essayait de détourner l'interrogatoire.

— Nous ne savons pas à quoi est liée cette affaire, répondit Sutton d'un ton impatient. La carte de visite professionnelle de Harry a été trouvée sur les lieux du crime et il se trouve que j'avais entendu ces deux-là parler de lui un peu plus tôt dans la journée. Je les ai donc fait venir. Cela répond-il à votre question ? Est-ce que je peux poser la mienne maintenant ?

— Je vous en prie, dit Haller. La voie n'est pas à sens unique.

Sutton concentra son attention sur Bosch.

— Harry, dit-il, cette carte a été trouvée dans la poche de veste d'un des deux types abattus ce matin dans l'arrière-salle de la bijouterie Nelson Grant & Sons. Tu peux m'en parler ?

— J'imagine que c'est dans la poche de Peter Nguyen qu'elle était. Je la lui ai donnée ce matin quand je suis passé au magasin.

— À quelle heure exactement ?

— J'y suis entré dès qu'il a ouvert à 10 heures. Et je suis parti à 10 h 15 max. Qui est l'autre victime ?

Sutton hésita avant de répondre, mais pas longtemps.

— Son frère, Paul.

— Je ne crois pas qu'il était là quand j'y étais, mais il est possible que Peter l'ait attendu. Il n'arrêtait pas de jeter des coups d'œil à la porte de l'arrière-salle comme s'il s'attendait à ce que quelqu'un la franchisse. Quand tout cela s'est-il passé ?

— Nous n'en sommes pas encore certains. Ils ont été découverts par un client aux environs de midi. Ils étaient étendus par terre dans l'arrière-salle. Le coroner précisera l'heure plus tard.

— Pas d'enregistrement vidéo ?

Cornell leva la main de frustration.

— C'est lui qui pose toutes les questions ! s'écria-t-il. Demandez-lui juste ce qu'il foutait dans ce magasin, bordel !

Sutton l'arrêta d'un regard qui lui fit comprendre qu'il n'appréciait ni l'interruption ni le langage employé. Les deux inspecteurs n'étaient là qu'en observateurs et son regard le lui dit aussi. C'était à lui, Sutton, et à son binôme qu'appartenait l'affaire.

— Non, pas de vidéo, répondit-il. Celui qui les a tués a sorti le disque de l'enregistreur. C'est un vieux système, sans sauvegarde dans le Cloud. La commerçante d'à-côté pense avoir vu deux types entrer par la porte de derrière, au fond du parking, aux environs de 10 h 45. Ils portaient des salopettes blanches. Elle les a pris pour des laveurs de vitres. Elle n'a pas entendu de coups de feu.

— Deux hommes...

— C'est ça, deux hommes. On examine toutes les caméras de surveillance du coin, mais pour l'instant on n'a pas de chance. Bref, qu'est-ce que tu faisais là, Harry ?

Bosch sentit l'angoisse lui serrer la poitrine. Il ne pouvait pas s'empêcher de se sentir responsable de l'assassinat des frères Nguyen. Tous ses instincts lui disaient que c'était lui qui avait conduit les tueurs au magasin, ou du moins qu'il avait fait tout ce qu'il fallait pour tuer les deux frères.

— Qu'est-ce qui a été volé ? demanda-t-il.

— Harry, ton avocat a dit que la voie n'était pas à sens unique, lui rappela Sutton. Tu ne me donnes rien et c'est toi qui poses toutes les questions.

— Réponds juste à ça : c'est un vol ou une exécution ?

Sutton hocha la tête. Il avait permis que l'interrogatoire lui échappe. C'était Bosch qui en avait pris le contrôle.

— C'est certainement un vol ou alors, on voulait que ça y ressemble. Une des vitrines a été vidée.

— Une seule ? Laquelle ?

— Celle à droite en entrant par la porte de devant.

— Celle contenant les objets de la vente patrimoniale, c'est ça ?

Sutton hocha de nouveau la tête.

— C'est fini, Harry, dit-il. On ne va pas plus loin. C'est à toi de répondre aux questions. Pourquoi es-tu allé là-bas ce matin ?

Haller se pencha à l'oreille de Bosch.

— Je te rappelle que tu travailles pour moi et que la confidentialité dont jouit mon client s'étend à toi, murmura-t-il. Alors, fais attention à ce que tu dis.

Bosch regarda Sutton.

— Ça me pose un problème de confidentialité, dit-il. Je travaille en tant qu'enquêteur de la défense et ne peux pas te parler de choses qui ont trait à l'affaire sans l'approbation de mon client ou de son conseil.

— Et ça, tu ne l'as pas, précisa Haller.

Bosch l'écarta d'un geste de la main et poursuivit.

— Je me contenterai de dire que j'ignore qui a tué les frères Nguyen. Et que si je le savais, je te le dirais, client ou pas client.

— Qu'est-ce que tu faisais là-bas ? répéta Sutton.

Bosch regarda Cornell droit dans les yeux.

— Je posais des questions sur une montre qu'ils avaient vendue environ six mois plus tôt au mari d'Alexandra Parks. Comme vous le savez, elle a été assassinée. Et sa montre n'était pas mentionnée dans les rapports d'enquête. Et comme moi, je n'aime pas les pistes inexplorées, j'essayais de voir de quoi il retournait.

— Peter Nguyen a-t-il coopéré ?

— Non, pas du tout.

— C'est à cette bijouterie que cette montre a été achetée ?

— Je le pense.

— Et qu'est-ce qui te le fait croire ?

Haller répondit avant que Bosch ouvre la bouche.

— Harry Bosch ne répondra pas à cette question, dit-il. Et je pense que nous allons devoir en rester là, madame et messieurs les inspecteurs.

Cornell marmonnant encore quelque chose dans sa barbe, Haller lui sauta dessus aussitôt.

— Vous dites ? Ça vous embête que Harry Bosch fasse le boulot à votre place ?

— Va te faire foutre, le baveux ! Tout ça, ce n'est qu'un écran de fumée... pour troubler les eaux dans lesquelles ton client est en train de se noyer. Parce qu'il est toujours foutu.

— Pensez-le encore et il se pourrait bien qu'on résolve cette affaire à votre place, lui renvoya Haller. Et je dis bien « résolve » au lieu d'accuser quelqu'un en l'air.

— Alors là, je tremble !

Haller écarta le sarcasme d'un sourire proprement assassin à l'adresse de Cornell, puis se tourna vers Sutton.

— Que nous dites-vous, inspecteur ? Autre chose ?

— Pas pour l'instant, répondit Sutton.

— Eh bien, nous n'allons pas vous gêner plus longtemps.

Il se leva, et Bosch le suivit. Ils ne dirent pas un mot avant d'être sur le trottoir devant le bâtiment. Bosch était bouleversé. Il avait l'impression d'avoir trahi quelqu'un... lui-même, peut-être.

— Écoute, dit-il, je n'aime pas travailler comme ça. Je devrais leur dire tout ce que je sais.

— Non, vraiment ? Et qu'est-ce que tu sais, au juste ? La vérité, c'est que tu ne sais rien du tout. Que nous, oui nous, ne savons rien du tout. Plus tard...

— Ce que je sais, c'est que j'ai probablement conduit ces deux tueurs aux deux frères du magasin.

— Non, vraiment ? Et comment ça ? Tu es donc en train de me dire qu'ils n'avaient rien à voir avec l'affaire et que c'est parce que tu leur as parlé qu'ils se sont fait buter ?

— Non, je... Écoute, moins d'une heure après mon départ de la bijouterie, ils se font abattre et toi, tu dis qu'il s'agit d'une coïncidence ?

— Ce que je te dis, c'est que nous n'en savons pas assez pour aller raconter quoi que ce soit aux flics, surtout quand on a un client à la prison du comté et que ce client risque de passer le reste de son existence en taule !

Et il pointa le doigt vers le centre-ville alors même qu'ils en étaient à des kilomètres.

— C'est à lui que nous devons allégeance, enchaîna-t-il. Pas à la bande de trous-du-cul assis dans cette salle.

— J'en étais un, moi, de ces trous-du-cul.

— Écoute, tout ce que je te dis, c'est qu'on en est encore à ramener nos filets, Harry. Finissons de les ramener et voyons ce qu'il y a dedans. Après, on décidera ce qu'il faut dire et à qui, et plus important, où. On a un procès dans cinq semaines et il faut absolument qu'on connaisse toute l'histoire à ce moment-là.

Bosch s'écarta et gagna le bord du trottoir. Il comprit qu'il avait commis une terrible erreur en passant de l'autre côté de la barrière. Haller s'approcha et parla dans son dos.

— Tout ce que nous leur dirons maintenant, ils pourront le retourner contre nous et notre client. Notre client, Harry. Il ne faut jamais l'oublier.

Bosch hocha la tête et regarda la rue.

— Qu'est-ce qu'ils savaient donc, ces deux frères ? enchaîna Haller. Pourquoi se sont-ils fait tuer ?

Bosch se retourna vers lui.

— Je ne sais pas. Mais je le saurai.

— OK, d'accord. C'est quoi, la suite ?

— J'ai obtenu un nom, à Las Vegas. Un type de Beverly Hills qui pourrait connaître le secret de la montre. De tout, en fait. La suite, c'est lui.

— Parfait. Tiens-moi au courant.

— C'est entendu. Et écoute, s'ils m'ont suivi jusqu'à la bijouterie, ils pourraient bien te suivre, toi aussi.

— Je n'en ai vu aucun signe.

— Justement. Ce n'est pas quelque chose que tu verrais. Tu as quelqu'un qui pourrait vérifier ta voiture ? Je vais vérifier la mienne.

— Je m'en occupe.

— Bien. Et au risque de me répéter, fais attention. Protège tes arrières.

— Toi aussi, Harry.

CHAPITRE 32

Rentré directement chez lui après le poste de police, Bosch passa de l'auvent à voitures à une maison vide. Il appela sa fille et n'obtint pas de réponse. La peur s'empara de lui jusqu'à ce qu'il se rappelle qu'elle était partie faire du camping. Il avait l'esprit si encombré d'idées sur les meurtres de la bijouterie qu'il avait oublié. Soulagé, il lui envoya un SMS pour voir si elle était arrivée sans problème. Sa réponse fut succincte, comme d'habitude.

Bien arrivée. Très secouée dans le bus.

Il se changea et enfila la vieille salopette qu'il portait sur les scènes de crime. Puis il prit une lampe torche dans un placard de la cuisine et repassa dans l'auvent à voitures. Avant d'allumer la lumière, il scruta la rue devant chez lui et les allées cochères de ses voisins. Il cherchait un véhicule occupé ou qui ne semblait pas cadrer dans le paysage. Il était sûr d'être surveillé d'une façon ou d'une autre – le meurtre des frères Nguyen le lui disait clairement –, mais il avait besoin de savoir jusqu'où. Faisait-il l'objet d'une surveillance physique ou électronique ? Y avait-il un seul moment où il pouvait se déplacer sans être vu ?

Il ne remarqua aucun véhicule suspect. Il passa aux poteaux électriques et aux arbres et y chercha un reflet de lumière pouvant venir d'une lentille de caméra. Rien. Enhardi, il gagna la petite allée en pente conduisant à la chaussée afin d'étendre le champ de ses recherches. Il masqua ce qu'il faisait vraiment en se rendant à la boîte aux lettres pour y prendre le courrier du jour.

Rien ne trahissait la moindre surveillance dans aucun sens de la rue. Il remonta l'allée, repassa dans l'auvent à voitures, alluma la lumière et jeta son courrier sur l'établi. Puis il rejoignit l'avant de la Cherokee, s'agenouilla devant la calandre, alluma sa lampe torche, chercha à l'avant du véhicule, dans tous les endroits où l'on aurait pu fixer un émetteur GPS.

Bientôt il fut sous la voiture, le bloc-moteur quasiment sur la figure, et encore chaud. Il eut l'impression de rôtir, mais poursuivit son examen, même lorsqu'une goutte d'huile de moteur brûlante se mit à lui couler dans le cou et qu'il en jura tout haut.

Il trouva l'émetteur GPS dans le passage de roue avant gauche, derrière une des barres de suspension où il ne risquait pas d'être délogé par un débris projeté par le pneu. Le coffret en plastique dans lequel il se trouvait était fixé à l'intérieur de la carrosserie par deux gros aimants. La boîte s'ouvrant d'un coup, il découvrit l'émetteur et sa source d'énergie, soit deux piles AA. L'appareil devait envoyer un signal continu à un récepteur cellulaire, ce qui permettait à celui qui l'avait en main de suivre tous les mouvements de la Cherokee, et en temps réel, sur une carte géographique d'ordinateur portable. Que le GPS fonctionne avec des piles au lieu d'être relié à un circuit électrique de la voiture lui indiqua que les individus qui le surveillaient n'envisageaient pas de le suivre longtemps.

Il éteignit la lampe torche et resta quelques instants immobile sous la voiture en se demandant s'il allait en ôter l'appareil – et ainsi révéler à ceux qui le suivaient qu'il l'avait découvert – ou le laisser en place et l'intégrer à sa stratégie d'enquête.

Il décida de ne pas y toucher, pour l'instant. Il ressortit de dessous la voiture, éteignit la lumière de l'auvent à voitures et en gagna l'extrémité. Et regarda encore une fois autour de lui, sans voir personne.

Il repassa dans la maison et ferma la porte à clé derrière lui. Remit ses habits ordinaires et téléphona à Lucia Soto. Qui décrocha dans l'instant.

— Harry.

— Comment va ?

— Bien. J'allais t'appeler. Le secret est éventé et tout le monde sait que tu travailles pour la défense.

— Oui, j'ai déjà reçu des appels.

— Pas de moi, si c'est pour ça que tu appelles. Je n'en ai parlé à personne.

— Non, je sais bien que ce n'est pas toi.

— Bon alors, quoi de neuf ?

— Euh, ma fille n'est pas là et c'est elle qui m'aide avec mon portable. Hier soir, tu as parlé d'Uber. Comment je fais pour l'avoir ?

— C'est facile. Commence par mettre ton téléphone sur haut-parleur pour pouvoir m'entendre quand je vais te l'expliquer.

— Et comment je fais ?

— Tu te fiches de moi ?

— Oui. Tu es sur haut-parleur.

Soto lui expliqua le processus d'un bout à l'autre. L'opération prit moins de dix minutes.

— Parfait, tu es prêt à y aller, dit-elle enfin.

— Cool. Alors comme ça, je peux appeler un taxi ?

— Voilà.

— Génial.

— Il est tard. Où vas-tu ?

— Je ne sais pas. Faire une balade. J'ai envie de voir un truc.

— Où ça ?

Il fit travailler son écran et réussit à commander une voiture.

— Juste la baraque de quelqu'un. L'écran me dit que le taxi sera là dans six minutes. Le chauffeur s'appelle Marko et il conduit une Tesla noire.

— Bien joué.

— Le machin me demande ma destination.

— Tu peux l'entrer ou laisser en blanc. Il viendra quand même. Comme ça, il programme pas l'adresse et tu peux lui dire comment tu veux y aller.

Il laissa l'adresse en blanc parce qu'il n'était pas sûr de sa destination finale.

— Merci, Lucia, dit-il.

— Va falloir que j'y aille.

— Oh, attends. Encore une question. C'est comme un taxi, hein ? On peut faire attendre le chauffeur, genre... si on doit s'arrêter dans un magasin ou entrer quelque part ?

— Oui, tu lui dis juste ce que tu veux et c'est débité sur ta carte de crédit. Je crois que tu paies quelque chose en plus pour chaque quart d'heure d'attente.

— Bon, parfait. Merci, et bonne nuit.

— Bonne nuit, Harry.

***

Il attendit devant sa maison pour voir si le chauffeur d'Uber était suivi dans la montée. D'après l'application, Marko devait arriver dans trois minutes.

Bosch enclencha le moteur de recherche de son mobile, y entra « Schubert, médecin, Beverly Hills » et tomba sur un certain George Schubert, chirurgien esthétique au centre de Création cosmétique de la 3e Rue, près de l'hôpital Cedars-Sinai. En fait, c'était à West Hollywood. Rien d'autre – et il n'y avait pas d'adresse personnelle.

Il repassa en mode téléphone et rappela Lucia, en espérant qu'elle ne s'était pas endormie ou était allée encore une fois traîner à l'Eastside Luv.

— Qu'est-ce qu'il y a maintenant, Harry? Tu veux des renseignements sur l'application « rendez-vous galants » ?

— Non. Parce qu'il y en a une ?

— Il y a des applications pour tout. Qu'est-ce que tu veux ? Faut que j'aille me coucher. Hier soir, je suis restée bien trop tard.

— Parce que tu danses sur le comptoir ?

— Il se trouve que oui, j'y ai dansé. Mais j'ai gardé mes habits. Qu'est-ce qu'il y a ?

Il vit des phares remonter dans le virage. Son taxi arrivait.

— Tu as ton ordinateur chez toi ?

— De quoi as-tu besoin ?

— Je me demandais si tu pourrais pas te servir de ton logiciel de traqueur pour m'y trouver un nom. Un médecin de Beverly Hills.

Du temps où ils travaillaient en binôme, c'était elle l'experte en informatique, et elle s'était inscrite à plusieurs services du Web qui permettaient d'obtenir des adresses en passant par les relevés de gaz et d'électricité, les données bancaires et les registres de propriété. C'était souvent plus rapide et plus sûr que de s'en remettre aux systèmes de données réglementés par la loi. Ce que Bosch lui demandait n'y contrevenait pas dans la mesure où elle se servait de son ordinateur personnel.

— Pas de problème.

Il lui donna le nom de Schubert, elle lui dit qu'elle le rappellerait dès qu'elle aurait quelque chose. Il la remercia et raccrocha. Une voiture venait de passer le virage et s'approchait, pleins phares. Éclairé ainsi, il se sentit vulnérable dans l'obscurité.

La Tesla presque silencieuse s'immobilisa devant lui. Il vérifia l'heure sur son mobile. Marko était pile à l'heure. Néophyte d'Uber, Bosch ne savait pas s'il était censé monter à l'avant ou à l'arrière et opta pour l'avant.

— Marko ?

— Oui, monsieur.

Fort accent de l'Europe de l'Est.

— Où je m'assieds ?

— Devant est très bien.

Il monta.

— Où ça ? demanda Marko. Vous avez pas mis destination.

— Je croyais que c'était optionnel. Je veux que vous remontiez jusqu'en haut de la côte. Quand nous serons à Mulholland, nous ferons demi-tour et nous redescendrons.

— C'est tout ?

— Non. Après, nous descendrons à Beverly Hills, je pense.

— Vous avez adresse ? J'entre.

— Pas encore. Mais je l'aurai avant que nous arrivions.

— Comme vous voulez.

Ils commencèrent à monter dans la colline. Pas un bruit de moteur. Cela lui rappela les autos tamponneuses des parcs d'attraction.

— Ça ne fait aucun bruit, dit-il. On pourrait se faufiler derrière quelqu'un sans qu'il s'en rende compte.

— Oui, c'est Tesla je conduis, dit Marko. Les gens ici aiment voiture électrique. Les gens de Hollywood. J'ai courses répétées, vous voyez. En plus que je suis serbe. De Smiljan.

Bosch acquiesça d'un signe de tête comme s'il voyait bien le lien entre Hollywood et Smiljan.

— Tesla, reprit Marko. Un grand homme qui venait de ma ville natale.

— Quoi, la voiture ? C'est sa société ?

— Non, il a travaillé avec Edison pour faire électricité. Longtemps de ça. Le nom de voiture, c'est à cause lui.

— Ah oui. J'avais oublié.

Bosch remarqua qu'à s'en tenir à cette seule expérience, les chauffeurs d'Uber semblaient être nettement plus bavards que leurs collègues des taxis. La course tenait aussi bien de la sortie en société que du projet d'aller d'un point A à un point B. Dès qu'ils arrivèrent au stop de Mulholland, Bosch demanda à Marko de faire demi-tour et de redescendre Woodrow Wilson Drive en passant devant sa maison.

Il ne vit rien de douteux en traversant son quartier. Pas de voitures inconnues, pas de piétons qui ne soient pas du coin, pas de bouts de cigarette qui rougeoient dans les recoins sombres entre les maisons. Il fut sûr que le GPS fixé à sa voiture était l'alpha et l'oméga de sa surveillance. Et ça, il pouvait gérer – il prendrait la Cherokee pour aller dans des endroits sans importance, juste pour montrer qu'il se déplaçait, et appellerait Uber ou louerait une voiture lorsqu'il lui faudrait rejoindre des lieux qu'il ne voudrait pas que ses poursuivants connaissent. Juste pour être sûr, il se tourna et regarda par la lunette arrière pour voir si une voiture ne leur filait pas le train.

Mais non, rien.

Soto le rappela au moment où ils arrivaient en bas de la côte et prenaient Cahuenga Boulevard vers le sud, direction Hollywood. Elle avait trouvé une adresse personnelle pour Schubert, dans les *flats*, ou hauts plateaux de Beverly Hills.

— L'adresse est la même dans trois logiciels de recherche, dit-elle. Pour moi, c'est la bonne et elle n'est pas vieille.

— Excellent, dit-il. Merci.

— Contente de pouvoir t'aider, Harry. Autre chose ?

— Euh, en fait oui. As-tu trouvé les noms des mecs des Mœurs dont je t'avais donné le numéro d'unité ? Les types qui avaient peut-être fait travailler James Allen comme indic en douce ?

— Oui. Mais je pense te les avoir envoyés.

— Quoi ? Par e-mail ? Je n'ai pas vérifié. Je fais ça dès que…

— Attends une seconde. Je les ai là.

Il attendit et l'entendit feuilleter les pages d'un carnet. Dans le court laps de temps qui les avait vus travailler ensemble, elle avait adopté l'habitude qu'il avait de toujours avoir un petit carnet de notes sur lui.

— Ah voilà, dit-elle enfin. C'était la six-Victor-55 et ils s'appellent Don Ellis et Kevin Long. Tu les connais ?

Il réfléchit un moment. Ces noms ne lui disaient rien. La dernière fois qu'il avait travaillé à la division de Hollywood remontait à plus de dix ans. Il y avait des chances pour que quatre-vingt-quinze pour cent du personnel y soit maintenant différent.

— Non, je ne les connais pas, dit-il.

— Comment tu vas faire pour vérifier ça ? lui demanda-t-elle. S'ils faisaient travailler un indic en douce, ils ne vont pas t'offrir ça sur un plateau.

— Je ne sais pas encore.

Il la remercia à nouveau et lui dit d'aller dormir un peu. Puis il raccrocha et demanda à Marko de descendre jusqu'à Sunset Boulevard et de prendre à l'ouest, vers Beverly Hills.

— Vous êtes sûr ? lui demanda Marko. Sunset Strip, ça va se traîner à cette heure de nuit. Je pense que Santa Monica est mieux.

— C'est mieux, mais je veux passer par Sunset. Il y a quelque chose que je veux voir.

— OK, vous le boss.

Marko fit ce qu'on lui disait, et ne s'était pas trompé pour la circulation. Les frimeurs du soir la ralentissaient quasi jusqu'au point mort. Bosch vit des files de gens tout de noir vêtus attendre devant les clubs, des minibus de touristes traquant les célébrités du monde de la nuit, des arnaqueurs au salaire minimum agiter des lampes torches vers des parkings aux tarifs exorbitants, des voitures de patrouille des services du shérif jeter des éclairs bleus pour faire avancer les gens. Il regardait plus loin que les reflets des néons sur le pare-brise de la Tesla, mais était si perdu dans ses réflexions que leurs couleurs n'entraient pas dans ses yeux sombres.

C'était à Vin Scully, le reporter des Los Angeles Dodgers, qu'il pensait. Il avait commenté leurs matches pendant plus de soixante ans – soit plus de dix mille en tout. Aucune voix n'était aussi emblématique, voire synonyme de Los Angeles, que la sienne. Et à commenter tous ces matches, jamais il n'en avait eu assez ni de la cité des Anges ni de ce sport. Toujours et encore il était titillé lorsque les caprices du hasard ne lui donnaient que des deux au tableau d'affichage. « Les deux sont fous ! » déclarait-il alors avant un lancer. Deux balles mortes, deux strikes, deux outs, deux bonnes, deux à deux à la fin de la deuxième manche !

Bosch entendait la voix de Scully dans sa tête en pensant que les deux étaient, eux aussi, assez fous dans la partie qu'il menait. Deux meurtres qui avaient peut-être un lien, suivis par deux frères qui se font assassiner dans l'arrière-salle d'une bijouterie. Deux assassins, qui sait, dans cette bijouterie. Deux portières de voiture qu'on entend claquer dans la ruelle où le corps de James Allen a été adossé à un mur. Deux montres qu'on dit avoir été volées avant de dire qu'elles ne l'ont pas été. Deux flics des Mœurs qui interpellent Mickey Haller pour conduite en état d'ivresse, et deux flics des Mœurs qui pourraient bien avoir fait travailler ce même James Allen comme indic. Des coïncidences, tout ça ? Bosch eut l'impression que Vin Scully ne l'aurait pas cru – pas plus que lui maintenant.

Côté deux, c'était donc assez fou, mais il s'en occupait. Il appela Haller – et le réveilla.

— Qu'est-ce qui ne va pas ? lui demanda l'avocat.

— Mais rien. J'ai juste une question. Ton interpellation pour conduite en état d'ivresse… Tu m'as bien dit t'être fait arrêter par deux flics en civil, non ?

— Oui, c'est ça. Ils m'attendaient. C'est quoi, la question ?

— C'étaient pas des flics des Mœurs ?

— Possible.

— Comment s'appelaient-ils ?

— Je ne sais pas. Ils m'ont refilé à leurs renforts. Deux types de la patrouille.

— Leurs noms ne figurent pas au PV ?

— Peut-être, mais je ne l'ai toujours pas reçu.

— Merde.

— Pourquoi m'appelles-tu à une heure pareille pour me parler de ces fumiers ?

— Je n'en suis pas sûr. Dès que j'en sais plus, je te rappelle.

— Assure-toi quand même que ce soit demain. Parce que là, j'ai l'intention de me rendormir.

Bosch raccrocha, se tapota plusieurs fois le menton avec son portable en pensant à ce qu'il pouvait faire pour répondre à la question qu'il venait de poser à Haller. Il savait qu'il pouvait rappeler Lucia, mais il savait aussi qu'une recherche d'archives pour un PV d'interpellation laisserait des traces numériques. Il ne pouvait pas la mettre pareillement en danger. Il allait devoir trouver un autre moyen de procéder.

***

Lorsqu'ils passèrent devant la bijouterie Nelson Grant & Sons de Sunset Plaza, les camions des médias s'alignaient déjà le long du trottoir. Il vit des reporters de la télé et des caméramen s'adjuger des endroits et s'installer pour le direct de 23 heures. Plus loin, il vit des éclairages installés dans la salle d'exposition du magasin. On en était encore aux premières constatations douze heures après les meurtres. Des adjoints du shérif s'étaient postés devant la porte pour assurer la sécurité.

— Quelque chose mal arrivé là, dit Marko.

— Oui. Quelque chose de vraiment mal.

Une fois à Beverly Hills, ils prirent à gauche dans Camden Avenue et descendirent vers les *flats*, soit, entre Sunset et Santa Monica Boulevard, quelque deux cent cinquante hectares de résidences sises dans un des quartiers les plus riches de toute la Californie. La soirée était fraîche et l'air vif, avec une brise qui filait dans les frondaisons des palmiers. La Tesla prit encore un virage, puis s'arrêta sans bruit le long du trottoir d'Elevado Street. George Schubert habitait un manoir de style espagnol qui s'étendait sur deux rues et se dressait fièrement au milieu d'une grande pelouse éclairée par des lampes accrochées aux palmiers. Les bords de la pelouse donnaient l'impression d'avoir été taillés au rasoir et n'avoir en rien été victimes des ravages de la sécheresse. À Beverly Hills, les pelouses se débrouillent pour rester Dieu sait comment toujours parfaitement vertes, même lorsqu'il y a des restrictions d'eau.

Bosch ne fit même pas mine de vouloir descendre de voiture. Il se contenta d'examiner la maison par la vitre. Pour finir, Marko prit la parole.

— Vous sortez là ? demanda-t-il.

— Non, je regarde juste.

— Vous cherchez quoi ?

— Rien. Personne. Je regarde, c'est tout.

Il y avait de la lumière aux fenêtres et, lorsqu'il baissa sa vitre, il crut entendre de la musique monter du bâtiment. Il ne faisait toujours pas mine de vouloir descendre du taxi. Il y avait bien de la musique et de la lumière, mais aucun mouvement derrière les fenêtres. Il consulta sa montre, il était 23 heures, il comprit qu'il était trop tard pour aller cueillir Schubert à sa porte.

— Alors vous êtes primé ? demanda Marko.

Bosch lâcha la maison des yeux pour le regarder.

— Pardon ?

— Vous savez, primé. Vous regardez les gens et vous cherchez.

Bosch comprit enfin.

— Vous voulez dire « privé ». Oui, je suis détective privé.

— Privé. Très cool, oui ?

Bosch haussa les épaules et se retourna vers la maison. Et se dit que les lumières avaient changé. Il était sûr que l'une d'elles avait été éteinte à l'une des fenêtres, mais il n'arrivait plus à se rappeler laquelle.

— Alors, reprit Marko, on reste ?

Cette fois, Bosch ne se retourna pas vers lui. Il garda les yeux fixés sur la maison.

— Vous êtes toujours payé quand on ne bouge pas, non ? dit-il.

— Oui, je fais argent.

— OK, alors restons là encore un peu, histoire de voir ce qui se passe.

— C'est dangereux, ce travail ? Si c'est, je devrais faire plus d'argent.

— Non, ce n'est pas dangereux. On est juste là, à regarder une maison.

— Combien vous êtes payé pour regarder maison ?

— En fait, rien.

— Alors, c'est pas très bon job pour vous.

— Tiens donc !

Bosch attrapa la poignée de la porte, mais hésita encore. Pas parce qu'il était tard, mais parce qu'il détestait frapper à une porte et ne pas trop savoir quoi demander… surtout à un nouveau témoin. Parfois, on n'a qu'une chance avec un témoin, et ne pas être préparé peut vous couler. Il revint à sa première décision – attendre.

— OK, Marko, on peut y aller, dit-il.

— Où ça maintenant ?

— À l'aéroport.

— Vous avez pas valise.

— J'ai juste besoin de prendre une voiture.

— Pas voiture. Moi, Marko, je vous conduis.

— Pas là où j'ai besoin d'aller.

CHAPITRE 33

Il s'arrêta le long du trottoir de Wilcox Avenue, au sud du commissariat de Hollywood. Tout était calme. Le néon du bureau des cautions en face de l'entrée jetait des lueurs rouges dans la nuit. Bosch regarda la grille du parking à l'arrière du bâtiment de un étage. Il était assis dans une Chrysler 300 noire de chez Hertz. C'était le véhicule qui ressemblait le plus à une voiture de flic banalisée qu'il avait pu trouver.

Il espérait que l'heure tardive jouerait en sa faveur. Il n'y aurait pas assez de personnel pour le service de nuit et il doutait fort qu'on se donne la peine de surveiller les moniteurs du parking. Franchir la grille était la première étape, et la plus facile, de son plan.

Dix minutes ou presque s'écoulèrent avant qu'il voie des phares arriver à la grille en métal d'un mètre cinquante de haut. Une voiture allait sortir. Il passa la 300 en marche avant et attendit que la grille commence à s'ouvrir en roulant sur son rail. Alors seulement il déboîta du trottoir, mit son clignotant et se dirigea vers l'ouverture.

Il avait chronométré son coup à la perfection. Une voiture pie sortait à toute allure juste au moment où il s'approchait de la grille. Qui continuait de s'ouvrir. Bosch la franchit en effleurant à peine la pédale de frein et, par la fenêtre, fit le signe « bon vent » traditionnellement adressé aux officiers assis dans la voiture qui s'en va. La Chrysler tapa bien un peu fort sur le rail, mais il était déjà dans la place. Il regarda dans le rétroviseur, mais ne vit pas s'allumer les stops de la voiture de patrouille qui tournait dans Wilcox Avenue.

Il entra dans le parking et descendit l'allée qui lui offrirait la meilleure vue sur la porte de derrière. Il trouva un emplacement et se gara. Regarda la porte et vit tout de suite que la chance lui souriait. Une voiture de patrouille s'était garée dans un des deux box réservés au dépôt des individus interpellés, deux officiers en faisant descendre deux de leur véhicule. L'entrée de derrière était munie d'une serrure électronique ne fonctionnant qu'avec une carte. Ce serait sa dernière difficulté.

Bosch rassembla ses forces un instant, et descendit de la Chrysler. Pour avoir travaillé plusieurs années à la division de Hollywood en tant qu'officier de la patrouille et, plus tard, en qualité d'inspecteur, il connaissait les lieux comme sa poche et sentait bien les allées et venues de ses occupants. À l'intérieur, il n'y aurait que des effectifs squelettiques, essentiellement concentrés autour de la salle de nuit, à la réception, à la salle des rapports et près du violon.

Tous ces endroits se trouvaient à l'avant du commissariat, au bout d'un couloir dans lequel on entrait par la porte de derrière. Il y avait un deuxième couloir qui longeait l'arrière du bâtiment et conduisait à la salle des inspecteurs, au bureau du patron et à l'escalier menant aux Mœurs, à la salle d'appel et à la salle de repos.

Bosch savait que ces endroits avaient toutes les chances d'être déserts à moins que l'unité des Mœurs ne soit en pleine préparation d'une opération, ou que des officiers de la patrouille traînent à la salle de repos ou soient à écrire des rapports à la salle des inspecteurs. Tels étaient les risques qu'il allait devoir prendre.

Il traversa lentement le parking jusqu'à ce qu'il voie les deux officiers se diriger vers la porte de derrière avec les deux types dont ils avaient la charge bien menottés. Il accéléra l'allure pour les rattraper. Il savait qu'en faisant comme s'il était des leurs, il y avait de fortes chances pour qu'on n'y voie que du feu. Le LAPD ayant plus de mille inspecteurs qui tournaient tout le temps et dans toute la ville, il était impossible de connaître tout le monde. Il comptait là-dessus. Jouer l'inspecteur de police serait son rôle le plus facile.

Il arriva à la porte de derrière pile à l'instant où l'un des officiers de la patrouille se servait de sa carte-clé pour déverrouiller la serrure. L'homme commençait à tirer sur la porte pour l'ouvrir lorsque Bosch passa devant lui et lui lança :

— C'est pour moi.

Il attrapa la porte par sa poignée en acier et l'ouvrit entièrement en tirant dessus. Puis il recula pour permettre aux deux officiers de faire entrer leurs bonshommes débraillés.

— Bienvenue à vous, messieurs ! dit-il en leur montrant la porte d'un geste ample du bras. Après vous.

— Merci, monsieur, lui renvoya un des patrouilleurs.

— Va te faire enculer, monsieur ! lui renvoya un des deux débraillés.

Bosch comprit qu'il venait de passer le deuxième test avec succès. Le quatuor entra et commença à descendre le couloir qui conduisait au bureau des arrestations et aux cellules. Bosch leur emboîta le pas, puis il prit immédiatement à droite, vers le couloir du fond. Il était vide, il en gagna vite l'extrémité et jeta un coup d'œil dans la salle des inspecteurs. Elle aussi était déserte. Seules deux des rangées de plafonniers qui couraient sur toute sa longueur étaient allumées. La salle n'était qu'à peine éclairée.

Il recula et gagna l'escalier. S'immobilisa sur la première marche et se pencha pour écouter s'il y avait du bruit à l'étage. S'il y avait eu du monde aux Mœurs, à la salle d'appel ou à la salle de repos, il aurait entendu des murmures de conversation, mais il n'entendit rien. Il se tourna vers la suite réservée au commandement. Elle comprenait des bureaux privés pour les deux capitaines et un espace ouvert avec trois bureaux pour leurs secrétaires et leurs adjoints. C'était là qu'il voulait aller. Sur un tableau d'affichage en liège qui couvrait tout un mur se trouvait la pyramide des officiers, avec photos et noms de tout un chacun de service, du capitaine jusqu'au dernier bleu. Cet étalage de photos était parfois appelé « mur de tapissage » parce qu'il servait souvent à identifier tel ou tel autre quand un visiteur se présentait à la réception pour porter plainte contre un officier sans avoir son nom. Il était alors conduit à ce tableau et devait désigner l'officier qu'il incriminait.

Les deux rangées du bas de la pyramide étaient dédiées aux divers services de la patrouille. Au-dessus, on découvrait les membres des unités d'inspecteurs et des Services spéciaux qui, Bosch le savait, désignaient des groupes spécialisés, dont les Mœurs. Il regarda les photos et tomba aussitôt sur celles de Don Ellis et de Kevin Long. Tous les deux étaient blancs, tous les deux avaient le regard mort des vétérans de la guerre des rues – soit de ceux qui ont tout vu, et au moins trois fois. Ellis était l'aîné et quelque chose dans la manière dont il fixait froidement l'appareil photo dit à Bosch que le chien alpha du duo, c'était lui.

Les photos étaient punaisées au tableau. Le personnel changeait bien trop souvent pour occuper de façon permanente une place dans la pyramide. Bosch ôta les punaises des deux photos, porta ces dernières à la photocopieuse en couleur de la secrétaire du patron et en fit deux tirages plus grands que les originaux. Il tendait la main pour les récupérer lorsque le visage d'Ellis lui parut familier. Il se redressa et regarda la photo un instant en essayant de se rappeler où il avait vu le bonhomme. Le flic des Mœurs semblait avoir une petite quarantaine d'années, dont probablement une vingtaine donnée à la police. Il était tout à fait possible qu'ils se soient croisés quelque part – scène de crime, commissariat ou pot de départ à la retraite. Les possibilités ne manquaient pas.

Soudain, il entendit des voix dans le couloir de derrière. Il posa la main sur le bouton de porte du bureau du commandant, mais elle était fermée à clé. Il gagna vite le mur de classeurs qui séparait le poste d'une des secrétaires de celui d'une de ses collègues, se baissa, mais sut tout de suite que si jamais ceux qui parlaient venaient dans sa direction, il serait repéré. Il attendit, écouta et se rendit compte que la discussion portait sur la façon de formuler la déclaration de cause probable d'interpellation dans une demande de mandat de perquisition. Ce ne pouvait être que deux inspecteurs se dirigeant vers leur salle au bout du couloir du fond.

Il plia les photocopies et les glissa dans la poche de sa veste de sport. Attendit encore et entendit les voix passer devant l'entrée des bureaux du commandement. Dès qu'il jugea que la voie était libre, il se redressa et sortit de ces bureaux dans le couloir du fond sans rien changer à l'impression qu'il donnait d'être de la maison et de connaître parfaitement les lieux.

Il n'y avait personne dans le couloir. Et aucun obstacle pour gagner la sortie. Il avança rapidement, mais pas comme quelqu'un qui tenterait de s'enfuir. Enfin il négocia le dernier tournant, poussa la lourde porte en acier et retrouva la nuit. L'allée conduisant à l'endroit où déposer les interpellés était libre, mais deux officiers de la patrouille fermaient boutique dans le parking – on avait fini son service, on sortait son fusil et son équipement personnel du coffre de la voiture. Ils étaient trop occupés à quitter la place pour prêter la moindre attention à Bosch qui déjà traversait le parking pour regagner sa Chrysler de location.

La grille s'ouvrait automatiquement à tout véhicule s'en approchant de l'intérieur, mais Bosch ne respira vraiment que lorsque sa voiture la franchit et se retrouva dans Wilcox Avenue. Il prit vers le nord et Sunset Boulevard. Arrivé au feu rouge, il sortit son portable et appela Haller à nouveau.

— Deux fois dans la même nuit ? protesta celui-ci. Tu te fous de moi ? Il est plus de minuit !

— Enfile ta robe de chambre, lui renvoya Bosch. J'arrive.

Et il raccrocha avant que Haller puisse encore protester.

CHAPITRE 34

Haller portait effectivement une robe de chambre en tissu éponge lorsqu'il lui ouvrit sa porte. Bosch repéra les mots *Ritz-Carlton* en lettres dorées sur sa poche de poitrine. Haller avait les cheveux ébouriffés et des lunettes à monture noire sur le nez. Pour la première fois, Bosch se rendit compte qu'en temps normal il devait mettre des lentilles de contact.

— Qu'est-ce qu'il y a de si important que ça pourrait pas attendre jusqu'à demain matin, hein ? demanda Haller. J'ai une audience de mise en état à 8 heures et j'aimerais bien dormir un peu pour y être complètement fonctionnel.

— C'est pour Foster ?

— Non, pour une autre affaire. Sans rapport avec la nôtre. Mais ça n'a aucune importance vu que j'ai quand même besoin de…

— Regarde juste ça.

Bosch sortit les photocopies de sa poche, les déplia et lui en tendit une. Puis il replia l'autre et la remit dans sa poche.

— C'est eux ? demanda-t-il.

— Eux qui ? lui renvoya Haller.

— Les mecs qui t'ont coincé pour conduite en état d'ivresse, répondit Bosch d'un ton qui laissait entendre à quel point il était frustré de voir que Haller était incapable de suivre ses raisonnements.

— Pourquoi ça t'intéresse tellement de savoir qui sont les types qui m'ont interpellé ce soir-là ? Ce n'est pas ton...

— Regarde ces photos, juste ça, lui ordonna Bosch. C'est eux ou c'est pas eux ?

Haller tint les clichés à bout de bras. Bosch se dit que l'ordonnance pour ses verres devait dater.

— C'est qu'un des mecs est resté dans la voiture et que je ne l'ai pas vraiment vu, reprit Haller. Mais l'autre... là, celui de droite... pourrait bien être... oui, c'est lui. C'est bien lui qui est venu à ma portière.

Haller tourna la feuille de façon à ce que Bosch voie bien de qui il parlait. C'était Ellis, celui qui lui avait paru familier.

— Bon alors, qu'est-ce qui se passe, Harry ? Pourquoi est-ce qu'on est là, debout en pleine nuit, avec ce truc dans les mains ?

— Ce sont eux qui t'ont interpellé, mais ce sont aussi eux qui ont arrêté plusieurs fois James Allen et je pense que ce sont encore eux qui le faisaient travailler comme indic.

Haller acquiesça d'un hochement de tête, mais sans enthousiasme excessif.

— Bon, d'accord, dit-il. Ils sont des Mœurs de Hollywood et ça n'aurait rien de surprenant qu'ils aient arrêté Allen plusieurs fois, ou qu'ils l'aient fait travailler comme indic. Et pour ce qui me concerne, ils ont entendu l'appel radio parce qu'ils étaient dans le coin. Qui, tiens donc, s'avère être Hollywood, où ils travaillent.

Venant de Haller, la chanson semblait avoir changé. Dès qu'il était sorti de prison après qu'on lui avait payé sa caution, il s'était mis à raconter aux médias qu'on l'attendait au tournant et autres histoires de conspiration. Et voilà que maintenant, il détaillait les raisons pour lesquelles la conspiration que Bosch, lui, commençait à renifler était parfaitement explicable.

— J'ai un témoin qui a entendu claquer deux portières dans la ruelle où le corps d'Allen a été jeté, reprit Bosch. Et tu as bien entendu ce qu'a dit Dick Sutton il y a quelques heures. Pour eux, il pourrait y avoir eu deux types qui sont entrés dans la bijouterie pour y tuer les frères Nguyen. Y a que des deux dans cette affaire, Mick ! C'est pour ça qu'il faut chercher deux bonshommes.

Ils étaient toujours dans l'entrée. Mickey regarda les deux photocopies qu'il avait, une dans chaque main.

— Tu bois du bourbon ? demanda-t-il.

— À l'occasion...

— Allez, on s'assied et on travaille la question au Woodford Reserve.

Il recula pour laisser Bosch entrer dans le living.

— Prends un siège, dit-il. Je vais chercher des verres. Tu veux des glaçons ?

— Deux maximum.

Bosch prit place sur le canapé, à un endroit d'où il pouvait voir les lumières de la ville par la baie vitrée. La maison de Haller se trouvait au bord de Laurel Canyon et offrait une vue complètement dégagée sur la ville à l'ouest et, plus loin, sur l'île de Catalina.

Haller fut vite de retour avec deux verres pleins d'un liquide ambré sans beaucoup de glaçons. Il les posa sur la table basse avec les photocopies, mais ne s'assit pas.

— Il faut que je mette mes lentilles de contact, dit-il. Ces lunettes me flanquent mal au crâne.

Il disparut dans un couloir à l'arrière de la maison. Bosch avala une gorgée de Woodford et la sentit descendre en brûlant. C'était du bon, du bien meilleur bourbon que celui qu'il avait chez lui pour régaler les visiteurs imprévus.

Il en prit une deuxième gorgée, examina les photos des deux flics des Mœurs et se demanda si ce n'était pas eux qui avaient fixé l'émetteur GPS sous sa Cherokee. Penser à sa voiture et à ces deux hommes en même temps lui aiguisant la concentration, il se rappela soudain où il avait vu Don Ellis. Dans le parking derrière Chez Musso. Il était passé devant lui en quittant le bar le soir où Haller s'était fait interpeller pour conduite en état d'ivresse.

Haller avait donc raison. Son interpellation pour conduite en état d'ivresse était un coup monté. Ellis et Long l'attendaient bien au tournant.

Lorsque Haller revint, les lunettes et la robe de chambre avaient disparu. Il avait enfilé un jean et un tee-shirt Chapman bordeaux. Il s'installa de l'autre côté de la table basse, en face de Bosch, dans un fauteuil d'où l'on n'avait aucune vue sur la ville. Puis il se prit une belle gorgée de son excellent bourbon et y alla de sa meilleure imitation de Jack Nicholson buvant du whisky et battant des bras comme un poulet dans *Easy Rider*. Il reprit place dans son fauteuil, et regarda Bosch.

— Bon alors, dit-il. Qu'est-ce qu'on fait ?

— Deux ou trois petits trucs pour commencer. Demain matin, après que ton chauffeur t'aura lâché au tribunal, demande-lui, à lui ou à quelqu'un en qui tu as confiance, de voir si tu n'as pas un GPS sous ta voiture. J'en ai un et je pense que ce sont ces deux types qui me l'y ont collé.

— C'est prévu, dit Haller en lui montrant la photocopie sur la table basse avec sa liste de choses à faire.

— Eh bien, fais-le. Et s'il trouve quelque chose, ne l'enlève pas. Ne leur fais pas savoir qu'on les a dans le collimateur. Il n'est pas impossible qu'on retourne ça à notre avantage. J'ai loué une voiture tout à l'heure. C'est elle que je prendrai quand je ne voudrai pas qu'ils sachent où je vais.

— D'accord, dit Haller. Je fais ça tout de suite.

— Je veux aussi que tu parles à ton enquêteur.

— Quoi, Cisco ? Pourquoi ?

Bosch tendit le bras, prit son verre et en descendit une belle rasade. Qui lui décapa toutes les voies respiratoires et lui fit monter les larmes aux yeux.

— Doucement, mec, lui lança Haller. C'est du bourbon qu'on sirote, ça !

— Tu as raison. Écoute, il faut que tu voies le tableau d'ensemble. Ton bonhomme, Cisco, travaillait l'affaire et voilà qu'il se fait pousser à contre sens de la circulation et... finie, son enquête. Tu la travailles et toi, tu te fais arrêter pour conduite en état d'ivresse. Et les frères Nguyen, eux, se font descendre pour des raisons que nous ne connaissons pas encore... mais moins d'une heure après que je leur ai parlé. On peut croire à une série de coïncidences ou prendre tout ça et essayer de voir le tableau d'ensemble. Je veux demander à Cisco à quoi il travaillait le jour où on l'a mis hors jeu.

Haller acquiesça d'un signe de tête.

— Il est en rééducation tous les matins au Veterans Hospital de Westwood, dit-il.

— Parfait. J'irai le voir.

— Quoi d'autre ?

— L'un de nous deux devrait aller parler à DQ et lui demander s'il a déjà eu des contacts avec ces deux-là, dit Bosch en montrant Ellis et Long sur la photocopie. Pour qu'on soit sûrs.

— Ça, je peux, dit Haller. Il faut que j'aille le voir pour des trucs avant le procès et que je prenne ses mesures pour un costume à porter aux audiences. J'espère avoir quelque chose qui lui ira dans ma penderie « clients ».

Puis il montra la photocopie sur la table et ajouta :

— Je peux prendre ça pour lui montrer ?

— Oui, j'en ai une autre.

Puis il se souvint de quelque chose et à son tour, il ajouta :

— Quand tu le verras, demande-lui s'il se rappelle le numéro de téléphone de James Allen. Les flics n'ont jamais retrouvé son portable. Si j'avais son numéro, on pourrait obtenir des relevés qui nous montreraient peut-être qu'ils étaient en contact.

— Et ainsi renforcer l'alibi d'Allen. Bien vu. Et toi ?

— Je pense toujours que la montre est la clé de toute cette histoire. Il faut que je joigne son premier acheteur.

— Le type de Beverly Hills ?

— Oui. Je suis passé devant chez lui ce soir. Sympa, le manoir. Il a du fric. Il faut que j'arrive à le coincer pour voir où tout ça se connecte.

— Bonne chance.

— Merci.

Ils laissèrent passer les deux ou trois minutes suivantes sans rien dire. À siroter du bourbon et à réfléchir. Pour finir, ce fut Haller qui reprit la parole.

— C'est du bon, ça, dit-il.

Bosch regarda son verre et fit rouler son glaçon au fond.

— Bien meilleur que ce que j'ai chez moi.

— Non. Mon bourbon est bon, d'accord, mais c'est de tout ce que tu as récolté ces derniers jours que je te parle. Il y a beaucoup de choses là-dedans. Beaucoup de choses avec lesquelles je vais pouvoir travailler. Même que, de fait, nous allons pouvoir monter une défense au mauvais accusé. Tes trucs vont bien au-delà du doute raisonnable.

Bosch termina ce qu'il restait de bourbon dans son verre. Il comprit que Haller et lui auraient toujours une manière fondamentalement différente d'évaluer les éléments de preuve et autres aspects de l'enquête. Haller devait tout ordonner dans le contexte du procès à venir et toujours voir comment ceci ou cela pouvait lui servir à démolir le dossier de l'accusation. Dans ces mêmes éléments de preuve, Bosch, lui, ne voyait que ce qui pouvait conduire à la vérité. C'était même pour cela qu'en fait il n'était pas vraiment passé du côté des ténèbres. Jamais il ne pourrait travailler une affaire comme Haller.

— Défense au mauvais accusé ou doute raisonnable, personnellement, je m'en fous assez, dit-il. Pour moi, la question est simple. Si ton client n'a pas fait le coup, je vais, moi, trouver celui qui l'a fait. C'est lui… ou eux, que je veux.

Haller acquiesça et leva son verre à la santé de Bosch. Puis il le termina.

— Moi, ça me va.

CHAPITRE 35

La réunion hebdomadaire de tous les membres de l'unité des Mœurs fut, comme toujours, une perte de temps. Lorsque enfin elle se termina, Ellis traversa le couloir pour rejoindre la salle de repos et y remplir à nouveau son gobelet de café noir. Il n'avait pas l'habitude de venir si tôt au commissariat et avait besoin d'une double dose de caféine.

Mais il dut attendre son tour derrière Janet, la secrétaire du capitaine qui donnait l'impression de commander des cafés pour tout le haut commandement à l'étage en dessous. Janet était imposante et Ellis n'arriva à la cafetière que lorsqu'elle eut fini d'ajouter de la crème et des édulcorants dans les cinq mugs posés devant elle. Cela l'énerva beaucoup : il voulait seulement refaire le plein de café noir avant de retourner à son unité.

— Désolée, dit Janet en sentant quelqu'un derrière elle.

— Pas de problème, répondit Ellis. Prenez votre temps.

Croyant reconnaître sa voix, Janet se tourna vers lui pour le regarder et confirmer que c'était bien lui.

— Ah, Don, dit-elle. Justement je voulais vous demander quelque chose.

— Je vous écoute.

— Êtes-vous passé au bureau ce matin ou hier soir ?

— Quel bureau ?

— Je m'excuse. Je voulais dire en bas. Au poste de commandement.

Perplexe, Ellis hocha la tête.

— Non, mais… que voulez-vous dire ?

— Eh bien, c'est drôle, mais aujourd'hui j'y suis passée parce que j'avais les photocopies des PV de la nuit à faire pour les deux capitaines. C'est ce que je dois toujours faire en premier.

Elle se retourna pour finir son boulot avec ses mugs de café alignés sur le comptoir devant elle.

— OK, dit-il. Et… ?

— Et quand je suis arrivée à la photocopieuse, j'ai trouvé votre photo et celle de Kevin à l'intérieur de la machine. Comme si on les avait laissées là par accident.

Il eut envie de l'attraper pour lui faire faire demi-tour.

— Je ne comprends pas, dit-il. Nos photos à nous ? Qu'est-ce qu'on faisait dans ces photos ?

Janet rit de son trouble.

— Non, non, dit-elle. Vous n'y faisiez rien du tout. C'étaient vos photos de la pyramide du personnel. Celles du mur d'en bas. Quelqu'un avait enlevé les punaises, les avait apportées à la machine et… enfin j'imagine, en avait fait des copies. Et avait dû oublier de les repunaiser au mur. Elles étaient sous le capot quand je suis passée faire les photocopies des PV.

Elle passait déjà les doigts dans les anses de ses cinq mugs. Ellis jeta son gobelet dans une poubelle et se posta devant le comptoir, à côté d'elle.

— Laissez-moi vous aider, dit-il. Vous allez vous brûler.

Elle écarta cette possibilité d'un éclat de rire.

— Non, non. Je fais ça tous les matins et tous les après-midi, dit-elle. Et je ne me suis jamais brûlée une seule fois.

— Je vais quand même vous aider. Avez-vous demandé si quelqu'un avait fait ces photocopies ? Disons… le capitaine ?

— Oui, et c'est bien là tout le mystère. Personne n'a fait de photocopies. J'ai demandé à tout le monde, les deux capitaines compris. Quelqu'un a dû passer après les heures de bureau et oublier de remettre les originaux à leur place. Et je me disais que vous voudriez peut-être le savoir. Au cas où on essaierait de vous faire une farce.

— Merci. Et comment que je veux savoir! Je suis d'accord avec vous qu'il y a quelqu'un qui veut me jouer un tour.

Janet rit à nouveau.

— Y a des gens qui ont trop de temps libre ici, ça, c'est sûr, dit-elle.

Faire des farces dans un commissariat du LAPD était une tradition qui remontait à loin et les photos servaient souvent à les monter. Ellis se disait qu'il était peut-être en train de se jouer autre chose, mais fut heureux de laisser Janet croire ce qu'elle voulait.

Il la suivit lorsqu'elle descendit l'escalier, traversa le couloir du fond avec elle et entra dans la suite du haut commandement. Il posa les deux mugs qu'il portait sur son bureau afin qu'elle les distribue, puis il examina la salle et regarda l'organigramme du personnel sur le mur. Sa photo était bien à sa place, à côté de celle de Long, dans la rangée des unités en plongée. Tout était comme il fallait.

— Merci, Don, lui dit Janet.

— Avec plaisir, dit-il. Merci de m'avoir averti de la blague.

— Je me demande bien ce qu'ils ont en tête.

— C'est comme vous dites: il y a des gens qui ont trop de temps libre.

***

Ellis et Long se partageaient un espace dans le coin réservé à l'unité des Mœurs. Il leur offrait le maximum de tranquillité dans toute la salle et cela, ils le devaient à l'ancienneté d'Ellis. Celui-ci revenait à son box et fit signe à son collègue d'approcher son fauteuil de façon à ce qu'ils puissent parler sans être dérangés.

— Qu'est-ce qu'il y a ? lui demanda Long.

— Je n'en suis pas très sûr. Tu as vérifié pour notre gars aujourd'hui ?

— Il était toujours chez lui. J'aurai un texto si jamais il va quelque part.

— Et hier soir ?

— Il est resté à la maison.

— D'après ton portable, c'est ça ?

— Ben oui.

— Bon, mais peut-être que c'est seulement sa voiture qui n'a pas bougé. Je veux que tu y montes et que tu me confirmes qu'il est bien toujours là.

— Quoi, maintenant ?

— Oui, maintenant. Je te couvrirai ici. Allez, va.

— Qu'est-ce qui est arrivé ? Qu'est-ce qui se passe ?

— Ce qui se passe, c'est que ton téléphone te dit que sa voiture n'a pas bougé, mais qu'hier soir quelqu'un est venu ici et a fait des photocopies de nos photos, celles du mur au bureau du capitaine.

— C'est quoi, ce bordel ?

Ellis jeta un coup d'œil autour de lui pour s'assurer que l'éclat de voix de Long n'avait pas attiré d'attention malvenue. Puis il se retourna vers son collègue.

— Exactement, dit-il. Pour moi, Bosch manigance quelque chose et je veux savoir quoi. Et pour ça, tu commences par aller là-haut pour voir s'il y est, lui. Pas seulement sa bagnole, bordel de merde !

— D'accord, d'accord, j'y vais. Mais peut-être qu'il faudrait revoir tout ça et trouver un moyen d'éliminer la menace, tu vois ?

— Ben tiens ! Y a qu'à voir où ça nous a déjà menés ! C'est comme aux dominos. On fait un truc et ça nous conduit direct au suivant. Et où ça s'arrête, hein ?

— Je disais juste que…

— Oui, et moi, je te disais juste d'aller là-haut et de voir si Bosch y est bien, et pas ailleurs en train de nous baiser la gueule.

CHAPITRE 36

Long passa deux fois devant la maison. La Cherokee était bien sous son abri, mais rien d'autre ne laissait entendre qu'il y aurait eu quelqu'un chez lui. La Volkswagen ayant disparu, Long se dit que la fille devait avoir école. Il redescendit la côte et négocia le virage suivant. Il venait d'apercevoir un endroit en surplomb où une maison avait été abattue afin d'être reconstruite. Cela lui donnerait une belle vue sur la terrasse et les fenêtres arrière de chez Bosch.

Il se gara devant un garage privé et descendit de sa voiture avec ses jumelles. Il traversa vite la chaussée et se baissa pour passer sous le ruban jaune barré de l'inscription *danger/peligro* tendu entre deux piquets. Il continua d'avancer et comprit aussitôt à quel point il était visible dans cet endroit à ciel ouvert. Il fit semblant de regarder vers Universal City et les montagnes au-delà avec ses jumelles. Puis il pivota légèrement sur la gauche et les braqua sur la maison de Bosch. Et ne décela aucune activité derrière aucune des fenêtres. La terrasse était vide et sa porte coulissante en verre fermée.

Il abaissa ses jumelles et encore une fois fit juste semblant d'admirer la vue. Puis il jeta de nouveau un coup d'œil à la maison et n'y décela toujours aucun mouvement. Il se tourna et quitta l'emplacement en se demandant ce qu'il pouvait faire de plus pour confirmer que Bosch n'était pas chez lui.

Il arrivait au ruban jaune lorsqu'il tomba sur quelqu'un qui l'attendait.

— Vous êtes dans une propriété privée, lui dit celui-ci.

— Et alors ? lui renvoya Long. J'ai le droit.

— Non vraiment ? Et qui vous l'a donné ? Son nom, s'il vous plaît.

— Je n'en ai pas besoin.

Long passa sous le ruban jaune et traversa la rue pour rejoindre sa voiture.

— J'ai noté votre numéro d'immatriculation, reprit l'homme. Vous préparez un mauvais coup.

Long se retourna et revint droit sur lui en sortant son badge accroché à une chaîne sous sa chemise.

— Monsieur, dit-il, vous entravez une enquête de la police. Rentrez chez vous et occupez-vous de vos oignons ou vous allez vous retrouver en taule.

L'homme recula, l'air presque effrayé. Long repartit vers sa voiture.

— Patrouille du quartier, lui lança l'homme qui avait retrouvé son courage. C'est qu'on veille les uns sur les autres, ici !

— Eh bien bravo, lui renvoya Long en ouvrant sa portière.

Il repartit et, dès qu'il put, fit demi-tour et remonta la côte. Il repassa devant le petit fouineur toujours debout devant l'entrée de l'emplacement en surplomb, reprit le virage, retrouva encore une fois la maison de Bosch et s'arrêta juste devant. L'étudia, réfléchit à ce qu'il fallait faire et se sentit de plus en plus frustré.

— Et merde, dit-il enfin.

Il klaxonna trois fois comme s'il attendait pour prendre quelqu'un. La voiture toujours en mode marche avant, il regarda la porte de devant. Si jamais Bosch ou quelqu'un d'autre l'ouvrait, il filerait à toute allure. Ses vitres étaient suffisamment teintées pour qu'il se sente à l'abri de toute identification.

Personne n'ouvrit la porte.

Il klaxonna encore une fois, attendit, surveilla. Personne n'ouvrit la porte.

— Et merde! dit-il à nouveau.

Il déboîta, monta jusqu'à Mulholland et fit demi-tour. Reprit Woodrow Wilson Drive en sens inverse, repassa devant la maison de Bosch et, impuissant, klaxonna encore un coup sans s'arrêter. Et appela Ellis.

— Il nous a baisés, dit-il. Sa bagnole est là, mais pas lui. Il doit savoir qu'on lui a collé un GPS.

— Tu es en train de revenir? lui demanda calmement Ellis.

— Oui, je rentre.

— Parfait. Il ne sait pas que nous savons. On va peut-être pouvoir s'en servir.

— Exactement ce que je me disais. Qu'est-ce qu'il manigance, à ton avis?

— Qui sait?

— Comment on va le retrouver?

Ellis ne répondit pas tout de suite.

— On va là où on pense qu'il va se pointer, et on attend.

— Ah bon? Et c'est où, ça?

— Contente-toi de revenir et on va trouver.

Ellis raccrocha sans ajouter un mot.

CHAPITRE 37

Bosch connaissait déjà l'énorme Veterans Hospital de Westwood pour y avoir consulté quelques médecins bien des années auparavant, et une fois même, y avoir été rééduqué après une blessure par balle. Le complexe était divisé en deux par Wilshire Boulevard, et Bosch savait que les centres de rééducation se trouvaient côté sud. Il se gara dans un parking où les voitures, presque toutes vieilles et rafistolées, les vans où l'on habite et les camionnettes bâchées camping en disaient long sur la clientèle de l'établissement. Tous les véhicules étaient couverts d'autocollants proclamant fièrement qu'on avait servi le pays dans telle ou telle branche ou unité combattante de l'armée. Le message était clair : peu importait la guerre dans laquelle on avait combattu, revenir au pays constituait une tout autre bataille.

Il entra par une porte en verre barrée de l'inscription *Servir ceux qui ont servi* et signa la feuille de présence à la réception du centre de rééducation. Il y avait bien une réceptionniste, mais elle ne leva pas le nez de son ordinateur. Bosch vit que Dennis Wojciechowski, alias Cisco, avait signé la feuille d'entrée quarante minutes plus tôt. Il se dit qu'il devait avoir presque terminé sa séance. Il choisit un siège de la salle d'attente d'où il pouvait voir la porte et repérer Cisco dès qu'il quitterait la salle de soins.

Il remarqua que les revues étalées sur la table devant le canapé étaient vieilles de plusieurs mois. Au lieu d'en prendre une, pour la première fois depuis plusieurs jours il ouvrit ses e-mails sur son portable. Et vit celui dans lequel Lucia Soto lui donnait les noms d'Ellis et de Long. Les trois quarts des autres e-mails n'étant que du spam, il les effaça. Il en avait deux d'anciens collègues lui disant leur déception de le voir travailler pour défendre des criminels. Il commença à répondre au premier, mais arrivé à mi-parcours, il comprit qu'il n'arriverait jamais à s'expliquer ou à regagner la confiance des hommes et des femmes toujours en poste au LAPD. Il arrêta d'écrire et effaça le message.

Y penser le déprimait. Il décida de ne plus ouvrir ses e-mails dans la mesure où il avait toutes les chances d'en recevoir d'autres de ce genre. Il remettait son portable dans sa poche lorsque celui-ci bourdonna dans sa main. Il regarda l'écran avant de répondre et y lut le nom de Francis Albert. Il ne le reconnut pas, mais il prit l'appel et se leva pour sortir et ainsi obéir aux panneaux interdisant l'usage des téléphones dans la salle d'attente.

— Harry Bosch, dit-il en entrant dans une alcôve à sa droite.

— Inspecteur Bosch, c'est moi, Francis Albert, votre voisin de Woodrow Wilson Drive.

Bosch ne remettait pas son correspondant. Il ne savait pas non plus si ce Francis Albert était un patronyme ou un double prénom en hommage, qui sait, à Francis Albert Sinatra.

— Oui, comment allez-vous ? dit-il.

— Bien. Vous ne vous souvenez peut-être pas de moi, mais c'est moi qui ai animé la réunion de la patrouille du quartier à laquelle vous avez eu la gentillesse d'assister.

Enfin il le remit. Vieux et voûté, le bonhomme n'avait pas de famille et trop de temps libre. Depuis peu à la retraite, et lui aussi avec bien trop de temps libre, Bosch avait accepté d'assister à cette réunion en mars. Francis Albert devait vouloir qu'il assiste à la suivante et battre le rappel des troupes.

— Bien sûr que je me souviens de vous, reprit Bosch. Mais je suis en plein milieu de quelque chose et... Je peux vous rappeler plus tard ?

— Bien sûr, pas de problème. Je me disais seulement que vous aimeriez peut-être savoir qu'un type a beaucoup regardé votre maison ce matin. Il a prétendu être flic, mais j'en doute.

Soudain, Bosch ne fut plus si pressé de mettre fin à l'appel.

— Comment ça, « a beaucoup regardé ma maison » ?

— Eh bien, vous voyez la propriété des Robinson en face de chez moi ? Là où ils ont abattu la maison, mais en dégageant l'emplacement pour la reconstruire ?

— Oui, je vois.

— Eh bien, ce matin, je sors prendre le journal et la première chose que je vois, c'est une espèce de schnock garé devant mon garage. Et après, je le vois passer sous le ruban jaune avec une paire de jumelles. Et il regarde chez vous, inspecteur Bosch.

— Appelez-moi Harry. Je ne suis plus inspecteur. Vous êtes sûr qu'il regardait ma maison ?

— Ça m'en avait tout l'air. Et vous, appelez-moi Frank.

— Combien de temps est-il resté..., Frank.

— Jusqu'à ce que je l'embête et qu'il se casse. C'est pour ça qu'à mon avis, c'est pas un vrai flic... même s'il m'a montré un badge.

— Vous lui avez « cassé les pieds » ?

— Oui, je suis sorti et je lui ai demandé ce qu'il fabriquait. Et là, il est devenu tout nerveux et il est parti. C'est à ce moment-là qu'il m'a montré le badge à deux sous qu'il avait autour du cou.

Bosch glissa la main dans sa veste et en sortit la seule photocopie des photos d'Ellis et Long qui lui restait. Il la déplia et regarda fixement les deux inspecteurs des Mœurs.

— À quoi ressemblait-il ? demanda-t-il.

Il y eut un long silence avant qu'Albert ne réponde.

— Je sais pas. Il avait l'air normal, dit-il enfin.

— « Normal » ? répéta Bosch. Il était blanc, noir, marron ?

— Blanc.

— Quel âge ?

— Euh… la quarantaine, je crois. Non, peut-être la trentaine.

Bosch regarda les deux photos.

— Avait-il une moustache ?

— Oui, il en avait une. Vous le connaissez ?

Long avait de la moustache. Pas Ellis.

— Je ne sais pas. Vous serez chez vous un peu plus tard ? J'ai deux ou trois photos à vous montrer.

— Bien sûr. Je suis là tout le temps.

— Merci, Frank.

— Oh, je fais juste que veiller sur le quartier, vous savez ? C'est ça qu'on fait, nous.

Bosch raccrocha et regarda les photos des deux inspecteurs des Mœurs. Il ne pensait pas avoir besoin de passer chez Frank pour confirmer ce qu'il savait déjà au fond de ses tripes. Le type aux jumelles était Long. Il lui parut étrange qu'il soit venu renifler chez lui aussi tôt dans la matinée. Il n'était encore que 9 h 30. Pourquoi se méfiait-il déjà que la Cherokee n'ait toujours pas bougé ?

Il se dit qu'il devait y avoir quelque chose qui l'avait fait monter la côte de chez lui. Il replia la photo et la remettait dans la poche de sa veste quand il vit un homme qu'il pensa être Wojciechowski passer la porte du centre de rééducation.

L'homme boitait fortement et se déplaçait avec une canne… noire et ornée de flammes. Il portait un jean, un tee-shirt noir, un gilet en cuir orné du symbole Harley-Davidson dans le dos. Les ailes traditionnelles du logo étaient brisées. Cela indiquait, il le savait, que le motard avait fait une chute et avait été blessé, mais s'en était sorti.

— Cisco ? lui lança-t-il.

L'homme s'arrêta et se retourna pour voir qui l'appelait. Bosch le rattrapa.

— Vous êtes bien Cisco, non ?

— Peut-être. Et vous, vous êtes qui ?

— Harry Bosch. Le…

— L'enquêteur de Mickey Haller. C'est vous qui m'avez pris mon boulot.

— J'allais dire son frère. Et je ne vous ai pas pris votre boulot. Je n'en veux pas, et il vous attendra dès que vous serez prêt à revenir. Je travaille juste sur cette affaire et ça s'arrêtera là.

Cisco posa les deux mains sur sa canne. Bosch vit bien que se tenir debout et marcher n'étaient pas ses passe-temps favoris pour l'instant. Il y avait plusieurs bancs disposés le long du mur pour les gens qui attendaient.

— On peut s'asseoir une minute ? demanda Bosch en lui en montrant un.

Cisco s'y dirigea et parut soulagé de ne plus peser sur son genou. Pyramide à l'envers en équilibre précaire sur ses points d'appui, l'homme était imposant avec ses bras massifs et son torse en V.

— Et donc, cette visite n'est pas une coïncidence ? demanda-t-il. Mick m'a dit que vous aussi, vous avez fait l'armée.

— Oui, je l'ai faite et je suis déjà venu ici, et non, cette visite n'est pas une coïncidence. Je suis venu vous voir, vous. J'ai besoin de vous poser quelques questions.

— Sur quoi ?

— Eh bien, commençons par votre accident. Mickey m'a dit...

— C'était pas un accident.

— C'est justement ça que je veux savoir. Dites-moi ce qui s'est passé.

— Je comprends pas. Pourquoi ?

— Vous savez que Mickey s'est fait coller une conduite en état d'ivresse, non ?

— Si, si. Par vos anciens potes du LAPD.

— C'était un coup monté. Je pense que c'était pour le gêner dans son enquête pour Foster. Et je pense que c'est peut-être la même chose, ce qui vous est arrivé. Alors, qu'est-ce qui s'est passé, exactement ?

Il vit un air glacial passer dans les yeux de Cisco.

— C'était ce putain de 1er avril, commença-t-il. J'étais à Studio City, dans Ventura Boulevard, et je descendais vers Hollywood. Et là, le mec dans la file d'à côté me pousse et j'ai plus eu le choix. Ou bien je le laissais me renverser et me rouler dessus ou bien je tentais ma chance en passant dans la file de voitures qui venaient en face. J'ai presque réussi.

— Qu'est-ce qui vous fait croire que c'était intentionnel ?

— Je le crois pas, je le sais. Deux choses. Un, le mec ne s'est pas arrêté. Non parce que… il n'a même pas ralenti. Et deux, il savait ce qu'il faisait. Faut savoir que j'ai tendu la jambe et lui ai filé un coup de pied dans la portière, mais qu'il a continué. Et avec mes bottes à bout acier, en plus. Comme s'il avait pas entendu ! Il savait parfaitement que j'étais là.

— Avez-vous vu le conducteur ? demanda Bosch en sortant la photocopie de sa poche de veste.

— Non, je l'ai pas vu. Ses vitres étaient trop teintées. Bien au-delà de ce qui est légal.

Bosch laissa la photocopie dans sa poche.

Il savait qu'une des tactiques préférées des unités du LAPD en plongée était de teinter les vitres de leur véhicule bien au-delà de ce qui est autorisé.

— Quel genre de voiture était-ce ?

— Une Camaro. Orange brûlé avec jantes noires et étriers de freins jaunes. Ça, on peut dire que je l'ai bien regardée, sa chiotte. De très près, du quasi intime.

— Mais j'imagine que vous n'avez pas noté son numéro de plaque.

— Trop occupé à essayer de rester vivant à ce moment-là. Et dites, qu'est-ce que vous avez dans la poche ? Qu'est-ce que vous alliez me montrer ?

Bosch sortit la photocopie.

— Ça, c'est les deux types qui ont arrêté Haller. Je me disais que vous en auriez peut-être reconnu un, enfin… si vous aviez vu le conducteur.

Cisco déplia la page et regarda les deux portraits. Il ne s'agissait que de trombines, mais sur les deux, le haut du col de l'uniforme de policier était visible.

— Vous me dites donc que ce pourrait être deux flics qui seraient derrière tout ça ?

Bosch acquiesça.

— Ça commence à beaucoup y ressembler.

— Putain ! Des ripoux. Qu'est-ce qu'ils vont encore inventer !

— Je vais avoir besoin que vous gardiez tout ça pour vous. Pas de problème avec Haller, mais on n'en parle à personne d'autre. Ça pourrait foutre tout en l'air si ça fuitait.

— Pas la peine de me dire ça.

— C'est juste. Je m'excuse. Et donc, votre accident, il s'est produit...

— Je vous l'ai déjà dit, c'était pas un accident.

— C'est juste. Je vous demande pardon. Mauvais choix de mots. Alors, cette agression s'est produite juste après que Haller a récolté l'affaire Foster. Aviez-vous commencé à y travailler ?

— Pas énormément. On avait l'affaire et on se préparait, mais comme y avait pas encore eu l'échange des pièces entre les parties, disons qu'on attendait que le district attorney nous crache le livre du meurtre.

Bosch acquiesça d'un hochement de tête.

— En fait, vous n'aviez pas vraiment commencé.

— Non, pas vraiment. On faisait juste que se raccrocher à des trucs en attendant de pouvoir mettre la main sur ces pièces. Parce que c'est là que tout commence, vous savez ?

— Oui, je sais. Ce qui fait que... Ça veut dire quoi que vous vous « raccrochiez à des trucs » ?

— Eh bien, on a la version du client et on peut toujours attaquer par là. Notre gars nous disant qu'il avait un alibi, j'ai un peu cherché et j'ai découvert qu'on arrivait un poil trop tard. Le pro avec qui il disait être s'était fait assassiner.

— James Allen.

— Voilà.

— Jusqu'où aviez-vous creusé ?

— Pas très profond. Le mec étant mort, on pouvait donc pas lui causer, point final. J'ai appelé des mecs du LAPD qui s'en occupaient, mais tiens… surprise, surprise… on m'a pas rappelé.

— Pensez-vous avoir fait quelque chose dans votre enquête qui aurait pu déclencher l'agression à la Camaro ? Quelque chose qui vous viendrait à l'esprit ?

Cisco réfléchit un instant, puis fit non de la tête.

— Je vois vraiment pas, dit-il. Sinon j'aurais déjà sauté dessus, vous savez…

— Oui, bien sûr.

Bosch comprit alors que s'il y avait un lien entre Ellis et Long et le fait que Cisco avait été poussé à contre-courant de la circulation, il allait devoir le trouver par d'autres moyens.

— Désolé de pas beaucoup vous aider, dit Cisco.

— Vous m'avez donné un bon signalement de la voiture et ça, ça va m'aider.

— J'aimerais bien savoir pourquoi, mais je ne vois pas ce que j'aurais pu faire pour qu'ils me tombent dessus. Mickey, oui, je comprends. Mais moi, c'est à peine si je démarrais.

— Peut-être, mais vous avez fait quelque chose, ou alors ils se sont dit que c'était imminent. Peut-être voulaient-ils juste foutre Haller dans la merde en éliminant son enquêteur. Et ça, on ne le saura peut-être jamais.

— Peut-être, en effet.

— Avez-vous signalé l'incident à la police ?

— Évidemment, mais autant perdre son temps.

— Pourquoi vous dites ça ?

— Oh allons, mec ! Regardez-moi un peu ! Les flics me jettent un seul coup d'œil et *boum*, je suis classé « biker ». Et pour eux, le type qui m'a jeté de la route faisait du bien à tout le monde. Oui, je les ai appelés et ils en ont eu rien à foutre. Le PV est passé aux oubliettes. Tout ce que ça m'a rapporté, c'est le fric de l'assurance, mais les flics ? J'ai plus jamais entendu parler d'eux.

Il fut un temps où Bosch aurait pu défendre le LAPD contre de telles accusations. Mais maintenant qu'il n'en faisait plus partie… Il se contenta de hocher la tête d'un air compréhensif. Ils s'échangèrent leurs numéros de portable et Bosch s'en fut, Cisco restant assis sur le banc et lui disant qu'il allait laisser son genou se reposer un peu avant de se lever et de regagner le parking.

CHAPITRE 38

Bosch ne s'attendait pas vraiment à ce que Cisco identifie un de ses agresseurs en voyant Long ou Ellis, mais il pensait que les deux flics des Mœurs étaient bel et bien derrière tout ce qui était arrivé à cause de l'affaire et il espérait en avoir la confirmation.

Il ne se démontait pas pour autant et connaissait d'autres moyens d'en avoir la preuve. Premier arrêt dans cette voie : le Hollywood Athletic Club. Il s'y rendit directement et, en route, appela Haller, qui décrocha tout de suite.

— Bonjour, lança ce dernier d'un ton plein d'entrain. J'étais sur le point de t'appeler.

— Et moi de te laisser un message, lui renvoya Bosch. Hier soir, tu m'as dit que tu étais de tribunal.

— Oui, et j'ai fini.

— Tu as l'air tout joyeux. Laisse-moi deviner... Tu as obtenu un énième non-lieu et remis un autre trafiquant de drogue dans la nature.

— Non, je suis heureux, mais ce n'est pas à cause d'une affaire. J'ai du nouveau. Mais d'abord toi. C'est toi qui m'as appelé.

— Je viens juste de parler avec Cisco. Il n'a jamais vraiment bien pu regarder le type qui l'avait éjecté de la route. Mais il m'a donné un bon signalement de la voiture... jusqu'aux étriers de freins jaunes. Il s'agit d'une Camaro orange brûlé avec jantes noires. Je t'appelais pour savoir si ça te disait quelque chose.

Haller mit un moment à répondre.

— Non, dit-il enfin. Il faudrait ?

— Et la voiture des flics qui t'ont arrêté pour conduite en état d'ivresse ?

— Non, ce n'était pas une Camaro. C'était une Dodge. Une Challenger ou une Charger. Je ne l'ai pas regardée de très près, mais ce n'était certainement pas une Camaro.

— Tu es sûr ?

— Hé, je suis l'avocat à la Lincoln, moi ! Les bagnoles, je m'y connais. Sans compter qu'elle n'était pas orange brûlé. Elle était d'un noir de jais. Aussi noire que les âmes des deux fumiers qui la conduisaient.

— Ouais... bon, ben, c'est tout ce que j'avais. Strike n° 2. D'abord Cisco, et maintenant toi. Allez, fais-moi du bien. C'est quoi, ta nouvelle ?

— On a les retours d'ADN.

— Et il n'y a pas de correspondance avec Foster.

— C'est-à-dire que non, pas tout à fait. Il y a quand même correspondance.

— Et c'est ça qui te rend si joyeux ?

— Non, ce qui me rend joyeux, ce sont les traces de capote anglaise. Tu avais raison. Ils en ont trouvé dans l'échantillon.

Bosch réfléchit. Cela lui donnait raison. Cette découverte étayait bien la théorie selon laquelle ce sperme de Da'Quan Foster pouvait avoir été apporté à la scène de crime et déposé sur et dans le corps d'Alexandra Parks.

— Après, il va falloir qu'ils essaient d'en déterminer la marque, reprit Haller. Pour trouver une correspondance avec les capotes d'Allen. On a ça et ils ne pourront plus s'en sortir en prétendant qu'il en portait une et qu'elle s'est ouverte.

— OK, dit Bosch.

— Tu sais, d'habitude j'ai l'impression d'essayer de dégommer le dossier de l'accusation à la carabine à plomb. Mais là, je commence à me dire qu'enfin on y va au fusil. Et à canon double, le fusil. Tu vas voir les trous qu'on va leur faire dans le dossier ! Énormes !

Haller semblait quasiment pris de vertige devant les résultats de l'analyse ADN. Bosch, lui, savait que le procès à venir était encore bien trop lointain pour se réjouir. Ellis et Long étaient toujours dans la nature et attendre encore cinq semaines pour que ça avance allait être long.

— Tu ne penses qu'à ce procès ! dit-il.

— Parce que c'est mon boulot, Harry. « Notre » boulot. Qu'est-ce que tu as, tout d'un coup ? Je me disais que la nouvelle te ferait plaisir. Tu es sur la bonne piste, mec.

— Ce que j'ai, c'est qu'Ellis et Long sont toujours dans la nature à faire ce qu'ils veulent. Ils surveillent ma maison et ils savent pour ma fille. Je ne peux pas encore le prouver, mais je pense qu'ils ont éliminé Cisco parce que ce qu'il faisait les menaçait et maintenant, c'est moi qui les menace. Le procès aura lieu dans plus d'un mois et c'est maintenant qu'il faut penser à ça. Tu arrives à innocenter Foster au procès et après ? L'accusation va tout manipuler en criant à l'écran de fumée et elle ne fera rien contre ces deux individus. Et après, hein ? Qu'est-ce qu'il se passera ?

Haller prit du temps pour composer sa réponse.

— Harry, dit-il, tu as passé toutes ces années à traquer des tueurs et je sais que c'est comme une seconde nature chez toi. Mais je n'arrête pas de te dire que maintenant, tu travailles en partant d'un autre point de vue. Tu n'y es pas habitué, mais c'est avant tout à notre client que nous devons des comptes. Nous ne devons jamais rien faire qui pourrait nuire à sa défense. Ça risque de te demander un certain temps pour…

— T'inquiète pas pour ça, dit Bosch en l'interrompant. Je n'ai aucune envie de m'y habituer. Après cette affaire, pour moi, c'est terminé.

— Bon, comme tu voudras. On en reparlera plus tard.

— Et si on allait montrer ce qu'on a au LAPD ? Je n'aurai aucun mal à leur faire comprendre qu'ils doivent se débarrasser de ces deux mecs. Au minimum, ça les obligera à les surveiller.

— Il n'en est absolument pas question, lui renvoya Haller d'un ton catégorique. On fait ça et on donne aussi sec cinq semaines à l'accusation pour se préparer à nous démolir.

— Il n'y aura peut-être pas de procès. Ils arrêtent ces deux mecs, ils se les jouent l'un contre l'autre, y en a un qui balance l'autre... c'est le plus vieux truc du monde. Fin de l'histoire.

— Trop risqué. Et je ne le ferai pas. Et toi non plus d'ailleurs.

Bosch garda le silence. Il ne pouvait pas ne pas prendre les mobiles de Haller en considération. Protégeait-il vraiment les chances de son client d'aller au non-lieu ou bien essayait-il de se ménager un instant de gloire au procès ? Il n'y avait en effet rien de mieux qu'un procès pour meurtre pour briller au tribunal. S'il l'emportait, Haller serait un héros et les clients feraient la queue pour l'avoir. Mais si l'affaire n'allait pas au procès, les applaudissements iraient à quelqu'un d'autre.

— Hé, t'es toujours là ? lui demanda Haller.

— Oui. Faudra qu'on reparle de tout ça.

— D'accord, d'accord. Écoute... retrouvons-nous demain matin. Petit déjeuner chez Du-Par. Huit heures, ça te va ? Tu pourras me présenter tes arguments. Je t'écouterai.

— Du-Par ? Lequel ?

— Celui du Farmer's Market.

— J'y serai.

— Et là, tu vas où ?

— À Hollywood. J'ai un truc à vérifier.

Haller attendit qu'il lui en dise plus, mais Bosch ne lâcha rien. Il essaya d'oublier sa contrariété et de se recentrer sur le sujet.

— Je t'appelle si ça marche, dit-il enfin.

— OK, dit Haller. À demain.

Bosch raccrocha, retira l'écouteur de son oreille et laissa tomber son portable dans un des porte-gobelets de la console centrale. Il regrettait son éclat, mais il ne pouvait plus rien y faire. Il se concentra sur sa conduite en quittant Santa Monica Boulevard et remonta Fairfax Avenue vers Sunset Boulevard.

Quelques années plus tôt, il avait été découvert que des membres d'un gang de rue arménien avaient loué une suite de bureaux dans un immeuble de douze étages sis au croisement de Sunset Boulevard et de Wilcox Avenue. Ces bureaux se trouvant au septième et à l'arrière du bâtiment, leurs fenêtres offraient une vue de premier choix sur la porte arrière du commissariat de Hollywood et de ses parkings attenants. En postant quelqu'un derrière un télescope vingt-quatre heures sur vingt-quatre, le gang avait récolté des tas de renseignements sur les opérations des Stups, des Mœurs et des équipes de l'Antigang. Ils avaient en particulier découvert les heures de service des diverses unités, les moments où elles étaient en opération dans les rues et la direction générale qu'elles prenaient après s'être préparées dans le parking et avoir franchi la grille.

À un moment donné, un indic en ayant révélé l'existence à un officier traitant de la DEA, ce poste d'espionnage avait été fermé par le FBI au cours d'une descente qui avait beaucoup embarrassé le LAPD. Le FBI avait saisi des répertoires contenant les noms de code de divers membres des unités du commissariat, avec les numéros et signalements de leurs voitures personnelles et de leurs véhicules en plongée. Il avait aussi été découvert que ce gang arménien avait vendu ces renseignements à d'autres gangs et groupes criminels de Hollywood.

Le LAPD avait alors instauré plusieurs changements de procédure afin de prévenir tout autre embarras de ce genre. À ce titre, la flotte des véhicules en plongée avait été déménagée dans un autre parking donné par une généreuse entreprise locale – le Hollywood Athletic Club. Comme tous les secrets du service, son emplacement n'avait vite plus rien eu de secret. Le scandale du poste d'espionnage s'était produit après que Bosch avait rejoint l'unité des Affaires non résolues, mais même lui avait su où se trouvait ce parking.

Sis dans Sunset Boulevard, le HAC n'était qu'à quelques rues du commissariat de Hollywood. Le parking se trouvait à l'arrière et était entouré d'immeubles sur trois côtés et d'une clôture sur le quatrième, le long de Selma Avenue. Il n'y avait pas de gardien, mais il fallait une carte-clé pour en franchir le portail.

Bosch n'en avait pas, mais n'avait pas non plus besoin d'y entrer. Il se gara dans Selma Avenue, descendit de voiture et gagna la clôture. Il savait que c'était le bon moment pour procéder à l'inventaire des véhicules, les trois quarts d'entre eux y étant garés. Il n'était que 10 heures du matin et toutes les unités les utilisant – Mœurs, Stups et Antigang – respectaient les horaires de leurs proies. Elles ne lançaient leurs opérations que dans l'après-midi et travaillaient jusque tard dans la nuit. Pour elles, le matin n'était pas fait pour se lever tôt.

Les voitures dont se servaient les équipes en plongée étaient échangées avec d'autres divisions au moins une fois par an afin qu'on ne les repère pas dans les rues. Certaines étaient aussi retirées de temps en temps de la circulation pendant un mois, et cela en faisait maintenant deux que Cisco Wojciechowski avait été poussé dans les voies d'en face. Il n'était donc pas impossible que la Camaro orange brûlé qu'il recherchait ait déjà disparu. Qu'Ellis et Long ne se soient pas servis de la même voiture pour coller un PV de conduite en état d'ivresse à Haller semblait indiquer qu'ils en avaient bien changé. D'un autre côté, se disait-il, s'ils avaient donc commis un crime avec la Camaro, ils auraient aussi très bien pu l'échanger tout de suite. Par exemple, contre une Dodge d'un noir de jais.

De toute façon, il devait s'en assurer et sa diligence paya. Il repéra les phares avant caractéristiques d'une Camaro garée à l'arrière du parking, contre le mur du fond. Son pare-brise disparaissant sous une épaisse couche de poussière de smog, il était évident que personne ne l'avait prise depuis un bon moment. Il dut longer encore un peu la clôture pour la voir de côté et pouvoir en confirmer la couleur : orange brûlé.

Il la photographia avec son portable. Puis il envoya son cliché avec la question « Est-ce bien elle ? » au numéro que Cisco lui avait passé un peu plus tôt, et regagna sa voiture de location. Cisco lui répondit au moment même où il ouvrait sa portière : « Je crois que oui. Ça y ressemble. »

Bosch remonta dans sa voiture et sentit une étincelle lui enflammer les sangs. Voir la Camaro ne lui confirmait qu'une petite partie de son hypothèse et ne prouvait rien, mais la montée d'adrénaline était là. Il commençait à mettre en place les pièces du puzzle et, aussi petites que soient celles qui s'emboîtaient, il la sentait. La Camaro était importante. Si c'était bien le véhicule qu'Ellis et Long avaient pris pour pousser Cisco dans la file d'en face, ils pouvaient très bien s'en être aussi servis quelques semaines plus tôt pour jeter le cadavre de James Allen dans la ruelle en retrait d'El Centro Avenue.

Il redescendit jusqu'à Santa Monica Boulevard et regagna le cimetière de Hollywood Forever. Il se gara devant la réception, entra et trouva Oscar Gascon assis derrière son bureau. Celui-ci le reconnut.

— Inspecteur ! dit-il. Vous êtes de retour.

— Eh oui, répondit Bosch. Comment vont les affaires ?

— Toujours au point mort. Vous avez encore besoin de voir mes vidéos ?

— Exactement, mais pour une date différente. Quand je suis passé l'autre jour, vous m'avez dit que les gars du LAPD étaient venus visionner les enregistrements du soir du meurtre là-bas en bas, à la Haven House.

— C'est exact.

— Ça vous embêterait que j'y jette un coup d'œil ?

Gascon le regarda un instant comme s'il essayait de deviner son angle d'attaque.

— Je ne vois pas pourquoi ça m'embêterait, finit-il par dire en haussant les épaules.

Il lui fallut cinq minutes pour récupérer la vidéo de la nuit où James Allen avait été assassiné. Il la mit en avance rapide et Bosch regarda l'entrée du motel.

— Qu'est-ce qu'on cherche ? demanda Gascon.

— Une Camaro orange brûlé, répondit Bosch sans lâcher l'écran des yeux.

Ils passèrent les dix minutes suivantes à observer la circulation. Les voitures montaient et descendaient Santa Monica Boulevard à une vitesse peu ordinaire. Bosch décida que s'ils arrivaient au bout de l'enregistrement sans voir la Camaro, il demanderait à le revoir plus lentement. Il se pourrait que Gascon élève des objections, mais il l'y obligerait.

— Là ! s'écria soudain Gascon. C'était pas une Camaro ?

— On ralentit.

La vidéo repassant en vitesse normale, ils regardèrent sans rien dire. La voiture qu'ils avaient vue entrer dans le parking de la Haven House n'était pas ressortie. Bosch se rendit alors compte qu'il n'y avait aucune raison de penser que le véhicule en ressorte rapidement.

— Remontons un peu en arrière et revoyons ça, dit-il.

Gascon s'exécuta. Puis, de son propre fait, il mit au ralenti. Ils attendirent et là, une voiture orange entra dans le champ par la gauche et tourna à gauche, vers l'entrée du motel.

— Figez l'image, ordonna Bosch.

Gascon figea l'image au moment où le véhicule coupait les files de Santa Monica Boulevard direction ouest. La voiture se trouvait maintenant directement en biais par rapport à la caméra, mais l'image était granuleuse et manquait de définition. Il n'empêche : les caractéristiques générales du véhicule semblaient bien correspondre à celles d'une Camaro, soit d'un coupé deux portes avec toit élégamment surbaissé.

— Qu'est-ce que vous en pensez ? demanda Gascon.

Bosch garda le silence. Il étudiait la bande sombre des vitres et les roues d'une teinte similaire. C'était proche, mais pas moyen d'en être certain. Il se demanda si le spécialiste des enregistrements vidéo de Haller ne pourrait pas améliorer la qualité de l'image.

— Allez-y en vitesse rapide, dit-il.

Il nota l'heure qui s'affichait au bas de l'écran. La voiture orange était entrée dans le parking à 23 h 9. Gascon ayant multiplié la vitesse de défilement par trois, ils passèrent encore quelques minutes à regarder. Des voitures entraient dans le parking et en sortaient. Il y avait du monde au motel. Enfin une voiture orange apparut, et disparut. Gascon remonta en arrière et, à nouveau, ils regardèrent au ralenti. Le véhicule sortit du parking sans s'arrêter, tourna à droite pour prendre Santa Monica Boulevard vers l'ouest, et disparut de l'écran.

— Ils sont sacrément pressés, fit remarquer Gascon.

Bosch vérifia le chrono de la bande passante. La voiture était repartie à 23 h 32, soit vingt-trois minutes après être entrée dans le parking. Bosch se demanda si cela leur avait laissé le temps de pénétrer dans la chambre d'Allen et de l'en sortir, mort ou vif.

— Les gars du LAPD se sont-ils concentrés sur cette voiture quand ils sont passés ? demanda Bosch.

— Euh, non, pas vraiment. Ils ont regardé l'enregistrement un petit moment et m'ont donné l'impression que, pour eux, c'était plutôt inutile. Ils en ont pris une copie à passer à l'unité technique pour amélioration de l'image. Et je n'ai plus jamais entendu parler d'eux après.

Bosch ne lâchait pas l'écran des yeux tandis qu'ils parlaient. Et là, sur la droite, il vit une voiture orange rouler vers l'ouest dans Santa Monica Boulevard et s'approcher de la Haven House. Elle traversa l'écran et passa dans l'entrée avant de disparaître.

— Elle est revenue ! s'écria-t-il.

Gascon regarda l'écran, mais la voiture n'y était déjà plus.

— Remontez en arrière, ordonna Bosch. Cette fois-ci, ils arrivent de l'est. Figez l'image quand le véhicule sera au milieu de l'écran.

Gascon s'exécutant aussitôt, Bosch se pencha en avant. Une tête était visible dans le véhicule maintenant à l'arrêt devant le cimetière. La caméra étant plus proche du véhicule, l'image était toujours petite et granuleuse, mais présentait plus de définition. Bosch n'eut alors plus aucun doute : c'était bien une Camaro. Sous cet angle, il repéra même quelques pixels jaunes au centre des roues noires – les étriers de freins jaunes que lui avait décrits Wojciechowski.

Mais à cause de l'éloignement de l'objectif et des fenêtres très teintées, il ne put identifier le conducteur.

— Allez, on repasse l'enregistrement, dit-il. Voyons un peu combien de temps ils restent cette fois-ci.

Il nota l'heure qui s'affichait à l'écran : 23 h 41. Ils regardèrent la Camaro entrer à nouveau dans le parking. Gascon remontant vite en arrière, ils regardèrent à nouveau et attendirent, Bosch se demandant pourquoi ils étaient passés deux fois au motel. Il se dit que la première, Ellis et Long avaient peut-être effectué un repérage des lieux et de la chambre d'Allen. Autre possibilité, avec tous les gens qui allaient et venaient, il y avait peut-être trop de monde dans le parking de derrière. Dernière possibilité : Allen était peut-être avec un client.

Cette fois, la Camaro ne ressortit pas avant quarante et une minutes. À nouveau, elle partit à toute allure, tourna à droite sans s'arrêter, prit vers l'ouest et disparut de l'image. Bosch songea au temps qui s'était écoulé, son instinct lui disant qu'Allen était déjà mort et enfermé à l'intérieur du coffre quand la Camaro quittait le champ de vision de la caméra.

— Alors ? Qu'en pensez-vous ? répéta Gascon.

— J'en pense que je vais avoir besoin d'une copie de cette vidéo, répondit-il.

— Vous avez une clé USB ?

— Non.

— On dit deux cents dollars, comme la fois d'avant ?

— Ça, j'ai.

— Voyons voir si je peux trouver quelqu'un avec une clé USB dans le coin.

CHAPITRE 39

En rentrant chez lui, Bosch gara sa voiture de location derrière le Poquito Mas de Cahuenga Boulevard. Il entra dans le restaurant et commanda un plat de *chile pasilla* à emporter. Puis il appela une voiture avec Uber. Le plat et la voiture arrivèrent en même temps. Il monta jusque chez lui en cherchant le moindre signe de surveillance d'Ellis et de Long. Rien ne lui indiqua la présence des deux flics des Mœurs et, cette fois, il n'engagea pas la conversation avec le chauffeur et se dit que ç'avait à voir avec le fait qu'il s'était assis à l'arrière.

Une fois chez lui, il alla prendre le dossier des preuves échangé entre les parties et le posa sur la table de la salle à manger. Avant de se mettre au travail, il écarta les panneaux de la baie vitrée pour laisser entrer de l'air frais. Puis il passa un instant sur la terrasse et regarda autour de lui. À droite, par une ouverture dans le canyon, il parvint à voir la terrasse en surplomb d'où Long avait regardé chez lui ce matin-là. Il se demanda si Ellis et lui avaient compris qu'il n'était pas chez lui et ne prenait plus sa Cherokee.

Il rentra, regagna la table et posa un grand bloc-notes au milieu. Et là, en se servant du dossier, de ses notes et de ses souvenirs, il se mit à bâtir une chronologie qui lui permette de voir toute l'affaire en la faisant débuter avant même le meurtre d'Alexandra Parks. Les assassinats étant placés comme il convenait sur l'abscisse du temps, il y ajouta les événements pertinents tout autour.

Il y travaillait depuis un quart d'heure lorsque la sonnette retentit. Il se leva tout de suite et s'approcha de la porte. Par le judas, il découvrit le haut d'un crâne chauve piqueté de taches de son. Il recula et ouvrit. C'était son voisin, Francis Albert.

— Inspecteur Bosch, je vous ai vu sur la terrasse il y a un petit moment. Vous vouliez me montrer des photos ?

— J'avais complètement oublié, Frank. Donnez-moi une seconde.

C'était grossier, mais il le laissa en plan sur la dernière marche de l'escalier. Il n'avait aucune envie de le faire entrer – le refaire sortir aurait pu être délicat. Il regagna la chaise où il avait laissé sa veste, en sortit les photos d'Ellis et Long, rejoignit l'entrée et tendit la photocopie des deux trombines à Albert.

— Le type que vous avez vu ce matin était-il un de ces deux-là ? lui demanda-t-il.

Albert ne mit pas longtemps à se prononcer.

— Oui, dit-il en hochant la tête, le clown, c'était celui-là.

Et il lui montra la photo de Long. Bosch hocha la tête.

— Oui, je me disais aussi que c'était peut-être lui, dit-il. Merci, Frank.

Il y eut un moment de gêne alors qu'Albert ne bougeait pas.

— Vous me passez un coup de fil si jamais vous le revoyez ? reprit Bosch.

— Bien sûr. Vous pensez vraiment que c'est un flic ?

Bosch marqua une pause, réfléchit à la question et se demanda ce qu'il pouvait lui dire.

— Non, pas vraiment, répondit-il.

Puis il regagna sa table après avoir refermé la porte et, sans relâche, il travailla son suivi chronologique en y ajoutant des détails au fur et à mesure de sa lecture. Une demi-heure plus tard, il avait enfin un document qui, pour lui, disait toute l'affaire en détail et ne laissait rien au hasard dans l'enquête.

2013, date inconnue : montre achetée par le docteur Schubert
2014, date inconnue : montre volée ou vendue par Schubert
11 décembre : montre achetée par Harrick à la bijouterie Grant & Sons
25 décembre : montre offerte à Alexandra Parks
Date inconnue : verre de la montre cassé
2 février : la montre arrive à Las Vegas par Federal Express
5 février : Gerard examine la montre – toujours enregistrée au nom de Schubert
5 février : Gerard appelle Mme Schubert (montre volée)
5 février : Parks appelle Gerard, apprend que sa montre a peut-être été volée
5 février : Parks appelle la bijouterie Grant & Sons (teneur de la conversation non connue)
5 février : le docteur Schubert appelle Gerard – montre pas volée, a servi à payer dette de jeu
5 février : Gerard appelle Parks (montre non volée)
9 février : Alexandra Parks assassinée
19 mars : Da'Quan arrêté – correspondance ADN
21-22 mars : James Allen assassiné – Camaro orange au parking Haven House – deux portières de voiture claquent dans ruelle – deux tueurs ?
1er avril : Cisco accident – Camaro orange
5 mai : Haller arrêté – Ellis et Long
7 mai : les frères Nguyen interrogés par Bosch – les frères Nguyen assassinés – deux tueurs ?

Enfin il reposa son stylo et étudia les dates et les événements répertoriés ligne par ligne. Déconstruire l'affaire en un simple déroulé chronologique l'aida à voir comment tout se tenait et comment, l'un conduisant à l'autre, les événements tombaient comme des dominos. Se pouvait-il vraiment que quatre assassinats soient reliés entre eux par le changement de propriétaire d'une montre ?

Il comprit alors que le moment était venu d'aller voir le docteur Schubert et de terminer le puzzle. Il s'adossa à sa chaise et étudia la meilleure façon d'y parvenir. Il avait déjà tiré certaines conclusions sur cet homme qu'il n'avait jamais rencontré, ni même seulement vu auparavant, rien qu'à voir la manière dont il gagnait sa vie et où et comment il vivait.

Il arrêta que la meilleure façon de procéder était de lui faire peur pour gagner sa coopération. Et, dans cette affaire, il ne serait même pas obligé de jouer la comédie.

Il se leva de la table et descendit le couloir jusqu'à sa chambre. Il était temps de s'habiller en vrai détective privé.

CHAPITRE 40

Ellis était au nouvel appartement avec les sœurs jumelles. Il passait en revue les enregistrements de la veille afin d'y trouver un autre projet de travail. Long l'appela sur son jetable.

— Tu avais raison, dit-il. Il vient juste de se montrer. Vaudrait mieux que tu viennes.

Assise sur le canapé, une des jumelles se vernissait les ongles. L'autre faisait un petit somme – la nuit avait été animée. Ellis gagna la cuisine pour être plus tranquille.

— Qu'est-ce qu'il fait ? demanda-t-il à voix basse.

— Ben, et d'un, il est en costume cravate, répondit Long.

— Il essaie de ressembler à un privé. C'est comme ça qu'il va jouer le coup. Quoi d'autre ?

— Il a un dossier à la main.

— Où est-il exactement ?

— Au garage, adossé à une bagnole qui ressemble à une voiture banalisée. Tu devrais venir. Pour moi, il va se passer quelque chose.

— Il va vouloir l'emmener quelque part. Dans un coin tranquille.

Ellis dut réfléchir. Quel était le meilleur moment pour passer au coup suivant ?

— Hé, t'es toujours là ? lui demanda Long.

— Oui, oui. Tu peux me dire s'il a une arme ?

— Euh… oui, il en a une. Côté gauche. Y a sa veste qui fait une bosse.

— Ça, va pas falloir l'oublier. Tu es sûr qu'il ne t'a pas vu ?

— Non, mec, il m'est même passé devant en voiture.

— Avec la Cherokee ?

— Non, il a une Chrysler. Ça m'a l'air d'une voiture de location.

Ellis réfléchit. Bosch savait donc qu'ils lui avaient mis une balise sous la voiture, mais… savait-il qu'ils surveillaient Schubert ?

— Bon, tu viens ou tu viens pas ?

— J'arrive.

Ellis raccrocha et repassa dans le séjour.

CHAPITRE 41

Bâtiment de un étage, le Center for Cosmetic Creation se trouvait à une rue de l'hôpital Cedars-Sinai de West Hollywood. Tout le rez-de-chaussée servant de parking, on accédait aux soins après une courte montée en ascenseur. Bosch n'eut aucun mal à repérer la voiture de Schubert dans le parking – le chirurgien y avait un emplacement réservé indiqué au stencil sur un mur. Y était garée une très élégante Mercedes-Benz argent. Bosch la dépassa et trouva une place non loin de là. Il s'y gara, attendit en consultant le dossier rapports et photos qu'il avait bâti et travailla son pitch. Parce que c'était ça qu'il allait faire à Schubert : un pitch. Il allait proposer de lui sauver la vie.

Il attendait encore lorsqu'il vit plusieurs patientes sortir de l'ascenseur, libres de quitter les lieux après le traitement qu'elles avaient suivi. Elles étaient poussées dans des fauteuils roulants par des infirmières qui les aidaient ensuite à monter dans des Town Cars mises à leur disposition. Bosch remarqua que toutes ces Lincoln avaient des plaques indiquant qu'elles provenaient du même loueur et se demanda si la course n'était pas incluse dans l'offre complète. À l'exception d'une seule, toutes les patientes avaient des pansements sur la figure. Il se dit que celle qui n'en avait pas avait dû subir une augmentation mammaire ou une liposuccion. Elle se leva de son fauteuil roulant avec précaution et monta lentement à l'arrière de sa Town Car.

Il n'y avait que des femmes, et toutes d'âge mûr, voire plus. Et personne ne les accompagnait. Elles devaient essayer de s'accrocher à l'image de leur jeunesse, toutes repoussant le moment où les hommes cesseraient de les regarder.

Le monde n'était pas tendre. Cela le fit penser à sa fille et à l'instant tout proche où elle quitterait la maison pour vivre sa vie. Il espéra que jamais elle n'ait ce genre d'endroit pour destination. Il sortit son téléphone de sa poche et lui rédigea un texto, alors même qu'elle lui avait dit qu'il était peu probable qu'ils campent dans un endroit où il y aurait du réseau. Il le lui envoya quand même – plus pour lui-même que pour elle, en fait.

Espère que tu t'amuses bien ! Je t'aime fort !

Il regardait encore l'écran de son portable dans l'espoir d'y lire une réponse lorsqu'il entendit le *bip* d'une portière de voiture qu'on débloque. Il leva la tête et vit deux femmes en tenue d'infirmière se diriger vers leurs voitures. La clinique devait être sur le point de fermer. Peu après en sortit un homme qui avait l'air d'un médecin. Il se dirigea vers la Mercedes, mais la dépassa et monta dans la voiture juste à côté. Dès qu'il fut parti, Bosch alla se garer à sa place. Puis il descendit de voiture avec son dossier, s'approcha de la Mercedes de Schubert, s'adossa à l'arrière, posa son dossier sur le coffre et croisa les bras.

Pendant les vingt minutes qui suivirent, des infirmières et divers membres du personnel médical continuèrent de sortir de l'ascenseur pour passer dans le garage, mais personne ne s'approcha de la Mercedes de Schubert. Certains lui jetèrent bien un regard interrogateur, mais personne ne lui demanda ce qu'il faisait là. Vendredi après-midi, le week-end commençait, tout le monde voulait filer. Bosch passa sur Google pour avoir une photo en ligne du chirurgien. Il n'en trouva qu'une extraite d'un article publié en 2003 dans une revue de la haute société de Beverly Hills. On l'y voyait avec son épouse, Gail, à un gala de charité donné au Beverly Hilton. Bosch eut l'impression que la dame était passée une ou deux fois à la clinique de son mari pour des raisons professionnelles. Elle avait le menton et le dessus des sourcils comme taillés au burin.

Un texto de Maddie apparut sur son écran :

Vraiment froid la nuit. À dimanche !

Cela lui ressemblait bien de faire dans le succinct et de tout lui dire à mots couverts, le message étant qu'elle ne communiquerait plus avec lui avant son retour. Il ouvrit un écran pour lui répondre, mais ne sut trop quoi lui dire.

— Vous permettez ?

Bosch leva la tête. Quelqu'un s'approchait. Bosch reconnut en lui l'homme dont il venait de voir la photo vieille de douze ans. Schubert lui montra la Mercedes contre laquelle il s'appuyait.

— C'est ma voiture... si ça ne vous gêne pas.

Pantalon vert, chemise boutonnée bleu ciel et cravate grise. Pas de veste de sport, très probablement parce qu'il portait une blouse blanche de médecin à l'intérieur de l'établissement. Bosch s'écarta du coffre et remit juste assez d'ordre dans sa veste pour être sûr que Schubert remarque l'arme dans son étui de hanche. Il vit Schubert la fixer.

— Vous pouvez m'expliquer ? lui demanda celui-ci.

— Docteur Schubert, je m'appelle Harry Bosch et je suis ici pour vous sauver la vie. Y a-t-il un endroit où nous pourrions parler sans être gênés ?

— Quoi ?! s'exclama le chirurgien. C'est une blague ? Qui êtes-vous, bon sang ?

Schubert gagna la portière du conducteur en se tenant à bonne distance de Bosch. Puis il sortit une clé de sa poche et appuya dessus pour débloquer les portières.

— Si j'étais à votre place, ça, je ferais pas, reprit Bosch.

Schubert s'arrêta, la main à mi-chemin de la portière comme si Bosch venait de l'avertir qu'il risquait de faire sauter une bombe en l'ouvrant. Bosch repassa par l'arrière de la Mercedes et reprit son dossier posé sur le coffre.

— Mais qui êtes-vous ? répéta Schubert.

— Je vous l'ai déjà dit, répondit Bosch. Je suis le type qui essaie de vous garder en vie.

Et il lui tendit le dossier. Schubert le prit à contrecœur. Pour l'instant, tout collait avec le pitch que Bosch avait préparé. Les dix secondes suivantes diraient si, oui ou non, tout allait basculer.

— Jetez-y donc un coup d'œil, reprit Bosch. J'enquête sur toute une série de meurtres, docteur Schubert. Et j'ai de bonnes raisons de croire que vous… et peut-être aussi votre femme… pourriez être les prochains sur la liste.

Schubert réagit comme si le dossier était chauffé à blanc. Bosch, qui l'étudiait, constata qu'il avait plus peur qu'il n'était vraiment surpris.

— Ouvrez ce dossier, lui ordonna-t-il.

— Ce n'est pas comme ça qu'on fait, protesta le chirurgien. On ne…

Il s'arrêta net en découvrant l'image attachée à l'intérieur – le visage horriblement abîmé d'Alexandra Parks photographié en gros plan. Il écarquilla les yeux, Bosch en déduisant que tout chirurgien esthétique qu'il était, il n'avait jamais rien vu de tel durant toutes ses années de travail.

Schubert regarda l'autre côté du dossier. Bosch y avait attaché le rapport de police, moins pour son contenu que parce qu'il s'agissait de la photocopie d'un document officiel. Le sceau des services du shérif du comté de Los Angeles apposé en haut de la pièce lui donnerait, il le savait, plus de légitimité aux yeux de Schubert. Il voulait que le chirurgien le prenne pour un vrai flic aussi longtemps que possible. La comédie prendrait fin si Schubert lui demandait de montrer son badge. Pour empêcher ça, le plan était de le tenir en déséquilibre constant et de jouer sur ses peurs.

Schubert referma le dossier, l'air dévasté. Il le tendit à Bosch, qui refusa de le lui reprendre.

— Mais de quoi s'agit-il ?! lança-t-il à Bosch d'un ton suppliant. Qu'est-ce que ç'a à voir avec moi ?

— C'est avec vous que toute l'affaire a commencé, docteur. Avec vous, Ellis et Long.

Schubert avait reconnu les deux noms, c'était indéniable. Il les avait reconnus et il y avait de la peur dans ses yeux, comme s'il savait depuis toujours que cette histoire avec Ellis et Long n'était pas terminée.

Bosch avança et lui reprit enfin le dossier.

— Bon alors, dit-il. Où peut-on parler tranquillement ?

CHAPITRE 42

Schubert déverrouilla l'ascenseur avec une clé. La boîte en acier monta lentement, ni Bosch ni Schubert ne disant mot. Dès que les portes s'ouvrirent, les deux hommes traversèrent une réception grand luxe et une salle d'attente avec bar et sièges somptueux. Personne ni dans l'une ni dans l'autre, l'impression était bien que tout le monde était rentré chez soi. Ils longèrent un couloir et entrèrent dans le bureau de Schubert, ce dernier allumant la lumière. La pièce était grande avec un canapé et des fauteuils d'un côté et un bureau et un poste de travail de l'autre, ces deux espaces séparés par une cloison accordéon à motifs japonais. Schubert se laissa tomber lourdement dans le fauteuil en cuir à haut dossier placé derrière le bureau. Il hochait la tête comme quelqu'un qui vient de comprendre brusquement que le cadre de son existence qu'il avait si parfaitement mis en place était en train de changer.

— Je n'arrive pas à y croire, dit-il en s'adressant à Bosch comme si celui-ci était responsable de tout.

Bosch s'installa dans un fauteuil devant le bureau avec son plateau ultramoderne en acier brossé et y posa le dossier.

— Détendez-vous, docteur, dit-il. Nous allons trouver une solution. La femme sur la photo que vous ne voulez pas regarder était Alexandra Parks. Ce nom vous dit-il quelque chose ?

Schubert s'était remis à hocher la tête en une sorte de réponse réflexe, mais buta sur le nom.

— Quoi ? La femme de West Hollywood ? s'écria-t-il. Celle qui travaillait pour la Ville ? Je croyais qu'ils avaient attrapé quelqu'un… un membre de gang… un Noir.

Bosch trouva intéressant qu'il caractérise le suspect par sa race, comme s'il y avait un lien de cause à effet avec le crime. Cela lui donna un petit aperçu de celui qu'il allait devoir persuader de s'ouvrir et de parler dans les cinq minutes suivantes.

— Oui, eh bien, ce n'est pas le bon qui a été attrapé. Et ceux qui ont fait le coup sont toujours dans la nature.

— Quoi ? Nos deux bonhommes ? Les deux flics de Los Angeles ?

— Voilà. Et moi, j'ai besoin de savoir tout ce que vous savez sur ces deux-là de façon à ce qu'on puisse les arrêter.

— Oui mais là, je ne sais rien du tout.

— Bien sûr que si.

— Je ne peux pas m'impliquer. Dans mon métier, la réputation est tout et je…

— Votre réputation ne voudra pas dire grand-chose quand vous serez mort, et nous avons de bonnes raisons de croire que vous êtes sur leur liste.

— C'est pas vrai ! J'ai payé et paierai encore avant la fin du mois. Et ils le savent. Pourquoi faudrait-il qu'ils…

Il se rendit soudain compte que, la panique aidant, il venait de se démasquer.

Bosch hocha la tête.

— C'est bien pour ça que vous devons parler, dit-il. Aidez-nous à arrêter ce truc. On fera ça sans bruit et de façon sûre, et pour autant que je pourrai, je vous tiendrai en dehors de toute l'affaire. C'est de vos infos que j'ai besoin, pas de vous.

Ce fut au tour de Schubert de hocher la tête, moins à l'intention de Bosch que pour reconnaître que ce qu'il craignait depuis longtemps était enfin arrivé et qu'il fallait s'en occuper.

— Bon, alors, reprit Bosch. Avant que nous commencions, je vais avoir besoin d'appeler mon binôme pour lui dire où je suis. Consigne de sécurité.

— Je croyais que vous deviez toujours être avec lui.

Bosch sortit son portable et entra son code.

— Dans le meilleur des mondes, oui, dit-il. Mais dans une enquête de ce genre, on couvre beaucoup plus de terrain en se scindant en deux. Ça permet de garder l'élan.

Bosch consulta sa montre et fit comme s'il passait un appel. En fait, il venait d'ouvrir l'application « memo » et avait commencé à enregistrer. Il tint son téléphone à l'oreille comme s'il avait appelé et attendait qu'on lui réponde. Au bout de quelques secondes, il laissa un message.

— Hé, dit-il, c'est Harry. Il est 17 h 45 et je suis avec le docteur Schubert dans son bureau, et c'est là que je vais l'interroger. Il est d'accord pour coopérer. Je te dis si je tombe sur quelque chose de trop important pour moi tout seul. À tout à l'heure.

Son message une fois terminé, il fit semblant de raccrocher et reposa son mobile sur le dossier. Puis il se pencha pour sortir son carnet de notes de sa poche revolver et tapota les poches de sa veste dans l'espoir d'y sentir un stylo. N'en trouvant pas, il tendit la main vers une tasse remplie de crayons et de stylos posée sur le bureau.

— Ça vous gênerait que je vous emprunte un de ces stylos pour prendre des notes ? demanda-t-il.

— Écoutez, dit Schubert, je ne vous ai pas vraiment dit que j'étais prêt à coopérer. Vous me forcez la main. Vous commencez par dire à quelqu'un qu'il va se faire assassiner et tiens, bien sûr que ce quelqu'un va vouloir vous parler pour savoir de quoi il retourne !

— J'écris donc que c'est OK ?

— Oh… comme vous voudrez.

Bosch jeta un coup d'œil au dossier posé sur le bureau, puis se tourna vers Schubert.

— On commence avec la montre ? lança-t-il.

— Quelle montre ? De quoi parlez-vous ?

— Allons, docteur Schubert ! Vous savez très bien de quelle montre je parle. L'Audemars Piguet que vous avez achetée il y a deux ans à Las Vegas. Le modèle Royal Oak Offshore femme. La montre dont votre épouse dit qu'elle a été volée, mais que vous dites, vous, avoir vendue pour régler une dette de jeu.

Que Bosch sache tout cela plongea Schubert dans la stupéfaction.

— Sauf que c'était un mensonge, n'est-ce pas ? enchaîna Bosch. Et moi, je ne peux pas vous aider si vous ne commencez pas à parler et à me dire la vérité. Il y a quatre morts dans cette histoire, docteur ! Quatre ! Et ce qui les relie, c'est votre montre. Vous voulez vous protéger, vous me dites ce qui s'est vraiment passé.

Schubert ferma les yeux comme si cela pouvait l'aider à échapper à l'horrible situation dans laquelle il se trouvait.

— Tout ça doit rester entre nous, dit-il. J'ai des clients. J'ai...

Il bafouilla.

— Une réputation, oui, vous l'avez déjà dit et je comprends. Je ne peux rien vous promettre, mais je ferai de mon mieux. À condition que vous me disiez la vérité.

— Ma femme ne le sait pas, dit Schubert. Je l'aime et ça lui ferait du mal, beaucoup de mal.

C'était à lui-même qu'il parlait et Bosch choisit de rester en retrait et d'attendre qu'il trouve une issue. Une solution semblant enfin lui venir, Schubert rouvrit les yeux et regarda Bosch.

— J'ai fait une erreur, dit-il. Une erreur horrible et...

Sa voix se perdit à nouveau.

— Quelle erreur, docteur ?

Vu les autres personnages impliqués, Bosch avait une idée assez claire de la suite. Ellis et Long étaient aux Mœurs et œuvraient dans les marécages boueux du commerce du sexe. C'est là qu'ils avaient croisé le chemin de James Allen et il n'y avait aucune raison de croire que Schubert allait parler d'autre chose.

— J'ai eu une relation avec une patiente et il se trouve qu'elle travaillait dans le secteur du divertissement pour adultes, dit-il. Et, au fil des ans, elle a subi plusieurs opérations. Lèvres, seins, fesses, pour améliorer tout ce que vous pouvez imaginer. Recours régulier au Botox. Labiaplastie, lifting facial, lifting des bras... tout pour qu'elle puisse continuer à travailler.

Bosch n'avait aucune idée de ce que pouvait être une « labiaplastie », mais ne voulut pas le lui demander de peur de déprimer bien au-delà du seuil que tout ce que le reste de la liste lui avait déjà fait franchir.

— Tout cela au fil des ans, bien sûr, reprit Schubert. Presqu'une décennie, en fait.

Il s'arrêta comme s'il en avait déjà assez lâché pour que Bosch devine le reste. Bosch savait pouvoir y arriver, mais il avait besoin que Schubert lui raconte toute l'histoire.

— Quand vous dites que vous avez eu « une relation » avec cette personne, qu'entendez-vous par là exactement ?

— J'entends une « relation médecin-patient », lui renvoya Schubert sèchement. Rien que de très professionnel.

— D'accord. Et donc, que s'est-il passé pour que les policiers des Mœurs Ellis et Long fassent irruption dans votre vie ?

Schubert baissa les yeux un instant et fit face.

— Je veux que vous me promettiez de ne rien mettre de tout cela dans un quelconque rapport de police qui ne serait pas strictement confidentiel, dit-il.

Bosch acquiesça.

— C'est promis. Je ne mettrai rien de tout cela dans un quelconque rapport de police.

Schubert l'étudia longuement comme s'il mesurait son degré de sincérité. Puis il hocha la tête, plus à son adresse qu'à celle de Bosch.

— J'ai franchi la ligne, dit-il. J'ai couché avec elle. J'ai couché avec ma patiente. Une seule fois et je ne cesse de le regretter.

Bosch acquiesça comme s'il le croyait.

— Quand ce franchissement de ligne s'est-il produit ? demanda-t-il.

— L'année dernière. Juste avant Thanksgiving. C'était un coup monté. Un piège.

— Comment s'appelle-t-elle ?

— Deborah Stovall. Elle a plusieurs noms de scène. Ashley Juggs, je crois. Ou quelque chose de ce genre-là.

— Vous dites que c'était un « coup monté ». Comment ça ?

— Elle a appelé le bureau et a demandé après moi. Je donne mes consultations téléphoniques en fin de journée. Je l'ai donc rappelée et elle m'a dit faire une réaction allergique à une injection de Botox dispensée à la clinique. Je lui ai dit de passer le lendemain matin à la première heure et que je verrais ça, mais elle m'a répondu qu'elle ne pouvait pas se produire en public avec le visage tout gonflé. Elle voulait que je passe la voir tout de suite.

— Vous y êtes donc allé.

— Oui, au mépris de tout bon sens. À la fin de mon service, j'ai préparé une trousse de soins et suis passé à son appartement. Rien d'extraordinaire jusque-là. Des visites à domicile, il m'arrive d'en faire. Tout dépend du client. En fait, c'était la dernière des deux que j'avais prévu de faire ce jour-là. Mais avec elle… vu la manière dont elle gagne sa vie… j'aurais dû savoir à quoi ça pouvait mener.

— Où habitait-elle ?

— Dans Fountain Avenue, près de Crescent Heights. Dans un appartement. Je ne me rappelle plus l'adresse exacte. Je l'ai dans son dossier médical.

— Que s'est-il passé lorsque vous êtes arrivé ?

— Eh bien… elle ne présentait aucun symptôme d'infection ou de réaction allergique. Elle m'a dit que le problème avait disparu dans la journée et qu'elle n'était plus enflée. Je pense qu'en fait elle ne l'avait jamais été.

— Bon, d'accord, vous y êtes donc allé, reprit Bosch. Et là, qu'est-ce qui s'est passé ?

— Elle avait une coloc avec elle. Et cette coloc, elle était entièrement nue et… une chose conduisant à une autre…

— Comment s'appelait cette coloc ?

— Annie, mais je ne sais pas si c'était son vrai nom.

— Elle aussi travaillait dans le divertissement pour adultes ?

— Oui, bien sûr.

— OK. Et donc, vous avez eu des relations sexuelles avec une ou avec les deux ?

Schubert baissa la tête et y alla d'un bruit de gorge dans lequel, Bosch le pensa, il voulait qu'on entende comme des pleurs qu'on réprime.

— Oui, je… J'ai été faible.

Bosch le laissa s'en débrouiller sans lui témoigner la moindre sympathie.

— J'imagine donc qu'il y avait des caméras, mais que vous ne les avez pas vues, dit-il.

— Oui, il y en avait, répondit Schubert tout bas. Elles étaient cachées.

— Qui vous a contacté ? Les filles ou Ellis et Long ?

— Ellis et Long. Ils sont venus ici, se sont assis devant mon bureau, comme vous maintenant, et m'ont montré la vidéo sur leur téléphone. Et après, ils m'ont dit comment ça allait se passer. J'allais faire ce qu'ils me disaient et payer tout ce qu'ils voudraient, sans quoi ils mettraient la vidéo sur le Net. Et s'assureraient que ma femme la voie et feraient en sorte que Deborah dépose plainte auprès du California Medical Ethics Board. Bref, ils allaient me ruiner.

Bosch se fendit d'un petit hochement de tête, soit le maximum de sympathie qu'il pouvait atteindre.

— Combien vous ont-ils dit vouloir ? demanda-t-il.

— Cent mille dollars pour commencer. Et après, cinquante mille tous les six mois.

Bosch commença à avoir une idée de la raison pour laquelle Ellis et Long en étaient venus à tuer tout individu qu'ils pensaient susceptible de mettre en danger leur opération. Schubert était une vraie poule aux œufs d'or – une source de revenus annuels sans problème aussi longtemps que le chirurgien voudrait couvrir son « erreur ».

— Vous leur avez donc payé les premiers cent mille, dit-il.

— Oui.

— De quelle manière exactement ?

Schubert avait fait pivoter son fauteuil et ne regardait plus Bosch. À sa droite et couvrant tout le mur se trouvait une grande affiche montrant les contours d'un corps féminin. De caractère purement clinique, elle n'avait rien d'érotique, et l'on voyait en regard de chaque partie du corps toutes les opérations qu'on pouvait leur faire subir. Bosch eut l'impression que Schubert s'adressait à elle en répondant aux questions qu'il lui posait.

— Je leur ai dit que je ne pouvais pas payer en liquide, dit-il. Mon argent… mon argent, je ne le vois jamais. J'ai une société qui gère ce centre et ce qui me revient va directement sur un compte de dépôt, tout cela supervisé par des contrôleurs de gestion. Et suivi par ma femme. J'ai eu des problèmes d'addiction qui ont fait que c'est comme ça que ça se passe.

— Dépendance au jeu ?

Schubert se tourna vers Bosch comme s'il se rappelait brusquement sa présence. Puis il se retourna de nouveau vers l'affiche.

— Au jeu, oui, dit-il. Je ne maîtrisais plus rien et je perdais tellement d'argent qu'on a fini par me le prendre. Pour le contrôler. C'était la seule façon de sauver mon mariage. Mais ça signifie que je ne peux plus passer à la banque et rédiger un chèque de cette importance sans cosignataire.

— Vous leur avez donc donné des bijoux à la place. Dont la montre de votre femme.

— Voilà, exactement. Elle était partie en vacances. Loin de Los Angeles. C'est là que je leur ai donné les bijoux. Sa montre, la mienne, plus quelques diamants. C'est eux qui ont eu l'idée de faire passer ça pour un cambriolage. Quand ma femme est revenue, je lui ai raconté qu'on était entré dans la maison et que la police s'en occupait. Qu'elle enquêtait. Ellis avait cassé la vitre d'une des portes-fenêtres à l'arrière de la maison pour laisser penser que les voleurs étaient passés par là.

Bosch tendit le bras vers le dossier posé sur le bureau et le prit sous le téléphone.

— Permettez que je vérifie quelque chose, dit-il.

Il ouvrit le dossier et le feuilleta jusqu'à ce qu'il trouve le suivi chronologique qu'il avait établi dans la matinée.

L'histoire que lui racontait Schubert collait bien avec les faits qu'il avait répertoriés. Schubert donne les bijoux à Ellis et Long pour régler sa dette. Ellis et Long concluent un arrangement avec les frères Nguyen pour que ces bijoux soient vendus par la Nelson Grant & Sons sous la forme de biens patrimoniaux. Les bijoux commencent à partir… Harrick achète la montre à sa femme comme cadeau de Noël. Ellis et Long récupérèrent leur argent, les frères Nguyen ayant droit à un petit pourcentage pour ne pas s'être intéressés de trop près à la provenance des bijoux.

Mais tout tourne de travers lorsque Alexandra Parks casse le verre de son Audemars Piguet et l'envoie à Las Vegas pour la faire réparer. Lorsqu'elle apprend qu'il pourrait y avoir un problème de propriété avec la montre, en patronne de l'unité de protection des consommateurs et épouse d'un officier de police, elle cherche vite à savoir d'où sort la montre. Elle appelle Nelson Grant & Sons pour se renseigner. Peut-être même leur dit-elle que son mari est shérif adjoint, mais peut-être aussi l'ont-ils déjà découvert lorsque celui-ci leur a acheté la montre. Quoi qu'il ait été dit dans la conversation, l'appel d'Alexandra Parks inquiète tellement les frères Nguyen qu'ils contactent Ellis et Long pour leur dire qu'ils pourraient bien avoir un problème.

Ellis et Long décident de monter aux extrêmes : liquider Parks avant qu'elle n'enquête plus à fond et ne découvre leur petite affaire d'extorsion de fonds. Pour Bosch, il est en effet impensable que Schubert soit la seule victime visée et qu'il n'y ait pas une arnaque encore plus génératrice d'argent derrière tout ça, à savoir se servir des filles pour amener des types à s'ébattre devant des caméras cachées.

Ellis et Long concoctent un plan pour assassiner Parks et faire en sorte que cela ressemble à un crime à mobile sexuel. Ils se servent de James Allen, un indic qu'ils contrôlent et dont ils se sont peut-être déjà servis dans des affaires d'extorsion du même ordre, pour obtenir un préservatif plein de sperme qu'ils pourront introduire sur les lieux du crime de façon à envoyer les enquêteurs dans la mauvaise direction et les aiguiller sur le mauvais bonhomme.

Mais cette hypothèse laisse en suspens le rôle joué par James Allen et n'explique pas pourquoi il est assassiné à son tour. Pour ne rien laisser au hasard ? Ou alors… Allen aurait-il menacé les flics des Mœurs d'une façon ou d'une autre ? Le meurtre de Lexi Parks a fait beaucoup de vagues dans les médias. Il n'est pas impossible qu'Allen ait eu vent de l'histoire et qu'il ait alors fait le rapprochement avec son client Da'Quan Foster après l'arrestation de ce dernier suite à la correspondance ADN. Qu'il ait fait quoi que ce soit contre Ellis et Long, qu'il leur ait demandé de l'argent ou qu'il les ait menacés d'une manière ou d'une autre pourrait lui avoir coûté la vie. Il est assassiné et son corps est exhibé de façon à lancer les enquêteurs sur une mauvaise piste. Ellis et Long ont forcément eu vent du premier meurtre, celui où le corps de la victime a été laissé dans une ruelle en retrait d'El Centro Avenue. Il se peut même qu'ils l'aient perpétré.

La fausse piste, songea Bosch. Le scénario qui se répète, le schéma récurrent. D'abord Alexandra Parks et après, James Allen.

CHAPITRE 43

Ellis rejoignit Long dans la Charger.

— C'est pas trop tôt ! gémit Long.

— Arrête de geindre, lui renvoya Ellis. Je réglais des affaires avec les filles. On en est où ?

— Schubert est sorti, il y a eu confrontation avec Bosch, puis ils sont entrés dans la clinique. Il y a trente-cinq minutes de ça.

Ellis hocha la tête et réfléchit. Schubert était depuis si longtemps à l'intérieur avec Bosch qu'il fallait bien se dire qu'il était en train de cracher le morceau, et pour Ellis, cela voulait dire qu'on était en fin de partie. Que l'heure était venue de fermer boutique. D'arrêter toutes les opérations.

Il ne savait pas trop pour Long, mais lui avait prévu le coup. Il prit son portable et ouvrit l'application météo. Il y avait entré plusieurs villes au cas où l'appareil tomberait dans de mauvaises mains. Une seule lui importait. Il faisait 24 degrés à Placiencia, Belize. Que pouvait-il y avoir de plus parfait ?

Il rangea son téléphone.

— On y est, dit-il.

— Quoi « on y est » ? demanda Long.

— Là, maintenant. Terminus tout le monde descend. Il va falloir choisir.

— Qu'est-ce qu'il va falloir choisir ?

— Tu prends cette voiture, je regagne la mienne et on dégage. On prend le magot et on file. Pour de bon.

— Non, non. On ne peut pas juste…

— C'est fini. Ter-mi-né.

— Et l'autre possibilité, c'est quoi ?

Long s'étranglait. Il était monté d'un ton, puis de deux au fur et à mesure que la panique s'emparait de ses cordes vocales.

— On entre et on finit le boulot, lui répondit Ellis. On ne laisse personne raconter la fin de l'histoire.

— C'est tout ? C'est ça, ton plan d'enfer ?

— Il n'y a pas de plan là-dedans. Ça pourrait juste nous donner un peu plus de temps. On entre, on traite le problème et, avec un peu de chance, personne ne les trouvera avant demain matin. À ce moment-là, toi, tu seras à Mexico et moi à mi-chemin de Dieu sait où.

Long pianota des doigts sur ses cuisses.

— Y a forcément une autre façon de faire, un autre plan, dit-il.

— Non, il n'y a rien du tout, lui renvoya Ellis. Je te l'ai dit : les dominos. On y est. C'est toi qui décides.

— Et les filles ? On pourrait les…

— Oublie-les. Je m'en occupe dès que je file.

Long lui décocha un regard.

— Mais putain, mec !

— Je te l'ai déjà dit : les dominos.

Long se frotta la mâchoire d'une main, l'autre toujours serrée sur le volant.

— C'est toi qui décides, répéta Ellis.

CHAPITRE 44

Bosch étudia le suivi chronologique et vit comment tout cela s'enchaînait, comment les dominos tombaient tous dans la direction d'Ellis et de Long.

— Quand avez-vous vu Ellis et Long pour la dernière fois? demanda-t-il.

Schubert s'était plongé dans une rêverie silencieuse tandis que Bosch regardait sa chronologie. Il se redressa en entendant la question.

— Quand je les ai vus? Ça fait des mois que je ne les ai pas vus. Mais eux m'ont beaucoup appelé. Ils m'ont téléphoné il y a deux jours pour me demander si quelqu'un n'était pas en train de fourrer son nez partout. Ça devait être de vous qu'ils parlaient.

Bosch acquiesça.

— Vous avez leur numéro de téléphone? demanda-t-il.

— Non, ce sont toujours eux qui m'appellent, répondit Schubert. Et leur numéro est toujours masqué.

— Et Deborah? Vous en avez un pour elle?

— Dans le dossier.

— Il me le faut. Avec son adresse.

— Je ne pense pas qu'il soit légal de vous communiquer des renseignements d'ordre médical.

— Sans doute, mais nous sommes bien loin de tout ça, non?

— Oui, faut croire. Et maintenant quoi?

— Euh... J'ai un peu de travail à faire pour avoir confirmation de certaines choses. Et je vais aller rendre visite à Deborah et à sa colocataire. Il va me falloir la liste de tous les bijoux que vous avez donnés à Ellis et Long, en plus des montres.

— J'en ai une. C'est ma femme qui l'a dressée.

— Parfait. À quel endroit les avez-vous donnés physiquement à Ellis et Long ?

— Ils sont venus à la maison et ont regardé tout ce que nous avions, répondit-il en baissant la tête. Ma femme était en Europe. Je n'ai pas bougé pendant qu'ils fouillaient partout dans ses affaires. Ils ont pris ce qu'ils voulaient et ont laissé le reste. Ils savaient très bien ce qui avait de la valeur et ce qui n'en avait pas. Ce qu'ils pourraient et ne pourraient pas revendre.

— Ont-ils pris autre chose que des bijoux ?

— L'un des deux... Ellis... s'y connaissait en vins. Il a examiné ma cave et m'a pris deux bouteilles de château Lafite 82.

— Peut-être a-t-il pris ce qu'il y avait de plus ancien parce que ça semblait avoir plus de valeur.

— Oh non. Il a pris les 82 et a laissé les 80. Le 82 est cinquante fois meilleur que le 80 et vaut cinquante fois plus cher. Et il le savait.

Bosch acquiesça d'un signe de tête. Il venait de se rendre compte que ce vin pouvait avoir plus d'importance que les bijoux pour le dossier. Si Ellis s'était gardé les bouteilles, il n'était pas impossible qu'il en ait encore une quelque part et cela pourrait le relier à l'affaire et être vérifiable si jamais les dires de Schubert étaient mis en cause au tribunal ou ailleurs.

— Vous dites que ce sont eux qui ont eu l'idée de faire passer ça pour un cambriolage.

— Quand je leur ai annoncé que je ne pouvais pas payer cash sans que ma femme le sache, ils m'ont dit qu'on pouvait effectivement faire passer ça pour un cambriolage, mais que je ne devais pas le signaler aux flics. Seulement dire à ma femme que j'avais averti la police quand elle rentrerait de voyage. Ils sont même allés jusqu'à me faire une fausse déclaration de cambriolage que je pourrais lui montrer. Les noms et le reste, tout y était faux.

— Vous l'avez encore ?

— Oui, à la maison.

— Nous allons en avoir besoin. Avez-vous demandé des indemnités à votre assurance pour tout ce qui a été pris ?

Si Schubert s'était en plus lancé dans de la fraude à l'assurance, la force de son témoignage pouvait en être affectée.

— Non, je n'ai rien demandé à l'assurance. Pour Ellis et Long, il n'en était pas question. Ils ne voulaient pas que le vol soit déclaré parce qu'ils auraient eu du mal à revendre la marchandise et à récupérer de l'argent. Ils m'ont averti que si jamais ils apprenaient que j'avais déclaré quoi que ce soit aux assurances, ils reviendraient nous tuer, ma femme et moi.

— Et ça n'a pas surpris votre femme ? Que vous n'ayez rien déclaré à l'assurance, je veux dire ?

— Je lui ai dit qu'on était en pleines négociations et suis allé faire des appels au fric. Petit à petit, j'ai rassemblé la somme et l'ai fait passer pour le remboursement des assurances.

— Des... « appels au fric » ?

— Comme je vous l'ai déjà dit, il m'arrive de faire des visites à domicile. Il y a des gens pleins de fric qui sont prêts à payer ce qu'il faut pour que rien ne s'ébruite. Ils n'ont pas recours aux assurances santé. Les interventions, ils les paient cash pour qu'il n'y en ait aucune trace nulle part et que personne n'en sache jamais rien. Des demandes de ce type, j'en reçois pas mal... essentiellement pour des injections de Botox et autres petites choses, mais il arrive que ça aille jusqu'au passage sur le billard.

Cela n'avait rien de nouveau pour Bosch. Ce pouvoir-là, les célébrités et grosses fortunes de Los Angeles le détenaient. Le nom de Michael Jackson lui vint à l'esprit. Méga-star de la chanson, il était mort chez lui alors qu'un médecin particulier veillait sur sa santé. Dans des lieux où l'image compte souvent plus que tout, le chirurgien esthétique qui fait des visites à domicile peut gagner très bien sa vie.

— Et c'était comme ça que vous aviez prévu de rassembler les cinquante mille dollars à leur payer tous les six mois ?

— Comme ça, oui. J'ai un paiement à leur faire à la fin du mois de juin et je suis presque prêt.

Bosch hocha la tête. Il eut envie de lui dire que ce paiement, il n'aurait pas à le faire, mais s'en abstint. Il n'y avait aucun moyen sûr de savoir combien de temps l'enquête durerait encore. Il remit l'interrogatoire sur ses rails.

— Ont-ils pris autre chose lors de ce faux cambriolage ?

— Un tableau. Qui ne valait pas grand-chose. Sauf pour moi. Je pense que c'est pour ça qu'ils l'ont pris. Ils me rappelaient que j'étais à leur merci et qu'ils pouvaient me prendre tout ce qu'ils voulaient.

Il s'était affaissé, les coudes sur les accoudoirs de son fauteuil. Il ferma les yeux et se massa l'arête du nez avec deux doigts.

— Tout ça va sortir, c'est ça ? dit-il.

— Nous ferons tout ce que nous pourrons pour vous tenir à l'écart. De toute façon, tous ces événements ne se sont produits qu'après. C'est en envoyant sa montre à réparer qu'Alexandra Parks a déclenché l'affaire.

— Mais alors, qu'est-ce qui vous rend si certain que je suis en danger ?

— Le fait que ces deux types sont des flics et qu'ils savent comment fonctionne le système. S'il n'y a pas de témoins, pour eux il n'y a pas de menaces. Ils ne sont pas revenus vous voir parce qu'ils ne savent pas encore que toute l'enquête est remontée jusqu'à la montre. Dès qu'ils le sauront, ils le feront… et pas seulement pour vous prendre les cinquante mille dollars suivants.

— Bon mais… vous n'avez pas assez d'éléments pour les arrêter tout de suite ? Vous qui semblez tout savoir…

— Je pense qu'après confirmation de certains aspects de votre histoire, on aura plus qu'assez de preuves pour y aller.

— Vous êtes des Affaires internes ?

— Non.

— Mais alors...

Un bruit sourd se fit entendre à l'extérieur du bureau. On aurait dit celui d'une porte qui se ferme.

— Il y a quelqu'un d'autre ici ? demanda Bosch.

— Euh, peut-être une employée.

Bosch se leva.

— Je n'ai vu personne quand nous sommes entrés, dit-il tout doucement.

Il gagna la porte, songea à l'ouvrir pour jeter un coup d'œil dans le couloir, mais changea d'avis. Il approcha sa tête de l'encadrement et écouta. Il commença par ne rien entendre, puis il perçut, et très clairement, le murmure de quelqu'un qui disait « la voie est libre » dans le couloir.

Un homme. Il comprit tout de suite qu'Ellis et Long étaient entrés dans le bâtiment et que c'étaient eux qu'ils voulaient.

CHAPITRE 45

Il appuya vite sur le bouton de verrouillage de la porte afin de la bloquer, puis il tendit la main, éteignit le plafonnier et revint tout de suite vers le bureau en sortant son arme de son étui de hanche.

Schubert se leva de son fauteuil, ses yeux s'agrandissant à chaque pas que Bosch faisait dans sa direction.

— Ils sont là, murmura Bosch. Ils ont dû me suivre ou alors, ils vous surveillaient et attendaient.

— Attendaient quoi ?

— Que je fasse le lien, répondit Bosch en lui montrant une porte à gauche du bureau. Sur quoi ça donne ?

— Juste une salle de bains.

— Il y a une fenêtre ?

— Oui, mais elle est petite et on tomberait de six mètres de haut.

— Merde.

Bosch pivota sur lui-même et regarda autour de lui en essayant de trouver un plan. Il savait que passer dans le couloir serait une erreur. Ils feraient des cibles idéales. Ils allaient devoir se battre à l'endroit même où ils se trouvaient.

Il se retourna et attrapa le fixe sur le bureau. Il savait qu'appeler de ce fixe donnerait immédiatement l'adresse du bâtiment à l'opératrice du 911[1]. Cela accélérerait la réaction de la police.

1. Équivalent américain de Police Secours.

— Comment je fais pour sortir ? demanda-t-il.

Schubert tendit le bras et appuya sur un bouton à la base du combiné. Bosch entendit la tonalité, composa le 911, puis montra la fenêtre du bureau du doigt.

— Fermez le rideau, qu'on soit dans le noir.

Le 911 se mit à sonner. Schubert fit ce qu'on lui disait et appuya sur un interrupteur fixé au mur à côté de la fenêtre. Un rideau commença à se déplacer le long d'un rail fixé au plafond. Bosch ne lâchait pas la porte des yeux.

— Allez, allez, allez, quoi ! Décrochez ! dit-il.

Dès que le rideau eut bloqué la lumière directe, la pièce fut plongée dans la pénombre. Bosch montra la porte de la salle de bains du doigt.

— Entrez là-dedans, ordonna-t-il. Verrouillez la porte et baissez-vous.

Schubert ne bougea pas.

— Vous venez d'appeler le 911, dit-il. Vous ne pouvez pas demander des renforts ?

— Non, je ne peux pas.

— Pourquoi ?

— Parce que je ne suis pas flic. Et maintenant, entrez là-dedans.

Schubert eut l'air perdu.

— Je croyais que…

— Je vous ai dit d'EN-TRER !

L'ordre n'avait plus rien d'un murmure et Schubert recula aussitôt vers la porte de la salle de bains. Il y entra et la ferma. Bosch entendit le claquement du verrou. Il savait que ça n'empêcherait pas Ellis et Long d'y accéder si on en arrivait là. Mais ça pouvait faire gagner quelques secondes.

L'opératrice du 911 ayant enfin décroché, Bosch se mit à parler d'une voix forte et sur un ton exagérément paniqué. Il voulait qu'Ellis et Long sachent qu'il appelait à l'aide. Ils étaient probablement déjà dans le couloir, mais Bosch se disait qu'ils battraient peut-être en retraite s'ils l'entendaient passer cet appel.

— Oui, bonjour, j'ai besoin d'aide. Il y a deux hommes armés dans mon bureau et ils vont tuer tout le monde, cria-t-il. Ils s'appellent Ellis et Long et ils viennent nous tuer.

— Un instant, monsieur. Vous êtes bien au 1515, 3ᵉ Rue Ouest ?

— Oui, c'est ça. Dépêchez-vous.

— Comment vous appelez-vous, monsieur ?

— Qu'est-ce que ça peut faire ? Envoyez-moi de l'aide !

— J'ai besoin de savoir votre nom, monsieur.

— Harry Bosch.

— Bien, monsieur, nous vous envoyons de l'aide. Restez en ligne, s'il vous plaît.

Bosch passa tout de suite derrière le bureau. Il se cala l'écouteur du téléphone dans le creux du cou et se servit de sa cuisse et de sa main libre pour soulever le bord du bureau et le faire basculer sur le côté, son plateau en aluminium finissant par faire comme une barricade devant la porte. Tout ce qu'il y avait sur le bureau, y compris le fixe, son propre portable et la tasse pleine de stylos, dégringola bruyamment sur le sol. L'écouteur lui fut arraché du cou lorsque le fil atteignit sa longueur maximum. Bosch sut aussitôt qu'il n'avait pas le temps de faire le tour du bureau pour le ramasser. Il espéra seulement que l'opératrice n'ait pas raccroché en se disant que c'était une blague.

Il s'accroupit derrière la petite barricade. Il donna un coup de poing sous le plateau du bureau et sentit, tout en entendant, qu'il était en bois dur. Il n'était pas impossible qu'avec un peu chance, la plaque métallique et les deux couches de bois superposées arrêtent les balles.

Il s'accroupit encore plus derrière le rideau et braqua son Glock sur le sol. Il l'avait apporté avec lui pour faire croire à Schubert qu'il était flic et maintenant, c'était peut-être la seule chose qui allait les garder en vie. Treize balles dans le chargeur et une engagée dans la chambre, l'arme était prête. Il espéra que cela suffirait.

Il entendit un léger bruit métallique à l'autre bout de la pièce et sut qu'ils étaient déjà de l'autre côté de la porte et tentaient de l'ouvrir. Ils allaient entrer. À ce moment précis, Bosch comprit qu'il se trouvait au mauvais endroit, à savoir pile au milieu de la pièce, très exactement où Ellis et Long s'attendaient qu'il soit.

CHAPITRE 46

Ellis fit signe à Long que la porte était verrouillée et qu'il allait devoir l'ouvrir d'un coup de pied. Long lui lança la lampe torche, puis il recula d'un bon mètre, leva la jambe et positionna son talon juste au-dessus du bouton de porte. Il l'avait déjà fait bien des fois au fil des ans et savait s'y prendre.

La porte s'ouvrit d'un coup et alla claquer contre le mur intérieur du bureau, dévoilant une pièce plongée dans une obscurité que seule éclairait une faible lumière filtrant sur les bords du rideau d'une fenêtre dans le mur du fond. Emporté par son élan, Long se retrouva en posture vulnérable. Ellis entra derrière lui sur le côté gauche, son arme et sa lampe torche tenues en position poignets croisés standard.

— Police ! lança-t-il. Personne ne bouge !

La lumière de sa lampe tombant sur un bureau renversé sur le côté afin de faire barricade, il braqua son arme sur le haut du bureau et attendit que Bosch ou Schubert se montrent.

— Attendez !

La voix venait de derrière la porte à gauche du bureau. Arme et lampe de poche en main, Ellis rectifia la direction dans laquelle il visait.

— C'est moi ! reprit Schubert. Il m'a dit qu'il était flic !

La porte s'ouvrit et Schubert sortit, les mains en l'air.

— Ne tirez pas. Je croyais qu'il...

Ellis ouvrit le feu et tirait trois fois dans la direction de Schubert lorsque, du coin de l'œil, il vit Long sur sa droite. Celui-ci se tournait et levait son arme pour tirer à son tour.

— Non!

Le cri était monté derrière lui sur sa droite. Ellis se retourna et vit Bosch se déplacer de côté derrière une cloison pliante qui coupait la pièce en deux. Il avait levé son arme et ouvrit le feu au moment même où Ellis se rendait compte que le bureau renversé n'était qu'un leurre et que Bosch avait l'avantage.

Ellis se jeta en avant afin de mettre le corps plus massif de Long entre lui et Bosch. Et vit Long tressauter au fur et à mesure que les balles le frappaient, leur impact transformant l'élan de son collègue en un lent tournoiement. Long allait tomber. Ellis fit porter son poids sur l'autre jambe, enfonça son épaule dans le dos de Long et, tout en maintenant son binôme debout, passa la main dans laquelle il tenait son arme devant son torse. Il tira aussitôt comme un sauvage, aveuglément, vers l'endroit où il avait vu Bosch. Puis il changea à nouveau de position et se mit à reculer vers la porte en traînant Long devant lui comme un bouclier.

La fusillade se poursuivant, il sentit les impacts de balles à travers le corps de son collègue. Arrivé à la porte, il le laissa tomber, tira encore deux fois dans la direction de Bosch, repassa dans le couloir, pivota sur lui-même et courut vers une porte barrée de l'inscription *Sortie.*

Puis il descendit l'escalier à toute allure et fonça vers le garage sans cesser de se poser la seule question qui l'agitait: *Fuir ou se battre?*

Tout était-il fini ou y avait-il encore une chance de maîtriser la situation et, Dieu sait comment, de tout retourner contre Bosch? De dire que c'était Bosch... Que c'était lui qui avait ouvert le feu... Qu'il nourrissait une espèce de folle vendetta contre... Qu'il...

Il savait qu'il se racontait des histoires. Que jamais ça ne marcherait. Que si Bosch était toujours vivant là-haut, jamais jamais ça ne marcherait.

Il traversa le garage en courant pour regagner sa voiture. Déjà, un bruit de sirène se faisait entendre – des adjoints au shérif qui répondaient à l'appel au 911. À deux ou trois rues de là, probablement. Il fallait absolument qu'il sorte du garage avant qu'ils n'y arrivent. Priorité absolue. Après, il le savait, le moment serait venu de filer.

Il était prêt. Il n'avait jamais douté qu'un jour ou l'autre ce moment viendrait et il s'y était préparé.

CHAPITRE 47

Son arme serrée à deux mains, Bosch s'approcha de Long, qui s'était effondré dans l'embrasure de la porte. L'homme se tordait de douleur et suffoquait. Bosch vit les deux balles qu'il lui avait tirées dessus maintenues en place dans sa chemise par le gilet pare-balles en dessous. Il lui arracha son arme des mains et la fit glisser derrière lui en travers du plancher. Puis il s'appuya de tout son poids sur lui et se pencha en avant pour regarder prudemment dans le couloir et s'assurer qu'Ellis ne l'y attendait pas.

Satisfait que celui-ci ait disparu, il recula, retourna Long sur le ventre, lui prit ses menottes de flic des Mœurs accrochées à sa ceinture et lui attacha les poignets dans le dos. C'est alors qu'il remarqua le sang qui lui coulait du flanc droit. Un de ses projectiles avait traversé son gilet et Long saignait d'une blessure juste au-dessus de la hanche. Bosch savait qu'une balle de .45 tirée à trois mètres ne pouvait que faire des dégâts importants. Il n'était même pas impossible que Long soit mortellement blessé.

— Espèce d'enculé! réussit enfin à lui sortir celui-ci. Tu vas crever.

— Tout le monde crève, Long, lui renvoya Bosch. Comme si je ne le savais pas!

Bosch entendit plusieurs sirènes et se demanda si les adjoints du shérif avaient cueilli Ellis à la sortie.

— Hé, Long, reprit Bosch, ton collègue t'a abandonné ! Il commence par se servir de toi comme d'un bouclier humain et après, il te laisse tomber comme un vulgaire sac de patates ! Bien, le binôme !

Il lui flanqua une petite tape dans le dos, puis il gagna l'autre porte pour voir comment s'en sortait Schubert. Le médecin était étendu sur le dos, la tête sous l'évier de la salle de bains et la jambe gauche bizarrement repliée sous lui. Il avait deux impacts de balle en haut de la poitrine, et un troisième en plein milieu du cou. L'un d'eux lui avait sectionné la colonne vertébrale, le faisant tomber dans cette position. Il avait les yeux ouverts, ne respirait plus et Bosch ne pouvait rien y faire. Comment il avait pu croire qu'Ellis et Long l'épargneraient s'il se rendait à eux lui échappait. Il se demanda s'il devait avoir du remords de l'avoir trompé en lui faisant croire qu'il était flic.

Et décida que non.

Il s'agenouillait à côté de lui lorsqu'il entendit une tonalité monter du téléphone de bureau tombé par terre derrière lui. L'appel qu'il avait passé au central des services du shérif avait été déconnecté lorsqu'il avait fait basculer le bureau. Il se détourna du cadavre, trouva le combiné, le reposa sur la fourche et laissa le tout sur le sol. Il découvrit alors un cadre fracassé tombé du bureau. Il contenait une photo de Schubert et de son épouse assis dans la cabine d'un bateau à voile et souriant à l'appareil photo.

Le fixe se mit à sonner et une de ses touches à clignoter. Bosch décrocha.

— Harry Bosch, dit-il.

— Ici le shérif adjoint Maywood, qui est à l'appareil ?

— Je viens de vous le dire, Harry Bosch.

— Nous sommes devant le Center for Cosmetic Creation. Quelle est la situation à l'intérieur ?

— Il y a un mort et un blessé. Et c'est moi qui ai passé l'appel au 911. Un des tireurs s'est échappé. L'avez-vous attrapé ?

Maywood ignora sa question.

— Bien, monsieur, écoutez-moi. J'ai besoin que vous et le blessé sortiez de l'immeuble les mains derrière la tête, doigts croisés sur la nuque. Si vous avez des armes, laissez-les à l'intérieur du bâtiment.

— Je ne pense pas que le blessé puisse marcher avant longtemps.

— Est-il armé ?

— Plus maintenant.

— Bon, d'accord, monsieur. Je veux que vous sortiez tout de suite... et les mains croisées derrière la nuque. Laissez toutes vos armes à l'intérieur.

— C'est entendu.

— Si nous en voyons même seulement une, nous prendrons ça pour une provocation. Est-ce bien clair, monsieur ?

— Comme du cristal. Je vais descendre par l'ascenseur.

— Nous vous attendons.

Bosch raccrocha et se leva. Il chercha un endroit où laisser son Glock et vit l'arme de Long par terre, à droite du bureau. Il la ramassa en prenant soin de ne pas en toucher la détente et de n'y recouvrir aucune empreinte avec une des siennes. Il posa les deux armes sur une vitrine contenant une collection de vieux instruments de chirurgie.

Avant de quitter la pièce, il chercha son portable dans les débris par terre. L'appareil avait glissé sur le sol lorsqu'il avait renversé le bureau. Il le ramassa et regarda l'écran. Il enregistrait encore. Bosch l'éteignit et intitula le fichier « Schubert ». Puis il envoya un SMS à Mickey Haller et rangea le portable dans sa poche.

Il se dirigeait vers la porte lorsqu'il pensa à quelque chose. Il ne savait pas combien de temps il serait retenu et interrogé au bureau du shérif. Il ne savait pas davantage si la nouvelle de la fusillade atteindrait les montagnes autour de la ville mais, juste au cas où, il appela sa fille. Il n'ignorait pas qu'elle n'avait pas toujours de réseau, mais il lui laissa un message :

— Maddie, c'est moi. Je veux juste que tu saches que tout va bien. Quoi que tu entendes, sache que je vais bien. Si tu m'appelles et n'arrives pas à me joindre, appelle oncle Mickey. Il te mettra au courant.

Il abaissait son portable et s'apprêtait à raccrocher quand, y repensant à deux fois, il le rapprocha de ses lèvres et ajouta :

— Je t'aime fort, Mads. On se retrouve bientôt.

Alors seulement il mit fin à l'appel.

Pour sortir du bureau, il dut enjamber Long sur le seuil de la porte. Le flic des Mœurs ne bougeait toujours pas. Il avait le souffle court et le visage très pâle et constellé de gouttes de sueur. Et la tache de sang sur le sol à côté de lui ne cessait de grandir.

— Trouve-moi une ambulance, réussit à lui dire Long, sa voix réduite à un chuchotement rauque. Je suis en train de mourir.

— Je le leur dirai, lui renvoya Bosch. D'autres choses que tu voudrais me raconter avant que je file ? Des trucs sur Ellis ? Du genre où est-ce qu'il a pu filer en partant d'ici ?

— Des choses, tiens, je vais t'en dire. « Va te faire enculer », ça te va ?

— Génial, ça, Long.

Bosch passa dans le couloir et repartit vers l'ascenseur. Il n'avait pas fait deux pas qu'il se rendit compte qu'Ellis était peut-être encore dans le bâtiment. Peut-être s'était-il enfui trop tard et avait vu arriver les adjoints du shérif. Il n'était pas impossible qu'il ait alors battu en retraite et se soit caché quelque part.

Il regagna le bureau en vitesse et reprit son Glock. Puis il repartit dans le couloir en direction de l'ascenseur, son arme levée et serrée à deux mains, dans la position de combat.

Il arriva à l'ascenseur sans avoir vu le moindre signe d'Ellis. Il appuya sur le bouton, les portes s'ouvrant aussitôt. La cage d'acier était vide, il y entra. Il appuya sur le bouton, les portes se fermèrent. L'ascenseur commençant sa descente, il sortit vite le chargeur du Glock et éjecta la balle engagée dans la chambre. Il la remit dans le chargeur et posa ce dernier, avec l'arme, au fond de la cabine. Enfin, il se tourna vers les portes, leva les mains en l'air et croisa les doigts derrière sa nuque.

Lorsque les portes s'ouvrirent un instant plus tard, il vit une voiture de patrouille des services du shérif garée en travers de l'entrée, les deux adjoints se protégeant derrière, l'arme braquée sur lui. L'un d'eux la tenait à deux mains, les bras posés sur le capot, l'autre faisant de même, mais les bras posés sur le coffre.

— Sortez de l'ascenseur ! lui cria celui de devant. On garde les mains derrière la tête.

Bosch fit ce qu'on lui demandait.

— Mon arme est par terre dans l'ascenseur, lança-t-il. Elle est déchargée.

Dès qu'il fut dehors, il vit les deux hommes relever leurs armes. On l'avertissait une seconde à l'avance qu'on allait le jeter à terre. Ils arrivèrent des deux côtés de l'ascenseur, le saisirent et le précipitèrent, tête en avant, sur le sol carrelé, avant de lui ramener brutalement les bras en arrière et de le menotter.

La douleur fusa dans sa mâchoire. Il avait tourné la tête au dernier moment, mais avait quand même pris l'impact de sa chute dans la mâchoire et tout le côté gauche du visage.

Il sentit des mains fouiller violemment dans ses poches, puis on lui prit son téléphone, son portefeuille et ses clés. Il vit une paire de boots noirs de flic de la patrouille se planter devant lui. L'adjoint au shérif s'accroupit et Bosch vit le bas de son visage en levant les yeux vers lui. Il avait des galons de sergent sur la manche de sa veste et regardait sa carte de policier en retraite.

— Monsieur Bosch, dit l'officier. Je suis le sergent Cotilla. Qui y a-t-il d'autre dans le bâtiment ?

— Comme je vous l'ai dit au téléphone, il y a un mort et un blessé. C'est tout ce dont je suis sûr. Il y avait un troisième homme, mais il s'est enfui. Il pourrait se cacher à l'intérieur, mais je n'en sais rien. Le blessé va mourir très vite si vous ne lui envoyez pas une équipe médicale. C'est un policier des Mœurs, un certain Kevin Long. D'après ce que j'ai pu voir, il a reçu une balle dans le flanc, juste au-dessus de la hanche gauche.

— OK, des infirmiers sont en route. Et qui est le mort ?

— Le docteur Schubert, le propriétaire de la clinique.

— Et vous, vous êtes un ancien du LAPD.

— À la retraite depuis cette année. Maintenant, je suis détective privé. Et c'est moi qui ai tiré sur Long… avant qu'il me tire dessus.

Un long silence s'ensuivit, le temps que Cotilla digère la nouvelle. En vrai patrouilleur qui connaît son affaire, Cotilla décida que ce serait à d'autres de se débrouiller des déclarations de Bosch.

— Nous allons vous faire monter dans la voiture, monsieur Bosch, reprit-il. Les inspecteurs vont certainement vouloir parler de tout ça avec vous.

— Pouvez-vous appeler l'inspecteur Sutton ? lui demanda Bosch. Ç'a à voir avec les deux types assassinés à la bijouterie de Sunset Plaza hier. Je suis assez sûr que c'est lui qui va hériter de l'affaire.

CHAPITRE 48

Cette fois, ils ne le mirent pas dans la salle de conférence du poste de West Hollywood. Il fut expédié dans une salle d'interrogatoire aux murs gris avec une caméra pour le surveiller d'en haut. Ils ne lui ôtèrent pas ses menottes, ne lui rendirent ni son portable, ni son portefeuille, ni ses clés.

Et il pouvait dire adieu à son Glock.

Deux heures ayant passé, il ne sentit plus ses mains et commença à s'agiter à force d'attendre. Il savait parfaitement que, sous la direction de Dick Sutton ou pas, les enquêteurs s'étaient rendus à la scène de crime pour superviser la collecte des éléments de preuve. Ce qui le frustrait le plus, c'était que personne ne s'était même seulement donné la peine de lui faire subir un premier interrogatoire de cinq minutes. Pour ce qu'il en savait, les renseignements qu'il avait fournis au sergent Cotilla n'avaient pas été transmis aux enquêteurs et aucune alerte n'avait été lancée pour l'arrestation de Don Ellis. Il se dit que celui-ci pouvait très bien franchir la frontière mexicaine avant que les services du shérif ne se décident enfin à donner l'alerte.

Au bout d'une heure et demie, il se leva et gagna la porte. Il lui tourna le dos et tenta de l'ouvrir avec ses mains menottées. Comme il s'y attendait, elle était fermée à clé. Furieux, il se mit à taper dans la porte à grands coups de talon en espérant que le vacarme suscite une réaction… et sinon, qu'on vienne tout de suite, à tout le moins qu'on se rue sur les écrans de contrôle.

Il leva les yeux, certain que ce qu'il faisait était suivi par ceux qui le regardaient.

— Hé ! cria-t-il. Je veux parler. Envoyez-moi quelqu'un. Tout de suite !

***

Vingt minutes de plus s'écoulèrent. Il envisagea de commencer à démolir le mobilier. Vieille et tout éraflée, la table donnait l'impression d'avoir résisté à bien des agressions. Mais les chaises, elles, c'était autre chose. Elles paraissaient plus récentes et leurs barreaux suffisamment fins pour qu'il soit sûr de les casser à coups de pied.

Il leva la tête vers la caméra.

— Je sais que vous m'entendez, lança-t-il. Envoyez-moi quelqu'un tout de suite. J'ai des renseignements importants. Dick Sutton, Lazlo Cornell, le shérif Martin en personne, ça m'est égal. Un assassin est en train de filer.

Il attendit un peu et s'apprêtait à fulminer à nouveau lorsqu'il entendit qu'on déverrouillait la porte, et il vit entrer Sutton, celui-ci faisant comme s'il ignorait tout de ce que Bosch vivait depuis trois heures.

— Tu viens juste d'éviter que ce commissariat ait à remplacer tout le mobilier de cette salle parce que j'étais à deux doigts de tout y démolir ! s'écria Bosch. Je sens plus mes mains, Dick.

— Nom de Dieu, mais ils auraient pas dû faire ça. Tourne-toi que je t'enlève tes menottes.

Bosch lui tourna le dos et se sentit rapidement soulagé quand le sang circula de nouveau dans ses mains.

— Assieds-toi, reprit Sutton. Parlons.

Bosch se frotta les mains pour se débarrasser du fourmillement qu'il éprouvait encore. Il tira une chaise d'un coup de pied et s'assit.

— C'est quoi, ce truc de la porte fermée à clé, hein ? demanda-t-il.

— Mesure de précaution, répondit Sutton. On devait savoir à quoi on avait affaire.

— Et... ?

— Et c'est compliqué. Tu as dit au sergent qu'il y avait un quatrième type dans le coup et qu'il s'était sauvé.

— Exact. C'est Don Ellis. Le binôme de Long... qu'il vient de laisser tomber.

— Comment ça ?

— Il s'est servi de lui comme d'un bouclier dès que la fusillade a démarré. Puis il l'a laissé. À propos... Long va s'en sortir ?

— Oui, ça va aller. On n'est qu'à quelques rues de l'hôpital Cedars... un coup de chance. Mon collègue y est en ce moment même et espère pouvoir le voir dans sa chambre pour avoir sa version des faits.

— J'aimerais bien y être, moi aussi. Ce mec va mentir comme un arracheur de dents et tout me coller sur le dos, ou alors, s'il est malin, sur celui d'Ellis.

— On s'occupera de Long plus tard. Je veux entendre ta version, Harry. Tu as dit au sergent que ce sont ces deux types qui ont zigouillé les deux mecs de la bijouterie hier.

— Oui, et aussi Lexi Parks et un prostitué de Hollywood il y a quelques mois de ça. Ils n'ont pas chômé.

— Bon, d'accord, on va y venir, mais dis-moi d'abord ce qui s'est passé là-haut à la clinique.

— Je peux te le dire, mais tu peux aussi l'apprendre tout seul.

Cela fit beaucoup réfléchir Sutton. Bosch hocha la tête.

— Apporte-moi mon portable, dit-il. J'ai enregistré tout l'entretien avec Schubert. J'y étais encore quand Ellis et Long ont débarqué.

— Tu es en train de me dire que tu as toute la fusillade sur bande ?

— C'est bien ça. Mais tu ne vas pas pouvoir y avoir accès sans mandat. Tu veux l'entendre tout de suite, tu me rapportes mon téléphone et je te passe l'enregistrement. Ramène aussi Cornell et Schmidt. J'ai envie qu'ils l'entendent, eux aussi.

Bosch se demanda un instant s'il ne fallait pas aussi faire venir Mickey Haller, mais laissa filer. La dernière fois qu'il l'avait appelé, ça ne s'était pas bien passé. Bosch s'étant déjà trouvé dans des salles d'interrogatoire des milliers de fois, aucune manœuvre ne pouvait lui échapper. Il se sentait en mesure de se protéger aussi bien que pourrait jamais le faire Haller.

Sutton se leva et se dirigea vers la porte.

— Dick, lui lança Bosch, encore un truc.

Sutton s'immobilisa, la main sur le bouton de porte.

— Quoi ? demanda-t-il.

— Faut que je te dise pour cet enregistrement : assure-toi qu'il soit manipulé comme il faut. Il n'est pas question qu'il disparaisse ou soit enterré. Tu n'es pas le seul à l'avoir.

— Quoi... Haller ?

— C'est ça même.

— Tu as pris le temps de le lui envoyer avant de te rendre ?

Bosch acquiesça d'un signe de tête.

— Je ne suis pas idiot, Dick. Le LAPD ne va pas aimer la façon dont cette affaire risque de tourner et je ne crois pas non plus que les services du shérif apprécieront des masses. À la prison du comté, vous détenez un type pour un meurtre qu'Ellis et Long ont commis. Alors, oui, j'ai pris le temps de transmettre cet enregistrement à mon avocat.

Sutton ouvrit la porte et disparut.

CHAPITRE 49

Bosch dut être ramené à la salle de conférence pour que tous puissent écouter son enregistrement. Enquêteurs, hiérarchie policière : il y avait foule pour entendre les quelque quarante-deux minutes de ce qui s'était passé dans le bureau du docteur Schubert. Sutton était du nombre, naturellement, mais encore Schmidt et Cornell, deux inspecteurs de l'équipe d'Évaluation des tirs du LAPD, et une inspectrice de la division des Affaires internes.

Cette dernière, Nancy Mendenhall, Bosch la connaissait d'une affaire à laquelle elle avait travaillé quand elle était encore au LAPD[1]. Il avait gardé le souvenir d'une femme juste et honnête. La découvrir dans le groupe qui s'était réuni autour de la table ovale lui fit voir les choses de manière plus positive. Il savait qu'elle au moins écouterait et ferait ce qu'il faut… pour autant qu'elle en ait l'autorisation. Dans la pièce se trouvait aussi le capitaine Ron Ellington, le patron du Professional Standards Bureau du LAPD qui chapeautait les Affaires internes. Supérieur de Mendenhall, il était là parce que ce serait son compte rendu qui atterrirait sur les bureaux du chef de police et de la Commission municipale de la police.

Même si la fusillade s'était produite sur un territoire du ressort du shérif, l'enquête était devenue une opération interagences du

1. Cf. *Dans la ville en feu*, dans cette même collection.

fait qu'Ellis et Long y étaient impliqués. C'est ce qu'expliqua Sutton dès que tout le monde se fut assis autour de la table. Il annonça aussi qu'il y avait un enregistrement de la fusillade et qu'il voulait que tout le monde l'entende en premier. Puis il invita Bosch à faire tous les commentaires nécessaires au fur et à mesure.

Le portable fut alors mis sur haut-parleur et la séance commença, Bosch la suspendant de temps en temps pour expliquer les choses de manière visuelle ou pour expliquer comment les réponses de Schubert cadraient parfaitement avec les enquêtes menées sur l'assassinat d'Alexandra Parks et les meurtres qui s'étaient ensuivis. Seule Mendenhall prit des notes. Les autres se contentèrent d'écouter, et parfois interrompirent Bosch dans ses explications comme s'ils ne voulaient pas que ce soit lui qui leur donne le sens de ce qui se disait dans le bureau de Schubert.

Au milieu de la séance, tout s'arrêta lorsque le nom de Mickey Haller apparut à l'écran. Il appelait Bosch.

— C'est mon avocat, dit celui-ci. Je peux prendre son appel ?

— Pas de problème, lui répondit Sutton. Fais vite.

Bosch se leva, emporta son téléphone hors de la pièce et passa dans le couloir pour être plus tranquille.

— Je viens d'écouter ton enregistrement, lui dit Haller. Dieu merci, tu es encore là, frangin.

— Oui, je ne suis pas passé loin, dit Bosch. Je suis en train de faire entendre ce truc à tout un tas de flics... du LAPD et des services du shérif.

S'ensuivit une pause, le temps que Haller digère la nouvelle.

— Je ne suis pas très sûr que ce soit une bonne idée, dit-il enfin.

— C'est la seule qui tienne, lui renvoya Bosch. C'est la seule façon que j'ai de sortir d'ici ce soir. En plus de quoi, y en a deux dans le tas qui feront ce qu'il faut. Un dans chaque équipe.

— C'est vrai qu'aucun doute n'est plus permis : cet enregistrement, c'est le saint Graal. Je vais demander un 995 dès qu'on pourra. Après, Da'Quan sortira libre. T'as réussi, mec. Je ne m'étais sacrément pas trompé sur ton compte.

— Oui bon, on verra.

Bosch savait qu'une motion en 995 était une pétition adressée à la cour pour qu'elle change d'opinion au vu de nouvelles preuves. Elle serait présentée en audience préliminaire au juge qui avait exigé que Da'Quan passe en jugement.

— Où es-tu ? reprit Haller. À Whittier ou à West Hollywood ?

— Au commissariat de West Hollywood. Avec le même gang qu'avant, et quelques mecs du LAPD en plus.

— Je parie qu'ils ne sont pas très heureux.

— Non, ils n'en donnent pas l'air. Ellis et Long étaient des types à eux.

Sutton passa une tête à la porte de la salle de conférence et agita la main pour faire signe à Bosch de mettre fin à l'appel et de revenir en réunion. Bosch acquiesça d'un hochement de tête et leva un doigt : encore une minute.

— T'as besoin que je vienne botter des culs ? lui demanda Haller.

— Non, pas tout de suite. Voyons d'abord comment ça se passe. Je t'appellerai si j'ai besoin de toi.

— OK, mais n'oublie pas ce que je t'ai dit la dernière fois. Ce ne sont plus tes amis, Harry, et ce ne sont certainement pas les amis de Da'Quan non plus. Fais attention où tu mets les pieds.

— Entendu.

Bosch raccrocha et réintégra la salle.

La séance reprit et, trente-quatre minutes plus tard, la tension monta d'un cran dans la salle lorsqu'ils entendirent tous Bosch qui disait : « Il y a quelqu'un d'autre ici ? »

Alors qu'il s'était essentiellement tenu tranquille jusqu'alors, Bosch se sentit obligé de décrire ce qui se passait dans le bureau afin de compléter ce qu'on entendait. L'enregistrement était clair jusqu'à pratiquement deux mètres. Les bruits et les voix plus lointains étaient confus et manquaient de netteté. Il essaya d'être bref de façon à ne pas empiéter sur ce qui sortait du téléphone.

— Nous avons entendu un bruit, dit-il, comme une porte qui se refermait dans le couloir…

« J'écoutais à la porte du bureau et j'en ai entendu un qui disait : "La voie est libre." J'ai tout de suite su que c'étaient nous qu'ils…

« J'ai renversé le bureau parce que ma première idée a été de monter une barricade…

« Les trois premiers coups de feu d'Ellis ont été pour Schubert. Le docteur avait les mains en l'air et n'avait rien de menaçant. Ellis lui a tiré trois fois dessus. Après, c'est moi qui crie et tire. Quatre fois, je crois, pour commencer. Après, j'ai tiré encore deux fois quand Ellis s'est mis à reculer en se servant de Long comme d'un bouclier… »

***

L'enregistrement se terminait lorsque Bosch annonçait au shérif adjoint qu'il allait sortir. Il y eut comme un gouffre de silence chez tous les enquêteurs réunis autour de la table. C'est alors que Bosch remarqua que Cornell hochait la tête et se renversait dans son fauteuil comme si tout cela n'était rien.

— Quoi ? lui lança-t-il. Vous continuez à penser que Foster est votre homme ?

Cornell lui montra du doigt le portable toujours posé au milieu de la table.

— Vous savez ce qu'il y a là-dedans ? demanda-t-il. Juste un tas de mots. Vous n'avez rien… aucune preuve… aucune qui relie directement ces deux types à Parks. Ne pas oublier non plus que vous êtes un type qui a assigné son propre service de police en justice et que vous êtes prêt à tout pour le mettre dans l'embarras.

Ce fut au tour de Bosch de hocher la tête comme si tout cela n'était que du vent. Il regarda Sutton, qui n'avait pas changé de posture depuis qu'il écoutait l'enregistrement et se tenait toujours penché en avant, les mains serrées sur la table. Il le vit tendre la main vers l'appareil.

— Je vais avoir besoin que tu m'envoies ça, dit-il.

— À moi aussi, dit Mendenhall.

Bosch acquiesça et reprit son portable. Il fit passer une copie du fichier par e-mail et tendit l'appareil à Sutton pour qu'il puisse y entrer son adresse, le processus étant ensuite répété avec Mendenhall.

— Bon et maintenant ? lança-t-il.

— Tu peux partir, répondit Sutton.

Cornell se fendit d'un autre geste de déplaisir et leva une main en l'air. Sutton l'ignora.

— Rends-nous un service, reprit Sutton à l'adresse de Bosch. On a une bande de journalistes de la télé devant le commissariat, tous à faire leur numéro pour les infos de 23 heures. Ne leur parle de rien de tout ça, tu veux bien ? Ça n'aiderait personne.

— T'inquiète pas, répondit Bosch en se levant et en reprenant son téléphone. Et le reste de mes affaires ? Mon portefeuille, mon arme, ma voiture ?

— Euh, ben... on va te rendre ton portefeuille. La voiture et le flingue, va falloir qu'on les garde pour l'instant. On va préparer tout un package pour la balistique et pour ça, y aura besoin de ton arme. Et que tout le bâtiment soit considéré comme une scène de crime et interdit d'accès. On va y travailler encore quelques heures. Ça te va si on garde ta bagnole jusqu'à demain matin ?

— Pas de problème. J'en ai une autre à la maison.

À la maison, il avait aussi une autre arme, mais il n'en fit pas état.

Mendenhall se leva à son tour, rangea son carnet de notes dans une sacoche en cuir qui faisait également office de sac à main et de mallette, et contenait aussi sans doute son arme de service.

— Je peux vous ramener chez vous, dit-elle.

CHAPITRE 50

Mendenhall prit la direction de Hollywood au volant de son véhicule de fonction, Bosch se disant qu'il y avait plus que de la courtoisie derrière son offre de le ramener chez lui. Après l'avoir informée qu'il habitait au col de Cahuenga, il passa aux choses sérieuses et pivota sur son siège pour la regarder. Brunette aux yeux noirs, elle avait la peau très lisse. Elle arrivait presque à la cinquantaine. Il regarda ses mains posées sur le volant et n'y vit pas de bagues. Et se souvint de Modesto. Pas de bagues.

— Bon alors, comment avez-vous fait votre compte pour hériter de ce merdier ? lui lança-t-il.

— Je dirais que c'est parce que je vous connais. Votre dossier avec les Affaires internes étant toujours en jugement, O'Dell s'est retrouvé avec un conflit d'intérêts. Et comme j'étais la prochaine sur la liste à cause de Modesto…

La plainte pour pratiques déloyales que Bosch avait déposée contre le LAPD visait l'inspecteur des Affaires internes Martin O'Dell qui, avec d'autres, l'avait forcé à prendre sa retraite. Quelques années auparavant, Bosch avait travaillé sur une affaire au cours de laquelle Mendenhall l'avait suivi jusqu'à Modesto parce qu'on le soupçonnait d'agir en dehors du cadre légal. Elle avait fini par l'aider à échapper à des ravisseurs qui voulaient le tuer et l'avait exonéré de toute accusation de mauvaise conduite. Cet épisode avait amené Bosch à éprouver quelque chose qu'il n'avait encore jamais connu : du respect pour un enquêteur des Affaires internes. À Modesto, le courant était passé entre eux, mais comme c'était sur lui qu'enquêtait Mendenhall, Bosch n'avait pas poussé plus loin.

— Je peux vous demander quelque chose ? reprit-il.

— Vous pouvez me demander tout ce que vous voulez, Harry, lui répondit-elle. Mais je ne promets pas de répondre à toutes vos questions. Il y a certains sujets dont je ne pourrai pas vous parler. Mais c'est exactement comme avant : vous jouez franc-jeu avec moi, je jouerai franc-jeu avec vous.

— Ça me semble juste.

— Par où dois-je prendre ? Par Laurel Canyon jusqu'à Mulholland Drive ou bien je descends jusqu'à Highland Avenue et je remonte après ?

— Euh… par Laurel Canyon.

L'itinéraire qu'il lui suggérait prendrait plus de temps. Il espérait en profiter pour lui soutirer plus d'informations.

— Bon alors, dit-il, Ellington vous a-t-il dit avant la réunion de me ramener chez moi ? Pour que disons… vous me fassiez parler en dehors de la salle ?

— Non, ça m'est venu comme ça, sur un coup de tête. Vous aviez besoin qu'on vous ramène, je vous l'ai proposé. Mais si vous voulez m'en dire plus, je ne manquerai pas de vous écouter.

— Il y a plus, oui, mais permettez que je vous pose quelques questions avant. Commençons par Ellis et Long. Ç'a été la grosse surprise aux Affaires internes ou pas vraiment ?

— C'est que… vous ne tournez pas autour du pot, dites !

— Ce sont de mauvais flics et vous, ce sont les mauvais flics que vous traquez. Je me demandais juste s'ils étaient dans votre ligne de mire.

— Je ne peux pas être plus précise que ça, mais oui, ils l'étaient. Le problème, c'est que là on ne parle pas, même de loin, du niveau atteint aujourd'hui. Jusque-là, ce n'était que des histoires d'absences et d'insubordination. Mais quand on a affaire à ce genre de choses, en général, c'est signe de plus gros problèmes.

— Donc, aucune plainte venant de l'extérieur. Rien que des trucs en interne.

— C'est ça.

— Et Long ? Il va s'en tirer ?

— Il s'en sortira, oui.

— Il parle ?

— Aux dernières nouvelles, pas encore.

— Et personne ne sait où est passé Ellis.

— Toujours pas, non, et ce n'est pas faute de le chercher. Ce sont les services du shérif qui dirigent, mais on y travaille tous. Les Vols et Homicides, les Crimes graves, les Personnes disparues… Personne n'a envie que ça se termine par un deuxième Dorner. Tout le monde veut que ça finisse au plus vite.

Christopher Dorner était un ex du LAPD qui s'était lancé dans une débauche de tueries quelques années plus tôt. L'énorme chasse à l'homme montée contre lui avait pris fin près d'une cabane où il s'était donné la mort pendant la fusillade avec les policiers qui la cernaient. Sa notoriété était telle que, dans le service, son nom était devenu synonyme de controverse policière ou de scandale de la folie meurtrière.

— Et maintenant, la grosse question, reprit Bosch : y a-t-il matière à poursuites ? Ellis et Long vont-ils être inculpés ?

— Ça nous en fait plutôt deux, de grosses questions. Et les réponses, en ce qui me concerne au moins, sont oui et oui. Mais tout ça est du ressort des services du shérif et on ne sait jamais. Nous, nous allons étudier tout ce qui nous revient, ce qui inclut l'histoire de James Allen et tout ce que ces deux-là pouvaient faire d'autre.

Bosch acquiesça d'un signe de tête et laissa passer de l'asphalte sous les roues avant de réagir.

— Vous voulez un tuyau sur Allen ? demanda-t-il.

— Évidemment.

— Allez donc jeter un coup d'œil au parking des voitures banalisées derrière le Hollywood Athletic Club. Tout au fond, contre le mur, il y a une Camaro orange brûlé qui a été retirée de la circulation.

— OK.

— Je suis assez sûr qu'Ellis et Long s'en sont servis pour bazarder Allen dans la ruelle en mars dernier.

— Quoi ? Ils l'auraient transporté dans le coffre ?

Bosch acquiesça.

— Je vais exiger une enquête des services de médecine légale.

— Si vous trouvez quelque chose, envoyez donc une copie de votre rapport à ce trou-du-cul de Cornell.

Il vit son sourire dans les lueurs rouges du tableau de bord. Ils roulèrent en silence pendant un moment. Elle tourna dans Mulholland, direction est. Lorsqu'elle reprit la parole, ce fut pour dire quelque chose qui n'avait plus rien à voir avec l'affaire en cours.

— Harry, j'aimerais bien savoir... Pourquoi ne m'avez-vous pas appelée après Modesto ?

Il fut pris au dépourvu.

— Ça, c'est un coup tordu, réussit-il à lui renvoyer tout en essayant de formuler une réponse.

— Désolée, je pensais tout haut, dit-elle. C'est juste que je me disais qu'il s'était passé quelque chose entre nous quand nous étions là-haut. À Modesto. Je pensais que vous m'appelleriez.

— Eh bien mais... moi, je me disais... vous savez bien, qu'avec vous aux Affaires internes et moi sur qui on enquêtait, ça n'aurait pas été très cool d'aller plus loin. Ç'aurait pu se terminer par une enquête sur vous.

Elle hocha la tête, mais ne répondit pas. Bosch la regarda, mais pas moyen de savoir ce qu'elle pensait.

— On laisse tomber, allez, dit-elle enfin. Je n'aurais pas dû vous demander ça. Pas du tout professionnel de ma part. Continuez à me poser vos questions.

— D'accord, dit-il en hochant la tête. Eh bien… à quoi on pense pour Ellis et l'endroit où il pourrait être ?

— On pense au Mexique. Il devait avoir tout préparé pour sa fuite. Voiture, argent et des tas de fausses identités. Il vivait seul et il semble bien qu'il ne soit pas rentré chez lui après son départ de chez Schubert.

— Il est donc dans la nature.

Elle acquiesça.

— Il pourrait être absolument n'importe où.

CHAPITRE 51

Ellis attendait dans le noir, son visage reflétant le bleu pâle d'un écran de portable allumé. Il attendait de régler les derniers détails avant de filer. De mettre la dernière touche à son œuvre, de dire enfin ce qu'il pensait de l'endroit qui l'avait transformé de tant de façons.

Il vérifia son fil d'actualités et relut l'histoire. Il n'y trouva qu'un maigre agglomérat de faits, rien n'y ayant été mis à jour depuis au moins deux heures. Il savait que c'était tout ce qui serait révélé ce soir. La conférence de presse était prévue pour le lendemain matin, le shérif et le chef de police devant alors y partager un podium pour s'adresser à tous les médias. Il envisagea de rester là pour la regarder en direct à la télé locale, histoire de voir comment le chef allait tourner ça, mais son instinct de survie eut raison de cette idée. Il savait que les heures qu'il lui faudrait attendre seraient bien mieux utilisées s'il mettait autant de distance que possible entre lui et L.A. Entre lui et cette ignoble ville qui vide les gens, qui les corrode de l'intérieur.

Sans parler du fait que son fil d'actualités lui donnerait toute l'histoire. Il ne faisait aucun doute qu'elle serait énorme et que tout passerait au niveau national. Surtout après qu'on aurait retrouvé Bosch. Bosch et les jumelles.

Il pensa à elles. Elles n'avaient pas regardé les nouvelles. Elles ne savaient rien et n'attendaient rien de lui, hormis ce qu'il faisait d'ordinaire. Même lorsqu'elles le voyaient avec son arme à la main, elles croyaient qu'il revenait pour les protéger de quelque menace extérieure. Elles étaient mortes en le croyant.

Il ouvrit l'application photo de son portable et fit monter le dossier archives. Il avait pris trois photos des jumelles dans le repos éternel et se rendit brusquement compte qu'il était impossible de dire si elles étaient mortes ou pas. Elles s'étaient tellement fait refaire, remodeler et étirer le visage une opération après l'autre qu'elles en semblaient tout aussi figées dans la vie que dans la mort.

Au bout d'un moment, il revint à son fil d'actualités. Toujours rien de nouveau sur ce qui s'était passé dans le bureau de Schubert. Et rien de nouveau non plus sur l'état de santé de Long. Tout ce qu'on en disait se réduisait au fait qu'il était toujours en vie, mais dans un état critique à l'hôpital Cedars où on le soignait.

Et le nom de Long n'apparaissait nulle part. Les articles ne parlaient que d'un officier de police du LAPD qui n'était pas de service lorsque la fusillade avait éclaté. Aucune explication n'était donnée sur ce qu'il faisait au centre de soins esthétiques lorsque tout cela était arrivé.

Et l'on ne parlait pas davantage de lui, Ellis. Rien ne laissait entendre qu'il aurait été recherché, voire qu'il se serait trouvé sur les lieux de la fusillade. Tout cela serait annoncé le lendemain matin lorsque le chef de police ferait face aux médias et tenterait d'enjoliver une énième histoire de flics passés du mauvais côté.

Il se demanda combien de temps il avait encore avant que Long ne se mette à parler, car il ne doutait pas que cela finisse par se produire. Long, c'était le maillon faible. On pouvait le manipuler. C'était même pour cette raison qu'il l'avait choisi. Mais là, ce serait eux qui le feraient. Eux, les enquêteurs. Ceux qui mèneraient l'interrogatoire. Les avocats de l'accusation. Ils allaient le bousculer, le casser, puis lui faire miroiter un espoir, et il marcherait. Ce serait un faux espoir, mais ça, il ne le saurait pas.

Encore une fois, il reprit du début. Avait-il jamais parlé à Long de sa stratégie de sortie ? Car son plan n'était bon que s'il restait secret. Il ne pouvait marcher que si une personne, et une seulement, le connaissait. Encore une fois il se rassura que Long ne le connaisse pas. Il était sauf.

CHAPITRE 52

Après que Mendenhall l'eut déposé devant chez lui, Bosch passa sous l'auvent à voitures et gagna sa Cherokee. Sutton avait gardé la clé de son véhicule de location, mais lui avait laissé le porte-clés avec celles de sa maison et de sa voiture personnelle. Il ouvrit tranquillement la portière avant de la Jeep et se pencha sous le volant. Passa la main sous le siège conducteur et la remonta au milieu des ressorts. Et trouva la crosse de son Kimber Ultra Carry. Il le sortit, vérifia l'action et le chargeur. Ce pistolet lui avait servi d'arme d'appoint pendant toute la dernière décennie de sa carrière au LAPD. Il engagea une balle dans la chambre, il était prêt.

Il se baissa, déverrouilla la porte de la cuisine et la poussa. Au moment même où elle s'ouvrait, il leva son arme, mais ne fut accueilli que par des ténèbres silencieuses. Il tendit la main et actionna le double interrupteur sur le mur. Les lumières de sa cambuse et, plus loin, du couloir s'allumèrent.

Il traversa la cuisine et les éteignit en arrivant à l'autre bout. Il ne voulait pas être éclairé lorsqu'il passerait dans le couloir et continuerait plus avant dans la maison.

Lentement et précautionneusement, il fit le tour de chez lui en allumant partout pour fouiller les moindres recoins du regard. Il n'y avait aucune trace d'Ellis. Arrivé à la dernière pièce – la chambre de sa fille –, il fit demi-tour et revérifia une à une toutes les pièces et toutes les penderies.

Satisfait de constater qu'il s'était trompé en pensant qu'Ellis allait l'attaquer, il commença à se détendre. Il alluma les lumières du séjour et gagna la stéréo. Il abaissa l'aiguille sur l'album déjà posé sur la platine. Sans même regarder de quoi il s'agissait.

Il posa son arme sur l'ampli, se débarrassa de sa veste et la jeta sur le canapé. Il était mort de fatigue après sa longue journée, mais bien trop tendu pour dormir. Les premières mesures de trompette montant des haut-parleurs, il sut tout de suite que c'était Wynton Marsalis dans « The Majesty of the Blues », un vieil air qu'il avait récemment repéré sur un vinyle. Cela parut lui convenir. Il ouvrit la porte coulissante et passa sur la terrasse.

Il gagna la balustrade et exhala tout ce qu'il pouvait. L'air était vif et porteur d'une odeur d'eucalyptus. Il jeta un coup d'œil à sa montre et décida qu'il était trop tard pour appeler Haller et le mettre au courant des derniers événements. Il le contacterait le lendemain matin, sans doute après avoir regardé comment le LAPD et les services du shérif auraient joué le coup à la conférence de presse qui ne pouvait pas ne pas être prévue. Ce que le shérif et le chef de police y diraient dicterait très certainement la stratégie de Haller.

Il se pencha, posa les coudes sur la rambarde et regarda l'autoroute en bas du col. Minuit passé et la circulation était toujours aussi dense, dans les deux sens. Il en allait toujours ainsi. Bosch n'était pas certain de pouvoir dormir paisiblement dans une maison où l'on n'entendrait pas monter des bruits d'autoroute en arrière-plan.

Il se rendit compte alors qu'il aurait dû entrer de la même façon que sa fille lorsqu'elle revenait de l'école. À savoir en marquant tout de suite un arrêt devant le frigidaire après avoir franchi la porte de la cuisine. Une bonne bière bien froide aurait été parfaite à cet instant.

Il entendit un bruit dans son dos avant d'entendre quoi que ce soit d'autre.

— Bosch.

Il se retourna lentement et là, à l'autre bout de la terrasse, à l'endroit où même la faible lumière de la lune était bloquée par l'avancée du toit, il y avait une silhouette dans les ténèbres. Il se rendit compte qu'il était passé devant en gagnant la rambarde. L'obscurité était trop forte pour qu'il y distingue un visage, mais il reconnut la voix.

— Ellis, dit-il. Qu'est-ce que tu fabriques ici ? Qu'est-ce que tu veux ?

La silhouette s'avança. L'arme pointée sur lui fut la première à apparaître, puis Ellis se montra. Bosch regarda derrière lui dans le séjour, l'ampli où il avait posé son Kimber. Il ne lui servirait à rien maintenant.

— À ton avis ? lui renvoya Ellis. Tu croyais vraiment que j'allais décamper sans te rendre une petite visite ?

— Non, je ne pensais pas que t'étais con à ce point-là. Pour moi, t'étais le futé des deux.

— « Con » ? Ce n'est pas moi qui suis rentré à la maison tout seul.

— T'aurais dû filer au Mexique pendant que t'avais encore un peu d'avance.

— Allons, Bosch ! Le Mexique, c'était un peu trop évident. J'ai d'autres plans, moi. Mais faut d'abord que je finisse des trucs ici.

— C'est vrai que t'es pas le genre de mec à laisser des trucs en plan.

— Je ne peux pas courir le risque que tu t'obstines. On s'est renseignés sur toi, Bosch. En retraite et implacable sont des choses qui vont pas bien ensemble. Je peux pas risquer que tu continues à me chercher. La police renoncera, elle. Me déférer devant un tribunal n'est pas du genre à être prioritaire au PAB. Mais toi… alors je me suis dit qu'il fallait arrêter ça avant de dégager.

Il fit encore un pas vers Bosch pour raccourcir la distance qui les séparait et sortit complètement de l'obscurité. Bosch vit enfin son visage. Il avait la peau tendue autour d'yeux qui brillaient, tout noirs en leur centre. Bosch se rendit compte alors que c'était peut-être le dernier visage qu'il verrait jamais.

— Et on va où ? demanda-t-il en levant lentement les mains comme pour souligner combien il était vulnérable.

Pour faire savoir à Ellis qu'il avait gagné et lui donner le temps de répondre.

Il y eut une pause, puis Ellis répondit.

— À Belize. Il y a une plage, là-bas. Un endroit où l'on ne pourra jamais me retrouver.

Bosch sentit alors qu'il avait une chance. Ellis avait envie de parler – de se vanter même.

— Parle-moi un peu d'Alexandra Parks, lui lança-t-il.

Ellis ricana. Il avait compris la manœuvre.

— Ça, je pense pas avoir envie de te le donner, dit-il. Va falloir que tu l'emportes avec toi.

Il ajusta son tir en remontant le canon de son arme, au cas où Bosch aurait porté un gilet pare-balles. D'aussi près, il lui était impossible de le rater en pleine face.

Bosch regarda encore une fois derrière l'homme qui allait le tuer. Encore une fois il chercha des yeux l'arme que, erreur fatale, il avait laissée derrière lui dans le séjour.

Et vit un mouvement. Mendenhall, là, à l'intérieur, s'avançait vers la porte ouverte de la terrasse. Entre la musique qui montait des haut-parleurs et le bruit de l'autoroute en bas du col, Ellis ne pouvait pas l'entendre. Mendenhall se rapprochait de lui, son arme levée à deux mains, prête à tirer.

Bosch regarda Ellis.

— Je vais te demander un truc encore, reprit-il. Long et toi me surveilliez, pas vrai ? Vous saviez donc pour ma fille. Qu'est-ce qui se serait passé si tu l'avais trouvée en arrivant ici ?

Bosch vit un sourire se former dans les ombres de son visage.

— Ce qui se serait passé ? répéta Ellis. Elle serait morte avant que tu débarques. Je t'aurais laissé le plaisir de la trouver.

Bosch soutint son regard. Il repensa aux photos d'Alexandra Parks. Aux brutalités qu'il lui avait fait subir. Il eut envie de bondir sur lui et de le prendre à la gorge. Sauf qu'Ellis s'y serait attendu.

Au lieu de ça, il resta immobile. Mendenhall, il le vit, était déjà sur le seuil de la terrasse. Il comprit qu'Ellis saurait qu'elle était là dès qu'elle y poserait un pied. Il changea légèrement de position pour essayer de le distraire.

— Pourquoi tu ne me tues pas tout de suite ? reprit-il.

Mendenhall fit les deux derniers pas qui la séparaient d'Ellis et là, sans qu'il y ait la moindre pause, une forte détonation se fit entendre, dont les échos parurent traverser Bosch de part en part.

Ellis s'effondra sans avoir pu tirer un seul coup de feu, Bosch sentant un fin brouillard de sang lui éclabousser la figure.

Pendant quelques instants, Bosch et Mendenhall restèrent debout l'un en face de l'autre. Puis Mendenhall se mit à genoux à côté d'Ellis et le menotta dans le dos en suivant ainsi la procédure alors même qu'il n'était clairement plus une menace pour personne. Elle sortit ensuite son portable de sa poche et appela en numérotation rapide. Et en attendant qu'on lui réponde, elle leva la tête et regarda Bosch, qui n'avait pas bougé d'un pouce depuis qu'Ellis avait braqué son arme sur lui.

— Ça va ? lui demanda-t-elle. J'avais peur que la balle le traverse et vous touche.

Bosch se pencha en avant un instant et posa les mains sur ses genoux.

— Ça va, dit-il. Je l'ai échappé belle. J'arrivais à la fin du parcours, si vous voyez ce que je veux dire.

— Je crois que oui.

— Que voulez-vous que je fasse ?

— Euh… et si vous rentriez vous asseoir ? Laissons la terrasse complètement dégagée. J'appelle tout le monde.

Quelqu'un lui répondant à cet instant, elle s'identifia et donna l'adresse de la maison. Puis d'un ton aussi calme que si elle commandait une pizza, elle demanda qu'on lui envoie une ambulance et un superviseur. Et insista encore sur le fait que tout était sous contrôle avant de raccrocher. Bosch savait que c'était avec le centre des communications qu'elle venait de parler et qu'elle s'était montrée circonspecte dans les détails à donner parce qu'elle ne voulait pas attirer l'attention des médias. Il y avait des scanners pour surveiller la police dans toutes les salles de rédaction de la ville.

Mendenhall appela ensuite son patron, Ellington, et l'informa plus en détail de ce qui venait de se passer. Son coup de fil terminé, elle entra dans le séjour et rejoignit Bosch assis sur le canapé.

— Vous avez éteint la musique, dit-elle.

— Oui, je me suis dit que c'était ce qu'il fallait faire.

— C'était quoi ?

— Wynton Marsalis. Dans « The Majesty of the Blues ».

— C'est ça qui m'a couvert, vous savez ? Ellis ne m'a pas entendue arriver derrière lui.

— Si jamais je rencontre Wynton, je l'en remercierai. C'est la deuxième fois, vous savez.

— La deuxième fois que quoi ?

— Que vous me sauvez la vie.

Elle haussa les épaules.

— Protéger et servir... vous savez ce que c'est.

— Mais il y a plus que ça. Qu'est-ce qui vous a fait revenir ?

— Votre tuyau sur la Camaro orange brûlé. Il y en a une garée dans le virage. Je suis passée devant en redescendant la côte et je me suis dit : *C'est lui, et il attend Bosch.* Alors je suis revenue.

— Et la porte ? Je suis assez certain de l'avoir fermée à clé.

— Affaires internes, première année. J'ai collé pas mal de micros un peu partout dans mon existence. Je me débrouille assez bien avec un rossignol.

— Impressionnant, Mendenhall. Mais vous savez qu'il y a des chances qu'on vous le fasse payer... dans le service. Qu'Ellis ait été un pourri, tout le monde s'en foutra. Vous, vous avez tué un flic.

— Je n'avais pas le choix, répondit-elle. Le tir était justifié et ça ne m'inquiète pas.

— Il l'était, et complètement, mais il n'empêche : il y aura des retours de bâton.

Il savait que, d'après le règlement, user de force létale ne se justifie que pour prévenir une mort imminente ou de graves blessures infligées à un policier ou à un citoyen. Mendenhall n'avait pas à s'identifier ou donner à Ellis la possibilité de lâcher son arme. Qu'elle se soit faufilée dans son dos et lui en ait collé une dans le crâne ne contrevenait à aucune règle. Elle serait vite disculpée par l'Évaluation des tirs et le Bureau du district attorney. C'était avec l'opinion de ses pairs, la rumeur et le sous-entendu qui la suivraient partout dans le service qu'elle ne s'en tirerait pas aussi bien.

Elle regarda le cadavre par la porte ouverte, Bosch la voyant alors tenter de maîtriser les tremblements qui la secouaient. Après un tir, ce genre de réaction n'est pas rare.

— Ça va ? lui demanda-t-il.

— Oui, ça va. Je suis juste un peu… je viens de tuer un type, vous savez.

Il acquiesça.

— Et d'en sauver un autre, lui renvoya-t-il. Ne l'oubliez pas.

— Je ne l'oublierai pas. Mais… qu'est-ce qu'il disait ? À la fin ? Je n'entendais rien en remontant derrière lui. La musique…

Il marqua une pause avant de répondre. Il venait de se rendre compte que cela lui donnait une chance : elle n'avait rien entendu. Il n'y avait donc aucun témoin pour rapporter ce qu'Ellis venait de lui dire sur la terrasse. Ce qu'il raconterait serait considéré par les tribunaux comme un souvenir immédiat et aurait tout le poids de la vérité lorsqu'il le répéterait à la barre des témoins. Il pouvait donc garantir la liberté à Da'Quan Foster en affirmant qu'Ellis s'était vanté d'avoir tué Alexandra Parks avec Long et que, de fait, il avait tout avoué.

Il songea à toutes les lignes jaunes invisibles qu'il avait franchies depuis une semaine qu'il travaillait sur cette affaire. Une image lui vint à l'esprit – celle d'un homme qui se sert d'un parapluie pour ne pas perdre l'équilibre sur une corde raide. Cet homme, c'était lui.

Il décida que cette ligne-là, il ne pouvait pas la franchir.

— Il n'a pas dit grand-chose en dehors du fait qu'il allait filer à Belize, répondit-il. Il voulait juste s'assurer que je sois mort avant de filer.

Elle acquiesça d'un signe de tête.

— L'erreur était de taille, dit-elle.

CHAPITRE 53

Bosch fut vite hanté par sa décision de ne pas mentir en refusant d'affirmer qu'Ellis s'était vanté d'avoir tué Alexandra Parks avec Long. Les jours qui suivirent la mort du flic des Mœurs virent les charges pesant contre Da'Quan Foster rester en l'état tandis que les services du shérif traînaient les pieds dans leur enquête. Long, lui, fut accusé de toutes sortes de crimes, dont l'assassinat du docteur George Schubert, cela au titre de la loi sur la coresponsabilité dans les meurtres perpétrés par un acolyte. Cela étant, rien ne changea dans l'attitude des autorités au regard de l'affaire Parks. Les services du shérif refusèrent de reconnaître que les accusations portées contre Foster résultaient d'un coup monté par Ellis et Long.

Bureaucratie, politique et incapacité des institutions publiques à reconnaître humblement leurs erreurs, il n'y avait pas à chercher plus loin. Les deux agences du maintien de l'ordre prenaient tout leur temps et refusaient de dire quoi que ce soit sur ce qu'elles qualifiaient d'enquête conjointe sur les liens entre les meurtres d'Alexandra Parks, de James Allen, de Peter et Paul Nguyen et de George Schubert. Les assassinats de Deborah Stovall et de Josette Leroux, les professionnelles connues sous les pseudos d'Ashley Juggs et Annie Minx, faisaient eux aussi partie de cette enquête conjointe. Et pendant tout ce temps, Foster restait à la prison du comté de Los Angeles sans possibilité de libération sous caution.

Là où les agences du maintien de l'ordre avaient peut-être sombré dans l'inertie, l'avocat de Foster n'était plus, lui, qu'une seule et même tempête d'activité. Voyant que les charges contre son client n'étaient pas immédiatement suspendues suite à la mort d'Ellis et aux accusations lancées contre Long, il déposa une requête en urgence afin d'annuler les décisions de l'audience préliminaire en invoquant la découverte de nouvelles preuves – nouvelles et très nombreuses. Une semaine plus tard, et ce jeudi-là la température en centre-ville dépassait déjà les 27 degrés à 8 heures du matin, il se tenait devant le juge Joseph Sackville, à la chambre 114 du Criminal Courts Building.

Une chose avait changé depuis la dernière fois que Bosch l'avait vu à l'œuvre : au lieu d'être là pour l'observer, il était maintenant partie prenante dans l'affaire. Haller allait en effet l'appeler à la barre et se servir de lui pour faire accepter comme pièce à conviction l'enregistrement qu'il avait fait de son entretien avec Schubert et de toute la fusillade qui s'était déroulée dans le bureau du chirurgien. Il allait aussi lui demander de détailler tout son travail d'enquête sur l'assassinat de Parks et de montrer ce qui le reliait au meurtre de James Allen.

Foster, lui, ne serait pas appelé à la barre – trop risqué. La moindre erreur dans son témoignage pouvait lui être renvoyée à la figure si jamais la requête de Haller n'aboutissait pas. Et son alibi pouvait être couvert, et dans les moindres détails, par ce que déclarerait un Bosch dont l'expérience de plus de trois décennies de témoignages devant les tribunaux faisait de lui le choix évident.

Ce témoignage, Haller l'avait très soigneusement chorégraphié deux jours avant l'audience. Il s'était assuré qu'il corrobore entièrement l'hypothèse de la défense selon laquelle Foster s'était fait piéger par son propre ADN, ADN que James Allen avait fourni à Ellis et Long. Tout reposait sur les épaules de Bosch.

La salle d'audience était pleine. Au fil des jours, l'affaire en était venue à inclure sept meurtres, plus le tir, justifié, qui avait tué l'officier du LAPD Don Ellis. Huit morts en tout, il n'y avait rien de mieux au tribunal et dans toute la ville ce jour-là, et les médias avaient tout fait pour attirer l'attention générale. Locaux, nationaux et internationaux, les journalistes se pressaient sur les bancs réservés au public. À cela il fallait ajouter les avocats, les enquêteurs ayant à voir avec certains aspects de l'affaire et divers observateurs venus pour l'occasion. La fille de Bosch avait pris place au premier rang derrière la table de la défense – en séchant les cours d'un de ses derniers jours d'école. Elle se tenait juste à côté d'une Mendenhall directement concernée par l'issue de l'audience. Les proches de Foster étaient, eux, remarquablement absents de la salle. Ce dernier avait demandé à Haller de ne pas inviter sa femme de peur que, le témoignage de Bosch aidant, elle ne découvre certaines pratiques de son mari qui risquaient de mettre en péril leur mariage. Il était peu probable qu'elle n'en ait pas connaissance à un moment ou à un autre, mais au moins ne serait-elle pas là, à la vue de tous dans une salle bondée, lorsque les détails en seraient révélés.

Assis dans la rangée juste derrière la table de l'accusation se tenait le veuf, à savoir le shérif adjoint Vincent Harrick, en uniforme. Il était flanqué de deux autres adjoints, eux aussi en uniforme pour bien montrer qu'ils soutenaient leur collègue et ainsi multiplier par trois le message adressé au juge : Harrick était tout à fait d'accord avec les conclusions de l'enquête des services du shérif qui toujours et encore voyaient en Da'Quan Foster l'assassin de sa femme.

Par moments, à observer la scène du box des témoins, Bosch se demandait si c'était au juge ou aux médias que Haller s'adressait. Dès que l'accusation élevait une objection contre la question qu'il posait, il commençait par regarder le juge avant de se tourner vers les médias qui s'entassaient sur les bancs du public.

L'adjoint au district attorney assigné à l'audience s'appelait Brad Landreth. Il remplaçait Ellen Tasker qui ne pouvait y assister, occupée qu'elle était, disait-on, à boucler un autre procès. La rumeur, elle, laissait entendre qu'au Bureau du district attorney on ne voyait guère comment l'emporter. On avait donc retiré la dame – un des meilleurs procureurs du Bureau – de l'affaire afin de ne ternir en rien ses états de service. La tâche peu enviable de Landreth était d'empêcher que tout ne déraille alors même que les services du shérif et le LAPD continuaient à enquêter à la vitesse de progression d'un glacier. Bosch voyait en lui un procureur travailleur et plein de talent, mais qui ne tiendrait pas un instant devant Mickey Haller.

Une objection de Landreth après l'autre étant rejetée, Haller mit presque deux heures à cornaquer Bosch dans son témoignage et dans sa présentation de ce qu'on appelait déjà « l'enregistrement Schubert ». L'audience n'ayant lieu que devant un juge, Haller avait choisi la manière informelle et pas une fois il ne se leva pendant qu'il l'interrogeait, préférant rester assis à la table de la défense, à côté d'un Foster en tenue bleue de prisonnier du comté.

Haller et Bosch ayant abordé tous les points qu'ils avaient travaillés et répétés, ce fut au tour de Landreth d'interroger Bosch en contre. Il se leva de son siège et gagna le lutrin – il avait décidé de se montrer plus formel dans l'espoir, qui sait, d'intimider l'ancien officier de police qu'il allait questionner.

Plutôt que de mettre en doute la valeur de son témoignage, il choisit de s'attaquer à ses méthodes de travail, aux façons qu'il avait de tourner la loi et de brouiller la vérité. Bref, de recourir à la stratégie plus que rebattue qui consiste à s'en prendre au messager quand on ne peut pas démolir son message. Ainsi de cet échange portant sur les personnes rencontrées par Bosch durant son enquête qui se répéta plusieurs fois :

Landreth : Avez-vous informé l'individu que vous étiez officier de police ?
Bosch : Non, je ne l'ai pas fait.

LANDRETH : Mais n'est-il pas vrai que vous ne l'avez pas dissuadé de croire qu'il était bel et bien en train de parler à un membre des forces de l'ordre assermenté ?
BOSCH : Non, cela n'est pas vrai. Il n'a jamais pensé que j'étais officier de police parce que je ne lui ai jamais dit en être un. Je n'avais ni badge, ni arme, et je ne lui ai jamais dit que j'étais flic.

Cette stratégie commença à fatiguer tout le monde dans la salle, surtout le juge Sackville qui ne voulait pas y passer plus que la matinée. Il en vint vite à se prononcer sur ses objections avant même que Haller puisse les formuler entièrement. Il ne cessait d'ordonner à Landreth d'avancer et en vint même à lui lancer qu'il faisait perdre un temps précieux à la cour.

Landreth finissant enfin de l'interroger en contre, Bosch put quitter son box et aller s'asseoir à côté de Haller à la table de la défense. Se retrouver à cette place le mit mal à l'aise. Il avait l'impression d'être du mauvais côté de la salle, de conduire une voiture avec le volant à droite.

Haller ne remarqua rien de cette gêne. Il tambourina sur la table du bout des doigts en réfléchissant à la suite. Enfin le juge lui fit signe d'y aller.

— Maître Haller, dit-il, avez-vous un autre témoin ?

Haller se pencha vers Bosch et lui souffla à l'oreille : « Lançons les dés et voyons un peu s'ils ne pourraient pas tomber dans le piège à ours. » Puis il se leva et répondit :

— Non, monsieur le juge, je n'ai pas d'autres témoins. La défense est prête à plaider.

Haller se rasseyait déjà lorsque Sackville se tourna vers Landreth et lui demanda :

— L'accusation souhaite-t-elle appeler un témoin à la barre ?

Landreth se leva.

— L'accusation appelle l'inspecteur des services du shérif Lazlo Cornell.

Celui-ci se leva de son siège et gagna la barre. Le greffier lui ayant fait prêter serment, il entama son témoignage, Landreth le cornaquant à chaque étape de l'enquête qu'il avait menée sur le meurtre d'Alexandra Parks.

À un moment donné, Bosch se pencha en arrière, regarda sa fille et lui adressa un petit hochement de tête qu'elle lui renvoya. Puis il passa de Maddie à Mendenhall et leurs regards se croisèrent. Un léger sourire jouait sur les lèvres de l'inspectrice des Affaires internes. Un peu plus tôt, dans le couloir, Bosch l'avait présentée à sa fille en lui disant que c'était la femme qui lui avait sauvé deux fois la vie. Mendenhall en avait été gênée, et peut-être aussi Maddie, mais Harry n'avait pas regretté de l'avoir présentée ainsi.

Landreth se servit de Cornell pour marteler à quel point le meurtre d'Alexandra Parks était horrible et décrire en détail l'analyse de la scène de crime et l'autopsie qui s'était ensuivie. Tout cela finit par le conduire à la manière précise dont le sperme avait été recueilli sur et dans le cadavre, l'opinion professionnelle de Cornell étant que l'ADN y avait été déposé lors d'une agression sexuelle particulièrement brutale et pas du tout rapporté d'ailleurs.

Harrick resta dans la salle jusqu'au bout de ce témoignage, le menton droit et l'air résolu : il se battait pour sa femme. À le voir, il ne faisait aucun doute que pour lui, l'homme assis à quelques mètres de lui était bien l'assassin de son épouse. Et que les manœuvres de la défense n'étaient que cela : des manœuvres. Que des tentatives destinées à manipuler la vérité. On restait solidaire de la ligne officielle.

Landreth mit fin au témoignage de Cornell en y allant d'une déclaration qui reprenait les conclusions de ce dernier :

— À l'heure qu'il est et au vu de ma longue expérience en matière d'enquêtes sur les viols suivis de meurtre, je suis persuadé que Mme Parks a été effectivement violée et que le sperme trouvé sur sa cuisse, sur les draps et dans son vagin y a été déposé par son assaillant au moment de l'agression. « Déposé » n'est pas le mot, d'ailleurs.

Puis il passa la parole à Haller.

— Inspecteur Cornell, lança celui-ci, l'un de vos enquêteurs ou techniciens de scène de crime a-t-il trouvé un préservatif sur les lieux du meurtre ?

Cornell donna l'impression de rire de la question.

— Non, répondit-il. Une quantité substantielle de sperme a été collectée et rien n'indique qu'un préservatif aurait été utilisé lors de la commission de ce viol. Le sperme recueilli sur le corps et les draps n'indique en rien l'usage d'un préservatif. C'est même l'erreur qu'a commise l'assassin.

— « L'erreur qu'a commise l'assassin », répéta Haller. C'est bien d'un assassin qui suivait sa victime que nous parlons, n'est-ce pas ?

— C'est exact.

— D'un assassin qui a très soigneusement préparé ce meurtre, n'est-ce pas ?

— Exactement.

— Et qui savait que sa victime n'avait pas de chien alors même que la pancarte devant chez elle indiquait le contraire, c'est bien ça ?

— Nous le pensons.

— Et qui est entré en cassant une vitre de la fenêtre de derrière pendant que sa victime dormait ?

— Exact.

— Votre opinion, fondée sur votre expérience et sur ce que vous savez de cette affaire, est donc que l'assassin a fait tout cela, qu'il a soigneusement choisi et suivi sa victime, qu'il a ensuite méticuleusement planifié et exécuté ce meurtre pour tout simplement finir par oublier d'apporter un préservatif ?

— Il n'est pas impossible qu'il en ait apporté un, mais il ne s'en est pas servi. Il est tout à fait possible que, dans la frénésie de l'agression, il ait oublié de le faire.

— La « frénésie » ? Et maintenant, vous nous parlez d'une agression « frénétique » ? Je croyais que, d'après vous, elle avait été soigneusement planifiée.

— Tout ce que je sais, c'est qu'il s'agit d'une des plus brutales que j'aie jamais vues dans mes quatorze ans de carrière aux Homicides. Pareille brutalité indique bien une perte de contrôle pendant l'agression.

À ce moment-là, le juge entra dans la danse et décida que l'heure était venue de faire la pause. Il ordonna à tous les gens concernés de revenir à leur place un quart d'heure plus tard, puis il sauta de son siège, franchit la porte qui donnait dans son cabinet et y disparut.

CHAPITRE 54

Dès que la séance reprit, Cornell regagna la barre des témoins, Haller passant aussitôt à la mise à mort.

— Avez-vous vérifié les toilettes de la maison, inspecteur Cornell ? demanda-t-il. Les siphons des lavabos, je veux dire, et les toilettes, pour voir si l'assassin n'y aurait pas jeté son préservatif et tiré la chasse.

— Non, répondit Cornell, un rien d'agacement dans la voix. Et d'un, tout ça, c'est des trucs de télé. Quand on jette un préservatif dans les toilettes et qu'on tire la chasse, le truc disparaît. Mais il n'y avait même pas besoin de vérifier. Il y avait du sperme de l'accusé absolument partout sur la victime et les lieux du crime. Nous ne cherchions pas de préservatif.

— Au temps pour moi, dit Haller. Mais ce sperme qui, à vous entendre, aurait été absolument partout sur les lieux du crime, qu'en avez-vous fait ?

— Il a été recueilli par les techniciens de scène de crime et apporté au laboratoire des services du shérif pour analyse. Il a ensuite été apporté au ministère de la Justice de Californie pour comparaison avec les banques de données ADN de l'État.

— Et c'est de cette façon qu'il a été établi une correspondance avec l'ADN de M. Foster, c'est bien ça ?

— Tout à fait.

— Et donc, comme vous parlez d'analyse… De quel genre d'analyse parlons-nous ?

— L'ADN est extrait de l'échantillon. On en analyse les protéines, détermine le groupe sanguin, identifie les caractéristiques chromosomiques et autres facteurs. Toutes ces caractéristiques, aussi appelées « marqueurs », constituent ce qui se trouve dans la banque de données.

Haller prit un dossier et, pour la première fois, se leva pour gagner le lutrin entre les tables de l'accusation et de la défense. Les mâchoires du piège à ours venaient de se refermer sur la jambe de Cornell, mais celui-ci ne s'en était pas encore rendu compte.

— Inspecteur Cornell, reprit-il, l'analyse qui a été faite de l'ADN que vous avez apporté à ce laboratoire incluait-elle une vérification des TP ?

Cornell sourit comme s'il devait encore supporter cette énième et agaçante attaque de moulin à vent dans laquelle Haller se lançait.

— Non, répondit-il.

— Savez-vous ce qu'est une analyse de TP, inspecteur ?

— Oui, de traces de préservatif.

— Alors, pourquoi ce labo n'y a-t-il pas procédé ?

— Parce que cela ne fait pas partie du protocole ordinaire en matière d'analyse ADN. C'est en plus. Quand on la veut, il faut la demander à un laboratoire extérieur.

— Et vous, vous n'en vouliez pas ?

— Comme je l'ai déjà dit, rien n'indiquait tant sur les lieux du crime qu'à l'autopsie et ailleurs, qu'il aurait été fait usage d'un préservatif dans la commission de ce meurtre.

— Sauf que… comment auriez-vous pu le savoir en ne cherchant pas de préservatif sur les lieux du crime ou en ne demandant pas au labo d'analyse d'ADN de vérifier les TP ?

Cornell regarda Landreth, puis le juge, et leva les mains en l'air.

— Je ne peux pas vous répondre, dit-il enfin. Ça n'a aucun sens.

— Pour moi, si, lui renvoya Haller.

Et avant même que Landreth ne puisse élever une objection à cette remarque, Sackville avertit Haller de ne pas y aller de ses opinions personnelles.

— Contentez-vous de poser des questions, lui lança-t-il.

— Oui, monsieur le juge, répondit Haller. Inspecteur Cornell… vous êtes conscient que la cour a ordonné à l'accusation de partager un peu de cet ADN avec la défense afin que celle-ci puisse procéder à ses propres analyses, n'est-ce pas ?

— Absolument.

Haller demanda alors au juge la permission d'inclure les résultats de l'analyse ADN de la défense dans la liste des pièces à conviction et d'autoriser Cornell à en lire des passages. Cela déclencha une longue discussion dans laquelle Landreth attaqua ce rapport sous deux angles. Il commença par accuser Haller d'avoir violé les dispositions régissant l'échange des pièces entre les parties parce que, selon lui, ce rapport que Haller voulait faire figurer dans les pièces à conviction n'avait pas été passé à l'accusation au préalable. Puis il éleva une objection contre le souhait qu'avait exprimé Haller de faire lire à Cornell des passages d'un rapport de labo dont l'authenticité n'avait pas été établie.

— Il débarque ici avec un rapport de labo dont nous n'avons jamais même seulement entendu parler ! s'écria-t-il d'un ton sarcastique. Et en plus, nous ne savons même pas de quel laboratoire il s'agit ni non plus qui sont les techniciens qui ont procédé à cette analyse. Et maître Haller n'en a en aucune façon argumenté l'authenticité. Pour ce que nous en savons, il aurait très bien pu le ramasser au Walmart du coin en venant ici.

Et, très fier de lui, il se rassit en pensant avoir marqué un point irréfutable. Ce qu'il ne semblait pas avoir saisi, c'est qu'on n'est pas dans les meilleures conditions pour marquer un point irréfutable quand on a les mâchoires d'un piège à ours autour de la cheville.

Haller se leva et regagna le lutrin. Et commença par se tourner vers Landreth.

— « Au Walmart du coin » ? répéta-t-il. Vraiment ?

Puis il regarda le juge et se mit en devoir de descendre en flammes toutes les objections de Landreth.

— Et d'un, monsieur le juge, j'aimerais soumettre à l'appréciation de la cour la copie d'un e-mail qui montre clairement qu'il y a deux jours de cela, ce rapport de laboratoire que maître Landreth met en cause m'a été envoyé par Ellen Tasker en personne, Ellen Tasker qui, à ce moment-là, pour ce qu'en sait la défense, était la procureure assignée à cette affaire.

Et de tenir un tirage papier de l'e-mail en question au-dessus de sa tête, et de l'y agiter comme un drapeau. Landreth éleva une objection, mais Sackville lui renvoya qu'il voulait voir la pièce. Haller gagna le fauteuil du juge, la lui tendit, et tandis que Sackville découvrait l'e-mail, poursuivit sa démonstration.

— Ce rapport était donc entre les mains du district attorney et, monsieur le juge, la défense ne saurait être tenue responsable des problèmes de communication interne de ses services.

Landreth se leva pour élever une objection, mais Sackville l'arrêta net.

— Vous nous avez déjà fait part de votre objection sur ce point, maître Landreth, lui asséna-t-il. Passons au bien-fondé de votre requête, maître Haller.

— Nous n'en sommes pas au procès, monsieur le juge, dit celui-ci. Nous ne faisons que contester les conclusions de la cour lors d'une audience préliminaire. Lors de cette audience, la cour a en effet autorisé l'accusation à témoigner par pièce ou tierce personne, l'inspecteur Cornell faisant alors enregistrer son rapport d'analyse ADN comme pièce à conviction sans en avoir fait établir l'authenticité par le témoignage direct des techniciens de son laboratoire. La défense ne demande qu'à avoir, elle aussi, cette possibilité.

C'était vrai. Selon la Constitution de l'État de Californie, il est possible d'invoquer l'existence de preuves externes lors d'une audience préliminaire de façon à accélérer la procédure. L'accusation peut le faire par l'intermédiaire de ses enquêteurs en les autorisant à résumer des dépositions de témoins, ce qui évite de faire traîner les choses en longueur en n'appelant pas chaque témoin à déposer en personne à la barre.

Le juge arrêta sa décision dans l'instant.

— Maître Haller, dit-il, faites donc. Nous pourrons toujours revenir en arrière si nous n'aimons pas où tout cela nous conduit.

Haller donna des copies du rapport de labo à Landreth, à Cornell et au juge, puis il regagna le lutrin. Après avoir cornaqué Cornell d'une question à une autre de façon à bien identifier et le rapport et le labo indépendant qui avait procédé à l'analyse ADN de l'échantillon soumis, il lui demanda de lire un passage surligné des conclusions du labo en matière de TP. Cornell le lut avec le même agacement que dans presque toutes ses réponses précédentes.

— « L'analyse du matériel génétique qui nous a été soumis montre que celui-ci contient des traces de préservatif, dont du lycopodium particulaire et de la silice amorphe. Ce mélange se trouve dans les préservatifs fabriqués par la société Lessius Latex Products de Dallas, État du Texas, et distribués sous la marque Rainbow Pride. »

Haller marqua une pause de plusieurs secondes avant de reprendre son interrogatoire.

— Alors, inspecteur Cornell… Vous venez d'affirmer que vous n'aviez pas cherché de préservatif sur les lieux du crime parce que aucun n'avait été utilisé dans l'agression. Comment expliquez-vous les conclusions de ce rapport ?

— Je ne les explique pas. Cela est votre rapport, pas le nôtre.

— Suggérez-vous donc que ce rapport est bidon et que ses conclusions sont fausses ?

— Je dis seulement que c'est votre rapport à vous et que je ne le connais pas.

Cornell avait l'air moins fanfaron. Le ton était maintenant plus inquiet qu'agacé.

— Le détachement spécial qui enquête sur cette affaire étudie tous les meurtres ayant un lien possible avec les officiers Ellis et Long, c'est bien ça ? reprit Haller.

— Oui, mais comme je l'ai déjà déclaré, nous n'avons trouvé aucun élément de preuve les reliant à l'assassinat d'Alexandra Parks. Ce lien, c'est l'ADN de votre client qui le fournit. C'est donc toujours lui notre suspect.

— Merci d'avoir bien voulu le rappeler à la cour, inspecteur Cornell. Mais avez-vous donc, au cours de cette enquête conjointe, examiné les éléments de preuve, les rapports et les photos de tous les dossiers de ces affaires, ou ne vous en êtes-vous pas donné la peine parce que vous étiez sûr et certain que M. Foster était votre homme ?

— Nous avons examiné toutes les preuves répertoriées dans tous ces dossiers.

— Un instant, je vous prie, monsieur le juge.

Haller regagna la table de la défense et prit un sac posé dessous. Il le rapporta au lutrin et en sortit un grand coffret en plastique transparent à moitié plein de préservatifs emballés dans des sachets de différentes couleurs. Il les disposait sur le lutrin lorsque Landreth se mit debout pour élever une objection.

— Monsieur le juge, que croit donc être en train de faire l'avocat de la défense ? L'accusation s'élève contre ces pitreries et cet étalage préjudiciable.

— Maître Haller ! s'écria le juge d'un ton sévère. Que pensez-vous donc nous démontrer ?

Haller sortit un autre document de son dossier.

— Monsieur le juge, dit-il, ceci est la déclaration sous serment d'un certain Andre Masters, qui était un proche de la victime James Allen. Il y affirme que ce coffret de préservatifs Rainbow Pride a été retrouvé dans les affaires de M. Allen après son assassinat. Ces affaires, les enquêteurs ne les ont pas saisies et ces préservatifs sont de la même marque que ceux dont des traces ont été découvertes sur et dans le corps d'Alexandra Parks. Il y a donc un lien direct entre ces deux meurtres, ce qui corrobore entièrement l'hypothèse de la défense selon laquelle Da'Quan Foster a été piégé par les officiers Ellis et Long qui entendaient l'inculper de l'assassinat d'Alexandra Parks.

Cette réponse de Haller n'avait pas cessé d'être ponctuée d'objections de Landreth, mais Sackville laissa Haller aller jusqu'au bout de ses explications. Après avoir marqué une pause, le juge ajouta :

— Permettez que je jette un coup d'œil à cette déclaration.

Haller lui en apporta une copie et en donna une autre à Landreth, les quelques minutes qui suivirent voyant le juge et le procureur les lire en silence. Bosch avait retrouvé Masters et récupéré le coffret de préservatifs quelques jours plus tôt, lorsque enfin il était retourné à la Haven House et avait donné cinquante dollars au gérant pour avoir le numéro de portable de Masters.

— Monsieur le juge, reprit Landreth. Hormis l'étrange origine de cette déclaration et la prétendue chaîne de traçabilité de ce, de ce, de ce... coffret de préservatifs, la seule preuve que cela nous donne n'est pas fiable. En plus de quoi, nous avons une fois encore à regretter une violation des règles de procédure dans l'échange des pièces entre les parties. L'accusation n'a pas eu connaissance de cette déclaration avant maintenant et s'élève donc contre son inclusion dans les pièces à conviction soumises au tribunal et demande qu'il n'en soit pas fait état dans l'interrogatoire de l'inspecteur Cornell. Tout cela n'est que fumée et effets de miroirs, monsieur le juge.

Landreth à peine assis, Haller le contrait déjà :

— Monsieur le juge, deux choses très très vite. Un, j'ai ici même la copie d'un autre e-mail adressé au procureur anciennement assigné à cette affaire. Cette déclaration sous serment de M. Masters a, elle aussi, été envoyée à Ellen Tasker, ce qui signifie qu'il n'y a nullement eu violation des règles de procédure par la défense. Et deux, monsieur le juge, permettez que la défense présente ici trois pièces extraites du livre du meurtre du LAPD concernant l'affaire James Allen. Il s'agit de trois photographies de la scène de crime où l'on voit très clairement ce coffret de préservatifs dans la chambre de motel de la victime le jour même où son assassinat a été découvert. Ce coffret correspond parfaitement à celui que vous voyez ici même.

Haller apporta la copie de l'e-mail et les photos au juge et regagna le lutrin. Bosch le vit décocher un clin d'œil à Maddie assise au premier rang alors qu'il y revenait.

Le juge prit tout son temps pour examiner les documents et les photos posés devant lui. La salle était plongée dans un tel silence que Bosch entendit la clim se mettre en route au plafond.

Pour finir, le juge fit un tas des déclarations sous serment et des clichés et se pencha vers son micro pour parler.

— La cour trouve ces éléments de preuve et le témoignage apporté par la défense incontestables et entièrement à décharge là où le témoin de l'accusation ne convainc pas. Au vu de ces nouveaux éléments de preuve, elle déclare donc les raisons de cette audience préliminaire non avenues. Les charges pesant contre l'accusé sont annulées. L'accusation sera libre de les reprendre contre lui quand elle sera en mesure de satisfaire toutes les exigences de la cause probable. Monsieur Foster, vous êtes libre. Assurez-vous de remercier votre conseil pour le zèle et la minutie dont il a fait montre. L'audience est levée.

Et c'est ainsi que d'une seconde à l'autre tout fut dit. Le silence se prolongea dans la salle tandis que le juge quittait sa place et franchissait la porte de son cabinet. Alors seulement la surprise éclata dans tout le prétoire. Haller se tourna d'abord vers Bosch pour lui serrer la main.

— Tu as réussi, lui lança celui-ci.

— Non, c'est toi, lui renvoya Haller. On fait une sacrée équipe.

Haller se tourna ensuite vers son client et lui passa un bras autour du cou pour le féliciter et le serrer contre lui. Assis à la table de la défense quasi en intrus, Bosch se tourna pour regarder sa fille. Elle rayonnait.

— Ouai-ai-ais ! lui cria-t-elle.

Il sourit et hocha la tête tant cette victoire le mettait mal à l'aise. Il dut néanmoins reconnaître qu'il était content – une première à l'énoncé d'un arrêt cassant des accusations de meurtre. S'y habituer allait lui demander quelque effort.

CHAPITRE 55

Dans le couloir devant la salle d'audience, il n'y en avait que pour Haller. Landreth n'était pas resté. Cornell et Harrick non plus et, procédure oblige, Foster allait devoir être extrait de sa prison et ne pourrait recouvrer la liberté que deux ou trois heures plus tard au minimum. Seul Haller était là. Des journalistes du monde entier l'entourant, il évoluait au milieu d'un cercle ondulant de caméras, de magnétophones et de micros qu'on lui mettait sous le nez. On aurait dit le joueur qui a marqué le point définitif à la finale des World Series de base-ball. Ils s'alignaient sur trois rangs et de tous les côtés et lui se tournait, regardait en haut et en bas pour donner à chacun une chance de poser sa question et d'entendre ses réponses pleines de sagesse, et parfois d'ironie. De sa poche, il avait sorti un gros paquet de cartes de visite qu'il distribuait sans cesser de parler et toujours en s'assurant que les journalistes épelaient son nom comme il fallait. Il n'y a rien de mieux que la publicité qu'on ne paie pas.

À l'écart avec sa fille, Bosch observait le spectacle.

— C'est sensationnel, lui dit-elle.

— Ne va pas te faire des idées, lui renvoya-t-il. Un avocat de la défense dans la famille suffit amplement.

— Ça t'embête que je m'approche pour écouter ?

— Pas de problème, mais fais attention à ne pas te faire bouffer par ces requins. C'est une vraie curée !

Elle leva les yeux au ciel et s'approcha de la cohue.

Bosch se retourna et vit Mendenhall à quelques mètres de là, dans le deuxième cercle des spectateurs. Elle aussi était fascinée par le spectacle qu'offraient les médias. Il s'approcha d'elle et lui parla sans que ni l'un ni l'autre ne lâchent la mêlée des yeux.

— Merci d'être venue, lui dit-il.

— Je n'aurais raté ça pour rien au monde. À propos… votre fille est très fière de vous, je peux vous l'assurer.

— Pour l'instant.

— Non, pour toujours.

Il sourit et hocha la tête. Il l'espérait.

— Il vaudrait mieux que vous soyez sur liste rouge parce que tout le monde va vous appeler, vous et Haller. Tous les innocents coincés dans le système.

— Pas moi, dit-il en hochant la tête. Pour moi, c'est fini.

— Vraiment? Vous? lui renvoya-t-elle. Et qu'allez-vous faire, hein?

Il haussa les épaules et réfléchit un instant. Puis il lâcha tout ce cirque des yeux et la regarda.

— J'ai une vieille Harley, dit-il. Une panhead de 1950 avec le carburateur à remettre en place. En fait, il y a même des tas d'autres trucs à réparer. La suite, c'est ça. C'est la meule de Lee Marvin dans *L'Équipée sauvage.* Vous avez vu ce film?

— Je ne crois pas.

— Vous faites de la moto?

Ce fut au tour de Mendenhall de lâcher le spectacle des yeux et de regarder Bosch.

— Pas depuis longtemps.

— Même chose pour moi. Donnez-moi deux ou trois semaines et je vous appelle. On en fera tous les deux.

— Ça me plairait.

Il hocha la tête, s'écarta et rejoignit sa fille. C'était l'heure de rentrer à la maison.

REMERCIEMENTS

L'auteur a beaucoup apprécié la compagnie et l'aide de nombre de gens bien durant les phases de recherche, d'écriture et de correction de ce roman. Tous mes remerciements vont à de vrais inspecteurs de police – Tim Marcia, Rick Jackson, Mitzi Roberts et David Lambkin – pour les efforts qu'ils ont déployés afin que Harry Bosch et son univers soient aussi vrais que possible. Parmi les autres lecteurs dont l'aide fut tout aussi importante à mes yeux, je veux citer Daniel Daly, Roger Mills, Henrick Bastin, John Houghton, Terril Lee Lankford, Jane Davis, Heather Rizzo et Linda Connelly. Mes remerciements vont aussi au chercheur Dennis « Cisco » Wojciechowsky (alias « vous avez chaussé vos skis »). Trois directeurs de collection ont Dieu sait comment réussi à donner un sens à tout cela et je leur dois à tous les trois, Asya Muchnick, Bill Massey et Pamela Marshall, mes plus grands remerciements.

Merci, merci à vous tous.

Du même auteur

Les Égouts de Los Angeles
Prix Calibre 38, 1993
1re publication, 1993
Calmann-Lévy, l'intégrale MC, 2012 ; Le Livre de Poche, 2014

La Glace noire
1re publication, 1995
Calmann-Lévy, l'intégrale MC, 2015 ; Le Livre de Poche, 2016

La Blonde en béton
Prix Calibre 38, 1996
1re publication, 1996
Calmann-Lévy, l'intégrale MC, 2014 ; Le Livre de Poche, 2015

Le Poète
Prix Mystère, 1998
1re publication, 1997
Calmann-Lévy, l'intégrale MC, 2015

Le Cadavre dans la Rolls
1re publication, 1998
Calmann-Lévy, l'intégrale MC, 2017

Créance de sang
Grand Prix de littérature policière, 1999
Seuil, 1999 ; Points, n° P835

Le Dernier Coyote
Seuil, 1999 ; Points, n° P781

La lune était noire
1re publication, 2000
Calmann-Lévy, l'intégrale MC, 2012 ; Le Livre de Poche, 2012

L'Envol des anges
1re publication, 2000
Calmann-Lévy, l'intégrale MC, 2012 ; Le Livre de Poche, 2012

L'Oiseau des ténèbres
1re publication, 2001
Calmann-Lévy, l'intégrale MC, 2012 ; Le Livre de Poche, 2011

Wonderland Avenue
1re publication, 2002
Calmann-Lévy, l'intégrale MC, 2013

Darling Lilly
1re publication, 2003
Calmann-Lévy, l'intégrale MC, 2014

Lumière morte
1re publication, 2003
Calmann-Lévy, l'intégrale MC, 2014

Los Angeles River
1re publication, 2004
Calmann-Lévy, l'intégrale MC, 2015

Deuil interdit
Seuil, 2005 ; Points, n° P1476

La Défense Lincoln
Seuil, 2006 ; Points, n° P1690

Chroniques du crime
Seuil, 2006 ; Points, n° P1761

Echo Park
Seuil, 2007 ; Points, n° P1935

À genoux
Seuil, 2008 ; Points, n° P2157

Le Verdict du plomb
Seuil, 2009 ; Points, n° P2397

L'Épouvantail
Seuil, 2010 ; Points, n° P2623

Les Neuf Dragons
Seuil, 2011 ; Points n° P2798 ;
Point Deux

Volte-Face
Calmann-Lévy, 2012 ;
Le Livre de Poche, 2013

Angle d'attaque
Ouvrage numérique,
Calmann-Lévy, 2013

Le Cinquième Témoin
Calmann-Lévy, 2013 ;
Le Livre de Poche, 2014

Intervention suicide
Ouvrage numérique,
Calmann-Lévy, 2014

Ceux qui tombent
Calmann-Lévy, 2014 ;
Le Livre de Poche, 2015

Le Coffre oublié
Ouvrage numérique,
Calmann-Lévy, 2015

Dans la ville en feu
Calmann-Lévy, 2015,
Le Livre de Poche, 2016

Muholland, vue plongeante
Ouvrage numérique,
Calmann-Lévy, 2015
Les Dieux du verdict
Calmann-Lévy, 2015

Billy Ratliff, dix-neuf ans
Ouvrage numérique,
Calmann-Lévy, 2016

Mariachi Plaza
Calmann-Lévy, 2016,
Le Livre de Poche, 2017

Dans la collection
Robert Pépin présente…

Pavel ASTAKHOV
Un maire en sursis

Federico AXAT
L'Opossum rose

Alex BERENSON
Un homme de silence
Départ de feu

Lawrence BLOCK
Entre deux verres
Le Pouce de l'assassin
Le Coup du hasard
Et de deux…
La Musique et la nuit

C. J. BOX
Below Zero
Fin de course
Vent froid
Force majeure
Poussé à bout

Lee CHILD
Elle savait
61 heures
La cause était belle
Mission confidentielle
Coup de chaud sur la ville
(ouvrage numérique)
Jack Reacher : Never go back

James CHURCH
L'Homme au regard balte

Michael CONNELLY
La lune était noire
Les Égouts de Los Angeles
L'Envol des anges

L'Oiseau des ténèbres
Angle d'attaque
(ouvrage numérique)
Volte-Face
Le Cinquième Témoin
Wonderland Avenue
Intervention suicide
(ouvrage numérique)
Darling Lilly
La Blonde en béton
Ceux qui tombent
Lumière morte
Le Coffre oublié
(ouvrage numérique)
Dans la ville en feu
Le Poète
Los Angeles River
La Glace noire
Mulholland, vue plongeante
(ouvrage numérique)
Les Dieux du Verdict
Billy Ratliff, 19 ans
(ouvrage numérique)
Mariachi Plaza
Deuil interdit
Le Cadavre dans la Rolls

Miles CORWIN
Kind of Blue
Midnight Alley
L.A. Nocturne

Martin CRUZ SMITH
Moscou, cour des Miracles
La Suicidée

Chuck HOGAN
Tueurs en exil

Fabienne JOSAPHAT
À l'ombre du Baron

Andrew KLAVAN
Un tout autre homme

Michael KORYTA
La Rivière Perdue
Mortels Regards

Stuart MACBRIDE
Surtout, ne pas savoir

Alexandra MARININA
Quand les dieux se moquent

Robert McCLURE
Ballade mortelle

T. Jefferson PARKER
Signé : Allison Murrieta
Les Chiens du désert
La Rivière d'acier

P. J. PARRISH
Une si petite mort
De glace et de sang
La tombe était vide
La Note du loup

George PELECANOS
Une balade dans la nuit
Le Double Portrait
Red Fury
La Dernière Prise

Henry PORTER
Lumière de fin

Sam REAVES
Homicide 69

Craig RUSSELL
Lennox
Le Baiser de Glasgow
Un long et noir sommeil

Roger SMITH
Mélanges de sangs
Blondie et la mort
Le sable était brûlant
Le Piège de Vernon
Pièges et Sacrifices
Un homme à terre

p.g.sturges
L'Expéditif
Les Tribulations de l'Expéditif

Peter SWANSON
La Fille au cœur mécanique
Parce qu'ils le méritaient

Joseph WAMBAUGH
Bienvenue à Hollywood
San Pedro, la nuit

Photocomposition Belle Page

Achevé d'imprimer en mars 2017
par CPI Firmin-Didot
pour le compte des éditions Calmann-Lévy
21, rue du Montparnasse 75006 Paris

PAPIER À BASE DE
FIBRES CERTIFIÉES

CALMANN LEVY s'engage
pour l'environnement en réduisant
l'empreinte carbone de ses livres.
Celle de cet exemplaire est de :
500 g éq. CO_2
Rendez-vous sur
www.calmann-levy-durable.fr

N° d'éditeur : 3366707/02
N° d'imprimeur : 139656
Dépôt légal : avril 2017
Imprimé en France.